教育部哲学社会科学研究重大课题攻关项目“我国学校教育创新研究”成果
“守望者的凝思：读懂学校、读懂校长”系列论丛

主编 裴娣娜

做最好的『我』

ZUO ZUIHAO DE WO

——北京市中关村第一小学教育创新研究

刘畅 等 著

教育科学出版社
·北京·

做最好的“我”

——北京市中关村第一小学教育创新研究

本册主编：刘　畅

编　　委：丁凤良　张鲁静　商红领
王化英　张海宏　穆　倩
潘春艳　司学娟

基于学校教育变革性实践的反思与建构
——中国基础教育改革创新之路

裴娣娜

学校教育创新是目前世界各国基础教育改革中一个具有战略意义的重要问题。如何变革学校教育观念，培养具有创新精神和实践能力的高素质人才，是世界各国共同关注的问题。事实证明，以创新挑战危机，谁最先把握了时代发展变化的需求，谁就掌握了发展的主动权。

“守望者的凝思：读懂学校、读懂校长”系列论丛，是“十一五”期间教育部哲学社会科学研究重大课题攻关项目“我国学校教育创新研究”的研究成果，是对改革开放三十多年来中国基础教育阶段学校教育创新发展的思路、策略及方法基本脉络的全面系统的反思梳理。这套论丛有着独特的时空定位，限定在我国改革开放以来学校办学层面的改革与创新，采取自下而上的分析思路，是对学校已有的基于变革性实践的学校现代发展经验的总结提升。系列论丛中一本本研究性的专著翔实地记录了这些学校的校长基于不同的办学实际带领各自团队所走过的学校发展之路，这些学校的办学理念及经验经过了时间积淀和实践的检验，是富有鲜明特色、带有中国本土气息的原创性实践。

反思总结来自实践的学校创新经验，从中解读并汇集学校教育创新力指标，从而为进一步探讨学校教育创新发展理论模型与实践模式的建构、形成有较强的实践操作策略奠定坚实的基础。因此，我们的研究，以反思与建构为主线，聚焦“两个读懂”：读懂学校、读懂校长。这套系列论丛所呈现的不仅是每个学校独特的“我”，更重要的是通过一个个独特的“我”集合形成的具有一定典范意义的学校变革性实践的基本认识。

一、学校教育创新理论反思与现实建构的战略性意义

进入21世纪，面对世界各国对于经济社会可持续发展目标的诉求以及日益激烈的国际竞争对高素质人才提出的更高要求，面对工业社会和信息社会发展的要求，面对极不平衡的区域性社会经济发展以及多元文化价值取向、伦理道德问题、文化生态危机等一系列严峻挑战，中国基础教育的改革与发展进入一个十分关键的时期，正是社会转型凸显了中国学校教育创新发展的主题。

教育创新是学校教育发展的根本动力。学校需要变革，学校必须变革，变革的目的在于坚持“以人为本”的科学发展观，办好让人民满意的学校。学校教育创新研究的重要意义在于以下三个方面。

（一）为构建优质高效的学校办学模式提供一种理论分析框架

学校教育创新研究旨在对中国学校教育创新发展进程中的若干重要问题作出理性的思考和科学的回答，探索适应社会发展和人的自身发展需要的、优质高效的学校教育发展模式与育人模式。通过教育学、心理学工作者的跨学科研究，跨校际的教育工作者协同研究，以及理论与实践工作者的合作研究，为有中国特色的基础教育改革和发展提供思路，为构建优质高效的学校教育提供一种理论准备和分析框架，为促进青少年儿童全面发展提供一种新的教育方式，为教育行政部门和教育机构的相关决策与措施的制定提供科学依据。因此，这一研究成果是中华民族的，也是世界的；既有本土性，又有国际的普遍意义。

（二）通过典型个案研究，呈现我国当前具有特色的和有代表性的学校教育创新发展实践模式、评价指标、推进机制及成功经验

系列论丛的内容强调以下三点。

一是以学校教育改革与发展为中心线索，阐明项目学校从学校教育价值观念的重新定位到学校教育体系的全面更新，从改造教育过程到改

变教育教学各个环节中的方法与手段，从全方位地营造育人环境到创造性地开拓各种教育教学模式，从而提升学校整体的综合实力，形成学校教育创新的思路和特色的历程。

二是尝试揭示学校教育创新主体的培育与生成过程。论丛力图在深层次上揭示创新主体如何建构一种创新的观念、思想与目标，从而进一步生成为具体的办学行为的复杂过程。

三是表明学校创新发展是基于学校自身条件的特殊性，展现我国中小学校现代发展的多样化发展形态，同时也展现我国中小学校长追求持续发展和创建一流教育的特色与智慧。

（三）通过解读，将学校办学理念与行为提升到自觉和自为层面，进一步促进学校教育创新的实践探索

通过对不同学校教育创新力形成与发展过程的审视，有效促进科学的质量意识、特色意识的确立，提升对学校办学特色和学校潜在的创新能力的认识。

当然还应看到，项目研究成为高师院校集教育科研、人才培养、为基础教育改革提供咨询服务三种职能于一体的重要平台，从而对参与研究的高等院校在凝练学术方向、汇聚学术队伍、开展高水平学术交流等方面同样发挥重要作用。

通过研究，我们认识到，尽管学校发展存在差异，但有一点是共同的。那就是随着国家教育体制改革的推进，学校作为办学主体，面临前所未有的生存和发展的压力。实质是，变革的时代要求学校通过变革进行根本性的转型。我国的中小学校，正是顺应时代发展的潮流，不失时机地抓住发展机遇，凭借校长的胆识和战略思想，挖掘学校的优势和潜力，形成应对变革的自我更新机制，提升学校整体的综合实力，从而走出竞争中的劣势处境，构筑起了学校新的竞争优势。创新已成为学校发展的内在生命力。

论丛的撰写是一个大工程，不仅推动了学校对自我办学理念、举措的反思，而且为项目研究在理论的概括提升上提供了丰富厚实的思想资源。研究具有开拓意义，而且是原创性的，是项目研究重要的标志性

成果。

二、项目研究的共识与思考

作为一项国家级的高端科研项目，论丛从实践研究层面反映了研究成果的创新性及实践效益，我们概括为以下几个主要方面。

（一）回应了我国社会转型时期政治、经济、文化变革关于教育的现实诉求

一个具有强大生命力的思想和理论的孕育形成与发展，关键在于它对所处时代改革中重大的理论和实践问题的回答。始于20世纪末的中国社会转型，将现代化、市场化、社会主义改革三重重大的社会变革浓缩在同一时空，构成了一场极特殊复杂又波澜壮阔的社会变迁。正如有的学者所指出的，社会变迁的核心在于人的生存方式的变化。

正是当前中国社会的现代转型，从根本上决定了中国基础教育学校创新发展的主题，而回应中国社会的现代化发展与基础教育改革提出的新矛盾、新问题，在很大程度上又进一步决定了中国学校教育创新发展过程中关注和研究的问题。

现代教育的本质在于解决人自身的发展与价值问题，是人的发展的潜在可能的现实实现，而不是把人作为社会的被动客体来塑造。人的个体与群体的发展是现代教育的出发点和归宿，是使学校实现跨越式超常发展的生命力，是激发教育工作者潜在创造力的原动力。将这一主题置于中国社会的特殊语境中，置于中国基础教育现代化发展的历史进程中，置于多元文化的多种价值选择并存的环境中，从而形成了目前研究的论域（范畴）和主线。这就是在学校教育中，关注学生的文化生存环境和活动方式，关注学生的生存状况和生命价值，尊重学生的主体地位和主体人格，培养学生自主性、主动性和创造性，使他们在掌握人类优秀文化基础上学会学习、学会创造。这一价值目标定位，从根本上反映了学校教育创新发展研究主题从工具理性到价值理性的转化。

学校教育的创新发展，不仅是对工具化的教育追求、人的发展目标偏离、主体缺位的反动，而且是对迷茫的教育理论、观念的价值澄清。正是敏锐地抓住了时代的挑战，回应了时代发展的需求，才形成了学校

现代发展的视阈，导致学校教育进行结构性调整而实现了功能、形态上的根本性转变。

（二）形成我国学校教育创新的基本理论分析框架

1. 学校教育创新是学校教育主体，通过新的创意、新的构想、新的思维和行为方式、新的教育技术和手段，对原有不合理的理论观点、思想方法、技术手段进行突破和超越，在学校变革与发展中更有效地实现教育目的的一种创造性活动。这一定义强调通过创新性活动，构建有变革创新能力的学校教育，从而突破种种阻碍学校改革与发展的限制，使学校实现根本性的变革。

2. 学校教育创新的基本内涵是以科学发展观为核心的现代教育理念，是一种勇于变革的实践活动，是一种先进的学校文化，是一种在不断回答每一时代提出的重大问题的过程中获得发展的内在生命力。创新是一个过程，创新的实质在于变革、超越和发展。

3. 学校教育创新的目标是促进高素质人才的培育成长和学校的现代发展。(1) 培养学生的自主性、主动性和创造性，使他们具有正确人生观、价值观，基础扎实，有创新精神、独立思考和实践能力，从而最大限度地实现每个人的个性与才能的发展。(2) 形成锐意改革、张扬个性、鼓励探索、宽容失误的有特色的学校教育创新文化。(3) 创建具有生成性的学校生态制度与管理系统。(4) 营造内外部良好育人环境。(5) 塑造具有“生成”意识、“理论”气质、“变革”能力的校长。

（三）初步构建学校教育创新力评价指标

学校教育创新力评价指标，旨在用统计体系构建学校教育创新的内涵与本质。通过研究，我们初步构建了由四个要素组成的学校教育创新力评价指标体系：办学理念、办学目标组成的价值目标系统；课程开发、课堂教学、班级建设组成的育人模式系统；人事制度、组织管理制度组成的制度与管理系统；战略性谋划能力、领导者品格组成的校长领导力。通过四个子系统以及系统的优化组合，学校不断调整内部结构，扩大自组织的功能，成为一个自我更新、自我发展的有机体，成为一个具有强适应能力的教育生态系统，以期达到提高质量、增长效益、有序运行的效果。

（四）形成学校育人模式创新的基本思路和举措

立足于读懂变革性实践，我们将“优质高效的学校教育发展模式及育人模式”作为探讨的重要内容。汇集众多学校的实践探索，形成的基本思路是：依据学校的培养目标及办学方略，重点在育人模式的创新。

1. 学校课程系统的创新

取得的主要突破如下。

第一，以人为本的课程目标的创新以及课程功能的创新。

基础教育的课程功能，由普及功能与选拔（筛选）功能、个体功能与社会功能、适应功能与超越功能之间的矛盾关系所构成。然而应试教育在将“课程考试化”的同时，也造成基础教育课程功能关系的错位、扭曲和失谐。学校课程开发首先要正确处理不同功能之间的矛盾，课程的设置应关注学生学习能力、实践能力和创新能力的培养，并坚持能力培养的层次性。

第二，课程领导力的提升以及基础教育课程结构与形式的变革。

课程领导力指学校按照一定的办学定位、培养目标进行课程开发建设，全面提升学校教育质量的能力。课程领导力的内涵，指校长领导教师团队创造性地实施国家课程计划的能力，合理开发和整合教育资源建设校本课程的能力，组织学校课程实践的决策、引领和调控能力。

针对以学科课程为主课程形态的弊端，我们探索新的课程结构体系的构建，使分科课程与综合课程、必修课程与选修课程、普通教育课程与职业技术教育课程相结合，并设置旨在指导学生进行专题研究性学习的综合实践课程、地方自主选择的课程，体现灵活性、多样性和选择性，从而为不同地区、不同学校以及学生发展提供更大的选择余地。

学校课程结构与形式的变革，大致呈现为以学生素养发展目标为依据，按照课程功能和学习领域知识的重新整合来构建学校课程结构，以及基于学校办学特色的体现对国家规定的课程进行重组和改造几种不同的思路，展现了中国课程存在形态的丰富多样性。

课程建设的创新，还表现在面向社会、生活实践的课程内容的创新以及校本课程开发中的创新。

2. 学校教学系统的创新

学校教学创新发展研究聚焦于从多视角讨论学科教学本质，学生的学习与创造性思维的培养，发展性教学策略，教学内容改革，课堂教学质量观与有效教学的水平评估，教师专业化发展等问题，并形成了若干有创意的认识。

第一，确立现代教学观，关注学生的文化生存环境和活动方式，实现学生的发展。

第二，学生的学习具有选择性、研究性、体验性和反思性，教学设计应体现学生学习的内在机制及学习特点。

第三，教学内容的选择与设计，重在理解和掌握知识，加强学科知识的整合，面向生活实际，体现教学的实践性以及文化性。

第四，通过教与学的行为分析，实施以主体参与、合作学习、差异发展、体验成功为内涵的发展性教学策略。

第五，确立体现学生发展的课堂教学质量观，进行有效教学的水平评估，促进教与学方式变革，使学生会学习、会创造。

第六，揭示现代课堂教学的基本特色，形成教学的不同流派与风格。教师应有发展意识、反思意识、效率意识、特色意识。教学系统要创新就要读懂教师，要培养一批学科带头人并形成教学风格与特色。

3. 学校德育系统的创新

主要包括以下几点。

第一，对德育功能的重新理解。

以“人在社会中生活”为主线，揭示德育的正义功能、意义功能与幸福功能。旨在培养具有独立人格、民主意识、人权理念和公共责任的公民基本特质。对意义的追寻，构成了人之独特的存在方式。通过人性化、个性化和创造性，使人的自由本性得以充分展呈。

第二，构建了“经验—体悟”定向的德育创新体系。

强调通过经验和体悟过程来培养受教育者的价值取向体系，并通过行为实践经验及内在的自我调整和重构的体悟过程，形成稳定的行为驱动体系，并在此基础上逐步养成稳定的行为习惯，形成固化为内在的自觉价值取向体系和外在的习惯化行为方式的稳定品德特点。

第三，在分析当今中国德育实践及其根本性挑战基础上，形成学校德育创新的几个基本命题：

（1）批判德育中的工具论立场，确立“人是目的”的核心理念；

（2）道德教育的逻辑起点、核心是价值取向与行为习惯；

（3）通过对道德教育内容与形式加以审美化改造，实现“价值引导”与“道德主体的自主建构”的统一；

（4）德育实践需要创造性地拓展有促进意义的资源，引导学生积累经验与重构性体悟（体验）。

项目研究实现了15所高校的跨校际、10个专业方向的跨学科整合，以及高校理论工作者、地方教育行政领导干部、中小学实践工作者多方研究力量的整合，组成优势互补的科研群体协作攻关①，从而使研究体现原创性、过程性和整合性。

三、论丛撰写的特色

论丛从历史、现实和未来三个视角把握总体，每一部专著内容框架由三部分组成。第一部分是学校发展历史及传承文化传统的审视，第二部分是全书主体，以学校教育创新力指标为依据，对学校办学的目标与价值系统、育人模式系统、制度与管理系统以及校长领导力几个方面的改革创新进行全面系统总结，第三部分是学校未来发展的设想。

每部专著的撰写前后历时2—3年，是一个再研究再思考的过程。我们深感每所学校、每位校长本身就是一个故事，而每部专著的问世也

---

① 15所高等师范院校分别为北京师范大学、西北师范大学、哈尔滨师范大学、南京师范大学、华中师范大学、河南大学、东北师范大学、天津师范大学、广西师范大学、首都师范大学、山东师范大学、四川师范大学、上海师范大学、浙江师范大学、江西师范大学鹰潭分院；3所科研机构分别为中央教育科学研究所、天津教育科学研究院、四川省教育科学研究所；7个区域性教育行政部门分别为北京市海淀区、湖北武汉市武昌区、四川成都市、河北石家庄市桥东区、深圳市南山区、甘肃省兰州市、四川阿坝藏族羌族自治州理县的教育行政部门；参加项目研究的中小学共有95所。

是一个故事。要保证著述的质量，关键在于如何对每所学校多年积淀的丰富鲜活的实践研究成果进行筛选、整理与提升，而不仅是对事实材料的罗列。

反思论丛撰写的全过程，在以下几方面呈现出其独特性。

1. 起点高位。立论于“中国具有进行原创性研究的优势，这种优势潜力的挖掘，主要在于充分调动深厚的本土资源、经验和智慧”这一论断，立论于学校的现代发展实质是变革性实践的判断，所以采用从变革实践的经验中提升的研究范式，定位于读懂学校、读懂校长、读懂变革性实践。

2. 立足研究。每本书的问世，是一系列的选择、提炼、重组、建构的过程。经过多次研讨碰撞，几上几下的反复修改，凝结的是每所学校对变革性实践的基本认识，同时也渗透了热情参与和关注基础教育改革发展的有识之士的心血，它是用“心”写出来的。

3. 理性思考。遵循“问题—思路—举措”这一叙事逻辑，尽可能处理好反思与建构、理论的概括提炼与实际问题的阐述解释、继承与超越、共性与个性的关系，认真搜索和挖掘创新点，在这个过程中不断提升研究意识和研究能力。

4. 个性特色。教育研究需要宽容、尊重和理解。二十余所学校有不同的身份和角色，每位校长也有不同的成长背景和工作风格，正是每个独特的“我”带来了丰富和生动，而在每个个别中展现的是学校锐意改革、开拓创新的可贵精神，因为高尚的心灵都是相通的。

本论丛是教育部哲学社会科学重大攻关项目的研究成果，我们在此谨对教育部社科司批准立项，对社科司杨光司长、张东刚副司长，基础教育司王定华副司长，以及社科司的同志们给予本项目研究的关怀和指导表示衷心感谢。以德高望重的顾明远教授为首的项目指导专家组——谈松华、郭振有、卓晴君、张民生、文喆、谢维和、朱小蔓、周满生、吕达、曹志祥、杨银付等专家，他们四年来对项目研究发表了富有启发性的重要见解并对项目研究寄予了殷切的期盼，他们的很多重要思想和观点对项目研究产生深远影响，我们将铭记在心。

论丛出版之际，我们还要特别感谢教育科学出版社，感谢李东总编辑以及教育科学出版社的所有编辑出版人员。教育科学出版社热心奖掖学术与创新，他们不仅为论丛的出版付出了辛劳，更难能可贵的是对论丛出版予以无偿支持，从而使我们的成果远离了“文化包装”之嫌而保持了学术研究的纯洁，他们的支持和鼓励是我们做好这一论丛的重要动力。

对中国基础教育学校创新发展这一具有战略性、全局性问题的探讨和研究还刚刚起步。《国家中长期教育改革和发展规划纲要（2010—2020年)》(以下简称《教育规划纲要》) 描绘了未来10年我国教育改革发展的宏伟蓝图，特别强调“改革创新是教育事业发展的强大动力”。我们将遵循《教育规划纲要》的指示精神，继续不懈地探索，以求在学校教育创新问题上不断取得新的认识。我们深知，在中国基础教育改革的大潮中我们是“之一”而不是唯一，若干重要的理论与实践问题还需要进一步的展开、充实、挖掘和进行深层次的理性思考。我们坚信，在这条教育改革创新之路上，我们会越走越踏实。

目　录
CONTENTS

第五章 创新自主德育模式，鼓励学生人人“做最好的我”

第六章 创新管理文化，促进教师自主发展

第七章 修炼校长领导力，实现自我超越

第八章 追求教育新境界，学校彰显生命活力

前 言

中关村第一小学地处北京市海淀区中关村高科技园区核心地带，创建于1949年，与新中国一起诞生、共同成长，一校四址，是一所拥有五千多名学生、三百余名教师的学校。六十年的办学历史赋予了学校厚重的文化底蕴，中关村高科技园区的社区氛围浸润了学校浓郁的校园书香，一代又一代的中关村第一小学师生秉承着质朴和谐的校风、学风继往开来，在享受教育幸福中努力实践和实现着师生共同的发展。

进入21世纪以来，中关村周边地域的高速发展和首都构建“世界城市”的总体目标对学校发展提出了改革与创新的要求。从世界的发展趋势来看，“人的发展”日趋成为备受关注的新的价值取向，如何培养人的创新意识、创新精神和创新能力，促进每一个人的真正发展日益成为学校工作的关注点和着力点。就学校内部而言，随着办学规模和教师队伍的不断扩大，我们也迫切需要把个体的才华凝聚成团队的智慧，培养创新型教师，使教师掌握促进自身和团队主动发展的创造性张力。面对新时期新的挑战，我们需要重新定位学校的发展方向。

在对学校发展进行重新定位与思考的基础上，我们发现，实施学校教育创新是实现学校可持续发展的必然选择和重要途径。1912年，经济学家熊彼特在他的德文著作《经济发展理论》中，首次提出了创新的概念，“创新”就是把生产要素和生产条件的新组合引入生产体系，即“建立一种新的生产函数”，其目的是为了获取潜在的利润。20世纪90年代，我国把“创新”一词引入了科技界，形成了“知识创新”、“科技创新”等各种提法，进而发展到社会生活的各个领域，使创新的说法几乎无处不在。创新，简而言之，就是创造和发现新事物、新思维、新方法，这是与时俱进的变革，是对自我的不断超越，是对原有不合理的理论观点、行为方式、发展定位的确定、突破和超越，也是对原有的合理的理论观点、行为方式、发展定位在新的发展时期的发展、调整与延伸，从而排除种种阻碍学校发展的局限，使学校实现根本性的提升。在寻找中关村第一小学教育创新突破点的过程中，作为学校发展的掌舵人，我不断在拷问自己三个问题，即：学校是什么？学校为了什么？学校应该做什么？对学校本质的追问，是办好一所学校的基本保障，是在学校发展的新征程中准确定位前进方向的有力保证，是贯彻“以学生为本”的关键所在。

学校是什么？这是对学校教育的价值追问。学校是为学生成长提供知识、获取能力、感受进步、体验快乐的所在，为社会进步提供智力支持和人才保障的场所，为人的发展、进步、成功提供服务的舞台。学校的产生从根本上来说是社会进步与发展的必然产物，生产力的发展、剩余产品的出现、体脑分工的逐渐明确，为学校的产生提供了经济上的可能性，而文化的发展，尤其是文字的形成，为学校的产生创造了有利条件，学校是进步文明的显著标志。有了社会发展，才有了学校存在的必要性。2009年是全面推进教育改革与发展的关键一年，我们的社会正经历着巨大的变革。在全球化背景下，文明的冲突与融合，观念的碰撞与反思，为我国基础教育的发展输入了新鲜的血液。机遇与挑战并存，新时期的学校发展首先必须能够顺应时代发展的要求，具备现代化的开阔视野，应该把学生作为发展的主体，以学生的主体意识觉醒、素质提高和发挥作为实现条件，以群体和个体的和谐发展为核心内容，以改善和提高人的生命质量为最终目的，构建师生自主发展的精神家园。教育要有开放的胸怀，要跳出学校的“小我”思考问题，做办大教育的工作者。开放办学要把握一个关键词：竞争性。

现代社会是一个机会与挑战并存的时代，是一个充满竞争的时代。关于竞争，《现代汉语词典》的定义是“为了自己方面的利益而跟人争胜”。经济学上的竞争是指经济主体在市场上为实现自身的经济利益和既定目标而不断进行的角逐过程。教育的竞争是什么？是生源？是分数？是规模？还是效益？在我们看来，教育的竞争应该是教育质量的竞争，而不是学校规模、校园面积和教学设施的竞争；是教学特色的竞争，而不是分数、奖牌的竞争；是优质教育服务的竞争，而不是空洞口号、宣传报道的竞争；是开放办学、和谐共存的竞争，而不是自我封闭、互相挤压的竞争。谁在教育质量、教育特色、教育服务上率先实现“以人为本”的突破，谁敢于开放自我、吸纳借鉴，谁就能在日后的发展中赢得各种社会资源和长远持久的发展。竞争是应该的也是必然现象，是教育发展的内驱力，也是择优发展的手段。但是，必须正确把握教育竞争的内涵，处理好竞争与合作的辩证关系。

学校为了什么？这是对学校培养目标的追问。温家宝总理在北京市第三十五中学讲话时提到：我们的教育还不适应经济社会发展的要求，不适应国家对人才培养的要求。教育的根本任务是培养人才，特别是要培养德智体美全面发展的高素质人才。所谓全面发展的高素质人才，既要有立足于未来的眼光，即培养适应未来的社会需求，适合未来发展的公民，又要具备国际视野，即培养能够立足中国文化，具有国际竞争力的世界公民。基于这样的认知，我们确定了“品德成人、学习成才、做事成功”的学生培养目标。

学校应该做什么？这是对学校办学实践的追问。办学实践的最终指向仍然是学生的成长与进步，学校教育要顺利开展必须有全体教职员工的共同努力，作为校长，必须能够调动每一位教职员工的主动性和热情，提高教师团队的专业素质，这样才能实现关注学生、满足学生、服务学生的目的，并使每一个个体得到成功。首先，教师要树立教好每一名学生的信念，坚持全体参与，不选择学生的行动理念，要更具爱心、耐心和童心，要注重学生话语体系，要树立能为学生做什么的共同意愿，在此基础上研究学生需求、回应学生需求，为学生提供切实的引导和支持。其次，在学校教育中，我们需要拓宽视野，树立大教育观，在学校教育中，既关注学生的学业成绩，也关注学生长远发展的自主创新能力；既关注课堂的知识掌握，也关注学生自强自立的社会实践能力养成；既关注学生的智力发展，也关注学生积极健康的身体心理素质培养，探索一条适应时代发展的新的育人模式，为学生提供开放多元的学习、生活资源，丰富、自主的学习体验，同时通过开放的社会资源的融合，帮助学生提高社会适应能力，形成积极健康的学习生活态度。

在对学校发展状况的不断反思中，我们发现所有这些思考都最终指向一个问题，即如何实现人的最终发展的问题。学校教育创新，说到底就是解放人、发展人的问题，即解决人的主动性、自觉性和创造性的问题。因此，教育创新的实践必须以促进人的主体意识觉醒为先导，以推动人的主动发展为原则，以个体与群体的和谐发展为途径，以改善和提高人的幸福指数、实现人的自主发展为最终结果。

基于以上认知，我校开始了学校发展新的历史时期的自主创新之路。今天，我们用一路走来的鲜花、泪水、尝试和收获铺就一条心路，在对每一个成长瞬间的回顾中记录我们的思考、实践与收获。

刘　畅

2010年9月

第一章 在历史传承中孕育自主

中关村第一小学与共和国同龄，从一所简陋的寺庙小学发展成为一所孕育科技英才的大校和强校，六十年的发展过程是随着新中国的强大而不断壮大和进取的过程，见证了教育历史的变迁，伴随着中国科学院的建校与中关村高科技园区的崛起，共同为首都文教区的发展作出了贡献。一所拥有了悠久历史的学校，才能自然而然地积淀深厚底蕴，进而孕育出丰硕的成果。

一、在庙宇中燃起希望

《日下旧闻考》引《五城寺院册》曰：“南海淀之东二里许有保福寺。”建于明正德十一年（1516），清时重修。据民国时资料，此寺占地二亩零四厘，有九间瓦房，土房两间，附近属瓦房一间，“泥像九尊，铁五供一堂，另有石碑两座，井一眼，楸柳四棵。”1949 年，新中国成立之际，在这座古老的寺院里，诞生了一所市属公立初级小学——保福寺小学，这就是中关村第一小学的前身。新中国成立初期的保福寺小学只是一所初级小学，学校教师大多是应届初高中毕业生，建校初期的办学条件非常艰苦。

我们访谈到一位当年从保福寺小学毕业的老人，提到保福寺小学，老人无限神往地为我们讲述了那一段虽然久远却铭记于心的学校历史。

“那时候学校的办学条件虽然简陋，但是教师就地取材，将庙宇中可利用的资源最大化地进行开发。没有钱盖新校舍，便以保福寺简陋的庙宇作为教室，庙宇的门槛很高，个子矮小的学生跨不过去，甚至要手脚并用爬进教室。那时候，有的大殿里的神像还没有清理出去，学生和教师便在龇牙咧嘴、怒目而视的神像前庄严地进行着知识的启蒙。庙宇地方有限，没有操场，学生便在幽静狭长的过道中嬉笑着游戏成长；学校没有自来水，全校师生用水全靠寺中的一口井，课间，总有教师或高年级的高个子同学站在井边帮助其他学生打水。”

隔着六十多年的时空，我们依旧可以想见，当“吱呀——吱呀——”的辘轳声响彻在这所古朴清幽的寺庙校园中，那是一种何等的温馨和雅致。

简陋的校园和艰苦的条件在当时还是一个孩子的老人心中充满了无限的惊喜与诗意，以至于半个世纪过去了，这种美好的印象仍然深驻心中，历历在目。因为艰苦所以朴实而乐观，因为简陋所以奋发而向上，这可以说是当年保福寺小学的精神风貌，也是中关村第一小学精神的渊源。

当时，保福寺小学十分重视教授中国古典文化如唐诗、宋词、元曲等，老人说着缓缓地吟道：“鸟宿池中树，僧敲月下门。”这是他当年曾学过的一首诗，在禅意浓浓的寺庙里吟诵诗词，可以想见是怎样一番令人心驰神往的滋味。老人颇有兴致地为我们演唱了一首他在二年级时曾学过的民歌《台湾岛》：

“我是一个岛/很久很久以前/地壳的变动/让我离开了母亲温暖的臂弯/灰色的心情/蓝色的天/蓝天不懂我孤单/蔚蓝的大海在呜咽/澎澎湃湃我的歌/让你终生听不厌/我的名字叫台湾/流浪在外数百年/数不尽的屈辱/流不尽的泪/从此大海变苦咸……母亲啊，抚平我几百年的创伤/给我最安全的港湾。”

在这韵味十足的诗词和喑哑深沉的歌声中，我们依然可以深切地感受到当年保福寺小学深厚的文化底蕴和浓郁的书香气息。在这样的文化氛围中，历经几十年的变迁，老人依旧铭记于心、难以释怀，其意境不言自明。

随着历史的变迁，所有的物质条件无论富足或是贫穷，都终将归于历史的烟尘，然而唯有精神和文化，将源远流长，传承不息。“庙宇”之中的保福寺小学成为那个时代一大批人成长的摇篮，为中关村第一小学后来的发展留存了一份火种，更夯实了一份底蕴。时至今日，保福寺小学早已不存在了，甚至连旧址都难以寻觅，但这所学校兴建之初所积攒下来的深厚的人文底蕴和艰苦奋斗的办学精神，传承在每一位中关村第一小学人的心中，这种精神长久激励着我们，激励着中关村第一小学的每一位教职员工和学生，成为我校最为宝贵的精神财富。

二、在科学浸润中成长

如果说保福寺小学为中关村第一小学的发展奠定了人文底蕴，那么中国科学院的成立则为中关村第一小学的腾飞插上了科技的翅膀。1958年，在保福寺小学建校十周年之际，毗邻而居的中国科学院在中央政府的支持下，迅速凝聚了一大批海内外优秀科学家，组建了高水平的研究机构，在“向科学进军”中发挥了先导和主力军作用。随着中国科学院的进一步发展，工作人员的规模也不断扩大，其子女入学问题逐渐凸显出来，直接影响了中科院工作人员的正常生活与工作。为了解决这些工作人员的后顾之忧，中科院出资兴建了现在的中关村第一小学本部校址，同时将“保福寺小学”迁入，正式更名为“中关村小学”。

这是历史性的一幕，中国科学院和中关村小学所在的中关村高科技园区是中国第一个国家级高新技术产业开发区，覆盖了北京市科技、智力、人才和信息资源最密集的区域，被誉为“中国的硅谷”，中国科学院更是被称为国家在科学技术方面的最高学术机构和全国自然科学与高新技术的综合研究与发展中心，位于这两大科技中心区域内的中关村小学在特有的区域文化的带动下，从建校之初便承载了科技教育启蒙，从小培养科技创意人才的重责大任，科技教育工作作为重头戏被纳入学校整体工作。科技教育启蒙的目的不是使每个孩子长大以后都成为科学家，而是要给他们提供人生中所需要的科学素养，即树立和弘扬以科学的态度以及科学的方法思考、探索和解决问题的能力。《全民科学素质行动计划纲要》指出：作为社会公民，应该树立科学思想，崇尚科学精神。事实上，科技教育在社会生活中所起的作用，在很大程度上取决于人的科学素养。因此，在小学阶段进行科技教育的启蒙与科技知识的普及，培养学生崇尚科学的精神，是一项重要的科技教育基础工程。

学校的建设与发展得到了中科院历任院长的大力支持与关注，郭沫若、方毅、卢嘉锡、周光召、路甬祥等五位院长先后到学校来检查与指导。学校为激发学生从小学科学、用科学、爱科学的热情，曾先后邀请著名科学家周光召、赵九章、钱三强、钱学森，国家最高科技奖获得者吴文俊、王选、叶笃正，新中国数学学科的奠基人和开拓者华罗庚、苏步青、周培源、竺可桢、陈景润等人来到学生中间，讲述科学家成长的心路历程，特别是自己在少年时代具备的良好品质，帮助学生树立崇高的科学品格，用这些鲜活的事迹震撼学生的心灵，激励学生从小树立远大志向，培养追求真理、崇尚科学的积极态度。中关村一小也在科学氛围的浸润中一路成长。

随着时间的推进，1971 年，中关村小学的学生人数迅速增加，由创办初的 17 个教学班发展到近 60 个教学班。为了更好地解决中科院“二部制”（这个时期，中科院实行了一系列放活研究机构和放活科技人员的改革新举措：经费制度实行二部制，科学院研究人员规模也在此过程中扩大）的问题，进一步更好地满足中国科学院子女入学问题，学校分出 24 个教学班，成立了中关村第二小学，中关村小学同时更名为“中关村第一小学”。从此，学校的发展翻开了新的篇章。经过十年的发展，学校办学规模又进一步扩大。1981 年，学校再次分出部分学生，成立中关村第三小学。

得天独厚的资源优势使得中关村第一小学的学生拥有与众不同的童年生活，到相关院所进行参观、观摩实验是中关村第一小学学生学习生活的重要组成部分，成为学生们拓展视野、开阔思路的重要渠道。中科院的许多院所早在建院初期就是我校学生的校外学习基地，计算所、动物所、物理所等都留下了我校师生的足迹。从 1967 年 9 月中科院计算所成功研制第一台通用大型晶体管数字计算机，当时这个新奇的庞然大物足足占满了一个房间，同学看到无不发出惊叹，后来，随着科技的高速发展，笨重的计算机发展成为曙光超级计算机、龙芯系列通用芯片，再到单精度千万亿次超级计算系统，在这期间，我校的学生多次来到计算所参观学习，见证了计算机技术自主创新的历史变革，更惊讶于科技的神奇力量。面对日新月异的科技进步，每次参观学习之后，学生们总是怀着激动和兴奋的心情热烈讨论。1980 年的一天，我校五年级的学生到中科院参观学习，孩子们被由庞然大物演变来的小巧的计算机的神奇力量所深深震撼，对未来的学习和探索充满了期待，其中的一名学生按捺不住自己激动的心情，代表全班的学生给当时负责科学技术发展规划的方毅副总理写了一封热情洋溢的信。

给方毅爷爷的一封信

亲爱的方毅爷爷：

您好！我们是中关村第一小学五年级的小学生，今天上午，学校组织我们前往中科院物理所参观。在辅导员的带领下，我们参观了许多震撼人心的实验与发明。我们观看了非晶块上弹跳的钢珠和各次对称的准晶拼接，惊异于人造金刚石的奇异光彩和各色激光的熠熠闪烁，最让我们感到心醉神迷的是工作人员手中那些具有巨大磁力的小磁铁块，一位科学家叔叔为我们讲解了在微型轨道上旋转的超导磁悬浮列车。我们的参观活动持续了整整一个上午，除了参观了各个实验室的先进仪器，我们还聆听了院士和教授们的精彩报告，观看了有趣的演示实验。

我们深深感到：科学真是太神秘，太伟大了！作为新时代的小学生，我们深知我们肩上担负着建设祖国的重任，而前提就是要学好科学，练好本领。

我们特别希望以后能有更多的机会了解科学，了解我国科学发展最前沿的技术。

请方毅爷爷放心，我们一定会努力，在不久的将来，成为祖国科技战线上的骨干力量，把祖国建设成为科技强国！

方毅副总理很快就回信并且亲自来到学校看望我校师生，勉励学生既要好好学习科学文化知识，又要加强身体锻炼，长大后成为对社会有用的人才，同时就中关村第一小学在中科院这样一个科学氛围浓厚的环境中如何培养科技英才提出了希望，希望中关村第一小学作为中科院的子弟学校，为中国的科技事业做好服务工作。方毅副总理的鼓励更坚定了学校以科技教育为特色，带动学校各项工作全面发展的决心和信心。之后，我们进一步扩大学校教育与社区资源的融合，确立了“科学启智　教育立身”的校训。2001 年，中国科学院路甬祥院长来到我校看望师生，鼓励学校师生不断创新，与社会共进。2004 年，时值中关村第一小学五十五周年校庆之际，白春礼副院长欣然前来参加校庆典礼，对我校的蓬勃发展给予了充分的肯定。2009 年，我校刘畅校长接受胡锦涛主席的接见，胡主席闻听中关村第一小学的名字，亲切地说：“中关村是中国高科技的地区，是中国高端人才汇集的地区，希望你们培养出更多更好的人才。”

国家领导人的期许、中科院各届领导的支持与帮助，为中关村第一小学的发展注入了强大的助力，使得中关村第一小学有了跨越式的发展。多年来，学校依托中科院、中关村的地理优势和资源优势大力发展科技教育。“科学启智　教育立身”作为中关村第一小学的校训有着不平凡的意义，科学启智意味着学校特殊的地理位置，强调的正是中关村第一小学依托周边科学院所，以科学为特色促进学生发展的总体思路和发展实践。教育立身意味着学校定位于学生全人培养的理念。它激励着一代又一代的中关村第一小学人在对科学的执著追求中成长起来。科技教育创新也成为学校发展的核心思路，中关村地区的高端科技发展氛围更为学校后期凝练“做最好的我”的核心价值观做好了文化积淀。

在多年的办学实践中，优越的地理位置确实为学校发展提供了许多有益的平台。我校毗邻北京大学、清华大学、中国人民大学、中国科学院等高等院校和多个科学院所，更与航天城、中钢集团等单位有着共建关系。学校所处地理位置带来的社区资源、多元的生源带来的社会资源，使更多的学生在学习过程中受益，同时也给学校发展提供了更加广阔的空间。近年来，学校继续与中国科学院合作，成立了百名家长顾问团，举行了百场科普讲座，成立了中关村第一小学“少年科学院”，开展了“走进科学院，走近科学家”的活动；中国科学院计算所、植物所、物理所、力学所等均成为学校的科技教育基地；在中丹合作项目“风能科普进校园”活动中，电工所也来到我校进行风能科普讲座。

2003 年“非典”期间，中科院计算所帮助我们建立网络平台，让更多的孩子能够在家里进行及时的学习。2010 年 3 月，我校又与中科院团委一起开始合作开展“快乐科学”项目，该项目以展示科学内容为手段，享受科学成果为方式，传递科学思维为主线，培养科学素质为目的，倡导在快乐中学习科学，在快乐中培养思维，在快乐中理解研究，在快乐中面向未来。项目主办单位中科院团委领导主动提出向我校学生提供反映科学前沿、注重素质培养的科普资源，如 Flash、电影、PPT 等，主动开放各级实验室让学生参与深度研究，提供科普场馆供学生进行科学实验，在传递科学知识的过程中少年儿童科学素质、科学思维得到有效提升。对此，我校与中科院团委领导举行了项目讨论会，达成共识，结成了科学教育联盟共同开展科技教育，创建了集校本课程、社区实践、家长志愿服务等为一体的科技创新教育品牌，双方计划在现有资源的基础上，逐步扩大合作层面，拟订多项“科技进校园”计划，使一些具有国际影响力的科研项目在校园内深化，提升活动内涵，为学生开辟更多的与科学家一起工作、共同实验的平台和机会。

2010 年 10 月 25 日我校《九点阳光》校报刊登了五年级 2 班蔡伊童同学与国务委员刘延东一起做实验的感受。

我和国务委员刘延东奶奶一起做实验

9 月 18 日上午，我怀着激动的心情来到了中科院奥运村科技园，与国务委员刘延东奶奶一起做了一个有关低碳的实验。实验的目的是验证温室效应的原理。需要先制造二氧化碳，然后验证二氧化碳是否真的能起到保温效果，使温度升高，导致全球变暖。这个实验流程复杂，很考验我们的实验操作能力，能不能成功，我们心里也没有把握。

实验一开始，我有些紧张，心里好像有一个鼓在敲着，可是我一见到刘奶奶那慈祥的眼神正注视着我，顿时放松了许多，与大家的配合也就更默契了，最终我们顺利地完成了实验任务。实验结束后，刘奶奶面带微笑地对我们说："很好，很好！"尽管只有简短的四个字，却让我深深感受到了刘奶奶的极大肯定，以及对我们的殷切希望，希望我们长大后能为祖国作贡献，使我们的祖国变得更美，国家更强！

有了这次经历，我会继续在今后的生活中争当地球家园的呵护者、绿色地毯理念的传播者，不辜负刘奶奶对我们的期望。在此，我呼吁同龄朋友们：应积极投身到保护环境的活动中来，使我们的家园变得更美！

除了社区资源，家长资源也是学校发展的重要组成部分。家庭和学校、家长和教师作为现代家校合作的两个重要主体，只有精诚合作，凝心聚力，注重合作策略，落实合作措施，才能为构建和谐的教育，培养德、智、体、美健康发展的儿童打下坚实的基础。中关村第一小学的地理位置决定了家长群体的高知特性。家长中有大批的高科技人才以及从事各种专业的博士、学者，同时还有相当数量的归国专家，这样一个高素质的群体为学校的发展提供了强大的支持，丰富了学校教育的途径和方式，进而也逐渐融入为学校文化的一部分。

体验就是资源，丰富的社会实践活动是学生们校内学习生活的很好补充，带给学生的是学习经历的丰富和思维能力的拓展。科学精神在学校发展中代代相传，成为引领学校不断发展的强大动力。

三、在自主创新中壮大

1997 年，国家经济的高速发展促使中关村地区的变化日新月异，吸引了国内外各类高科技人才的涌入，中关村第一小学面临着生源不断增加的压力。面对社会和家长的需求，我们对学校发展进行了更加深入的思考：作为一所在海淀区甚至北京市享有一定社会声誉的学校，面对新的形式，我们必须把握机遇、果断决策，主动寻求发展的空间。

1. 学校办学体制的改革

体制的创新是发展的动力。面对学校生源不断增加的压力，改革学校办学体制无疑是优化教育资源配置、提高教育资源利用率的有效途径。我校形成的一校四址的办学体制不但增加了学校办学自主权，激发了学校办学活力，而且极大地调动了教师的积极性，提升了学校教育品质。

（1）寄宿部丰富办学新思路

1998 年，我校的一项社区调研发现，随着生活节奏的加快，家长自身的工作压力越来越大，许多家长对寄宿制学校的需求日益明显，只是还没有引起人们的广泛关注。当时，北京市只有少数几所小学招收寄宿学生，海淀区还没有公立小学开设寄宿学校。时任校长谭玉芬在认真分析调查的基础上，敏锐地捕捉到了这一社会需求，于是全体领导班子经过多次的研讨论证，最后决定创办寄宿部，并以此作为中关村第一小学再发展的良好契机。这一想法在全校教师中间带来了不小的震撼，兴奋担忧之余，大家都坚定信念：我们有着深厚的办学积淀、创新奋进的领导团队和优秀的教师队伍，寄宿部一定可以办好。

在遵循国家有关法规和教育方针的前提下，以谭校长为首的领导班子不去等、靠、要，而是主动根据社会需求，结合本校实际，自主决策，依靠自身努力，争取多方支持，引导学校进入新的发展阶段。在深化教育管理体制改革、突出学校办学主体作用的情况下，学校自主权越多，意味着学校的责任越重，但是也越能激活学校自主发展的潜力。同时，我们认识到，学校要发展，必须有自己的特色，做到自主发展。但自主发展，不等于随心所欲。必须遵循“四个原则”，分析“四种状况”，做到“四个结合”，即：遵循方向性原则、可行性原则、前瞻性原则、创造性原则；分析学校财力状况、教学状况、师资状况、生源状况；做到校情和社情结合、近期和长远结合、常规与特色结合、继承与创新结合。要自主发展，首先要自律，不能盲目，不能乱来；其次是自立，不能有依赖思想，不能等、靠、要，而要心中有数，科学决策。

功夫不负有心人，在全校教师的共同努力下，从5月份创办寄宿部的方案确定，到9月1日正式开学，短短4个月的时间里，我们新建与扩建了近7000平方米、设施先进的教学楼和宿舍楼，配备了业务能力强的优秀教师队伍、生活导育教师队伍，招收了从一年级至六年级的400多名寄宿学生，寄宿部正式开学了。

至今，中关村第一小学寄宿部已经走过12年，学校陆续接收了众多海外归国人员子女和中科院高科技人才的子女入学，办学规模不断扩大。如今的寄宿部已由最初的12个教学班扩大为24个教学班，学生共计900余名。寄宿部的成立与发展正是学校“跳出一小求发展，利用优势扩规模”这一办学思路的具体表现。针对学生寄宿的特点，学校注重培养学生自主学习、自立生活的意识和习惯，以“学会关心、学会自理”为育人重点，通过严格规范的管理、细心周到的服务、一流的教学质量和一流的现代化教学设备赢得了社会和家长的认可。由于寄宿部学生在校时间长，我们还定期为学生们安排各种健康的学生活动和社会实践活动，使寄宿部成为学校以“自主自理、快乐体验”为特色的教育园地。

（2）国际部奏响国际化的乐章

学校的发展必须要有一个立足教育发展前沿的宏观视野，这表现在时间维度上，要有可持续发展的远见；表现在空间维度上，则要有跨文化交流的国际意识。孩子是祖国的希望，是民族的未来。随着世界文化多元化、经济一体化的进程，我国对外关系需要大量的国际型人才，我们的国家和民族正面临着前所未有的机遇与挑战。在这样的国际背景下成长起来的学生，更应具有国际视野，这样才能在将来担负起国家与民族发展的重任。这种面向国际化的教育改革对学校的发展提出了更高的要求，成立国际部，为培养国际化综合性人才奠定基础成为学校教育创新的又一突破点。

时间过渡到2003年，自主购房、乔迁进入新建小区成为人们生活的重要内容。进而，小区配套教育成为人民生活中关注的热点问题。海淀区教委为扩大优质学校教育资源，将天秀花园小区的配套小学交给中关村第一小学承办，海淀区第一家由公办小学开设的国际部也由此成立。天秀校区占地面积19395平方米，可容纳42个教学班、1800名学生就读，这是中关村第一小学发展史上又一个新的里程碑。国际部建立和发展也经历了一个艰苦的完善和成长过程，学校刚接手时仅是一座空空如也的教学楼，面对天秀部建设的种种难题，又正值"非典"特殊时期，中关村一小的干部、教师发扬了"高标准、高智慧、高效率"的精神，仅用了不到两个月的时间，在开学前就圆满地完成了装备教室、改建宿舍、宿舍楼开工等各项工作。

国际部成立之初，如何能够让中关村第一小学对外籍孩子有吸引力，如何才能让他们选择中关村第一小学成为一个迫在眉睫的问题。学校领导班子清晰地认识到，国际部要发展，除了打造自身实力之外，必须还要加大宣传的力度，使更多的人、更多的国家对中关村第一小学及其国际部留下深刻的印象。为了更好地做好招生宣传工作，学校陆续参加了2004年北京市教委举办的首届国际教育博览会、多伦多教育展览、亚洲教育论坛暨首届海淀教育节校园开放日等活动，不仅扩大了学校国际部的影响力，同时也增加了对国外教育情况和需求的了解。

2004年底，来自日本神户的教师代表团来华进行学习交流时，特别来到我校进行参观，其中一位日本教师告诉我们："您知道吗，我们代表团临行前，日本千叶大学的樱木教授极力推荐我们到您这里来看看。他说中关村一小是一所具有优秀传统的学校，校长有超强的发展意识，他们开办的国际部有许多经验值得学习。今天来到这里，果然名不虚传。我从没想过中国的一所小学有这样的办学水平和实力。"

2005年10月，韩国前总理李寿成先生来到我校参观交流，搂着在校就读的韩国学生这样说："你们能在中国北京最好的小学里上学是你们的福气，你们要好好学习，你们不仅是中关村一小的人才，也是韩国的人才，更是世界的人才。"

2006年，多伦多教育展览上，一个加拿大小孩站在我们的展台前流连忘返，他拉着妈妈的手，不停地说："妈妈，中国太美了，京剧太美了，我要到中国去上学。”

迄今为止，学校国际部直接从国外招收留学生，开设国际课程，先后有来自美国、加拿大等十几个国家的学生在此就学，国际部的成立向着创建“国内一流、国际知名的品牌学校”的办学总目标迈出了坚实的一步。

（3）中央党校校区开启教育均衡之路

2010年，海淀区教育工委、教委对我校办学所取得的成效给予充分肯定，为了进一步充分发挥我校优质教育资源的辐射和带动作用，促进海淀区教育的均衡发展，海淀教委决定撤销原北宫门小学建制，整体并入中关村第一小学。经过全体班子成员的反复商议，将此校区命名为中关村第一小学党校部。

推进基础教育均衡优质发展，实施素质教育，是近年来北京市基础教育改革的重点工作之一。胡锦涛总书记在十七大政治报告中也强调：“教育是民族振兴的基石，教育公平是社会公平的基础”，要“优化教育结构，促进义务教育均衡发展”。实现教育均衡发展，既是构建和谐社会的基本要求，也是我国教育改革发展的必然要求。中央党校校区建立之后，学校首先提出了资源共享的过渡机制，即统筹、规划一校四址内部和周边可利用的优质教育资源，建立有效的资源流通机制和信息交流平台，集中规划、综合利用，提升和扩大优质教育资源的利用率。同时，逐渐发挥优质教育资源，特别是师资力量和教师发展平台的优质资源流动和辐射，最大限度地发挥学校资源的整体效益，以达到结构更优化、效率更高、协调可持续发展的目标。

如今各项合并过渡工作正在平稳推进中，新学期伊始，学校初步完成了加固教学楼外护栏等校园安全工作，以及制作古诗箴言校园文化牌、班级文化栏等多项校园文化建设工作。同时，涉及教学、德育、教科研、校内培训等各项工作已全部进入中关村第一小学统一管理的轨道。分学科的深度研讨式教科研培训，每月一次的互动式名师课堂，定期开展的自主学习专题，以及由市区级骨干教师、学科带头人组成的听评课小组的听评课活动，已将新校区教师全部纳入，优质教育资源优势正源源不断地注入新校区。

至此，我校发展成为一所一校四址，拥有学生5600余名，教职工320余人的规模办学的基础教育品牌学校。

2. 学校办学的发展创新

在学校发展面临众多挑战的形势下，寻求学校发展新的突破点是无法回避的现实问题。实践告诉我们，学校发展创新关键要靠自身，立足学校现实基础，明确学校工作思路，集中精力抓住工作点，寻求突破。为此，我校办学的发展创新着重在"四个点"上寻求突破。

（1）突出重点：制定学校发展纲要，明确学校共同愿景

中关村第一小学是一所在国内有一定知名度的小学，已经得到了社会和家长的广泛认可，但校园建设的规模、水平以及在教育界的影响力，离国际化学校的标准尚有一定距离，校园物质环境需进一步丰富，学校精神力量需进一步凝聚。要实现学校创新与发展，必须明确学校共同愿景，确立学校发展的站位。愿景是人的一种意愿的表达，是组织永远为之奋斗希望达到的图景，它概括了组织的未来目标、使命及其核心价值。愿景规划对学校成员具有极强的凝聚力。2003年我接任校长后，带领学校各部门、各学科、干部教师从现状分析入手，分析现实发展的优势、不足，梳理外部影响因素、内部影响因素，制定了《中关村第一小学2010发展纲要》，全体教职员工讨论通过了此纲要。在《发展纲要》中，我们提出了"立足北京、辐射全国、走向世界"的学校发展共同愿景，确立了"三名"、"三化"工程，即办名校、出名师、育名生，多元化、信息化、国际化，到2010年力争使学校成为学生的健康乐园，教师的幸福家园，北京市的绿色花园，国家级的品牌校园，世界级的知名学园。在学校发展规划的指导下，学校各部门、各学科、每个教职员工个人也都制订了相应的长期计划和年度发展目标。《发展纲要》使学校的全体成员有了共同的追求目标、努力方向，这几年学校的发展也正是在这个大目标的指导下，一步一个脚印顺利、健康地实现着飞速发展。

（2）选准薄弱点：加强教师队伍建设，夯实学校发展根基

提升教师专业素养是促进学校顺利发展的根基所在，是保障学生健康成长的前提和保证。课程改革以来，广大教师通过对新课程标准的不断学习，对于新的教育教学理念已经有了一定的认识和把握，学校开展了形式多样且扎实有效的校本培训与校本教研，从教师论坛、读书沙龙、“春华杯”评优课、“秋实杯”论文评选等校本研究活动，到专家工作室、名师课堂、青年课题组，我校教师的理论素养与教学水平均有明显提升。然而我校在教师队伍建设中仍存在着许多问题。教师们的工作方式仍然以自给自足为主，虽有同伴研修，但交流仍然匮乏，在日常的教学活动中，许多教师基本上仍是独自面对特定的教学情境，教师之间的合作交流氛围不够浓厚。基于此，从2007年开始，我校开始实施校本教研行动研究，以“教、学、研、协”同期互动的校本教研模式为切入点，创新校本教研机制，通过伙伴互助行动计划、1＋x教师研修计划、搭建专家资源网络、进行NBC协同网络建设、成立教师发展研修中心等途径，以深度的教育教学反思，重组教师个体的教育教学智慧，在同伴之间的分享与交流中，实现教师专业素养的有效提升。

（3）抓住焦点：实施自主教学，寻求课堂实效与个性张扬

如何培养会思考的学生？如何让我们的课堂充满富有个性的参与和表达？教学虽有章可循，但教无定法。我们的课堂教学规范而有序，但是，当我们把课堂的关注点从教师转向学生，发现仍然有很多学生处于被动接受的地位，缺少创造性的思考。虽然课堂教学的形式丰富了，教师的教学设计更加严谨了，但是教师的讲授仍然占据着课堂的主导地位，这也是课程改革过程中普遍存在的现象。在这样的教学中，我们可以培养出成绩优良、听话的好学生，却偏离了现代教育倡导的对学生自主创新精神的培养，偏离了学校培养会思考的具有民族根的世界公民的目标追求。为此，我校以自主教学为切入点开展课堂教学实效性研究，形成了自主品悟式语文教学理念、自主体验式数学教学理念、自主交流式英语教学模式和自主探究式科学教学理念，使学生真正成为学校课堂的主人。

(4) 形成支撑点：加强学校文化建设，形成促发展的精神动力

学校文化建设，其实是一种人的建设，一种积极的生活态度，是合作的人际关系以及努力向上不断追求的专业能力的营造过程。这种良好的文化一旦形成，会产生一种无形的影响力，使置身在这一氛围中的人，不自觉地沿着主流文化的指向前行，任何违背这一价值的行为、思想都将受到不和谐的冲击，而无容身之地。优秀学校之所以优秀，真正的原因就在于这种在多年的实践中形成的学校文化价值。中关村一小在发展过程中着重在文化建设中彰显特色，强化学校文化的凝聚力，形成了尊重、沟通、激励的管理文化，大气、雅气、灵气的教师文化，成才、成人、成功的学生文化，高效、适应、提升的课程文化，分享、协作、共进的家长文化，和谐、共生、创新的组织文化，使学校原有的办学理念得以丰富和延伸，并在这一过程中，逐渐形成促进学校可持续发展的强大的精神动力。

第二章 『做最好的我』——学校教育创新的核心理念

中关村第一小学的办学理念是“自主发展主动适应自我超越”，其中的核心思想“自主”成为学校多年发展的根基和动力。在多年的实践与思考中，“自主发展主动适应自我超越”的办学理念逐步深入学校工作的方方面面，并发展延伸为“做最好的我”学校教育创新的核心理念，形成了具有中关村第一小学特色的文化追求和发展力量。

一、创新从锤炼办学理念开始

锤炼学校办学理念必须首先明确学校办学的定位。学校希望走向何方，又可能走向何方，学校希望培养出什么样的学生，又可能培养出什么样的学生，这是学校管理者所应该思考的头等大事，也是学校办学规划首先必须明确的具体目标。明确学校办学定位，根据学校内部实力、外部影响力和资源需求的综合考虑，选择最适合学校发展的方向，是确定学校办学理念和办学思想的前提与基础。

1. 明确办学定位

随着教育环境的变化、学校师资的调整和课程体制的变革，学校的定位也在发生不断的变化。考虑到学校自身的利益与长远发展，我们将中关村一小置于区域教育系统和社会系统中来考虑，从总体目标定位、发展目标定位、学校类型定位、人才培养定位等四个方面明确了我校的办学定位。

（1）总体目标定位

2004 年，通过全体教师的共同参与、讨论，我们在《中关村第一小学 2010 发展纲要》中进一步明确了学校发展的总体目标，即：立足北京，辐射全国，走向世界，并以此为学校发展的共同愿景，带动学校方方面面工作的推进。立足北京即根植北京特有的文化科技沃土，融合海淀区高科技园区的区域文化，吸纳各校办学精髓，建构我校独特的办学理念，形成办学特色，成为北京基础教育的龙头；辐射全国即在树立首都教育观念的同时，面向全国现有的教育教学，打破区域束缚，建构与“首善之区”相匹配的现代化教育，从外显的校园环境到内涵的学校文化精神，都引领在前，彰显特色，成为全国基础教育的排头兵；走向世界即加大对外交流与合作，树立“大教育观”，借“首都教育”平台，打造现代化的学习型学校，培养具有国际视野的创新人才，赢得世界教育舞台的一席之地。围绕上述总体目标学校在已有的历史积淀的基础上，确定并实施“三名”、“三化”工程，即：办名校、出名师、育名生，把学校建成多元化、信息化、国际化的全国乃至国际的品牌学校。

（2）发展目标定位

“名校工程”发展目标：深化学校内部管理体制改革，整合三校教育优势，探索现代优质教育一校多址的管理模式，全面提升学校教育整体水平，创建学习型学校，打造北京乃至全国的知名学校；形成中关村一小特有的校园文化与精神，达到学校管理最高境界——个性化管理，拥有现代化的教学设备，充满人文情怀的校园环境，拥有一支师德高尚、师技精湛、敢为人先、勇于创新、充满活力的教师队伍，培养整体素质好、学有所长、特色显著的学生群体；以教师和学生的发展为核心，以教育科研和课程改革为渠道，以开展实践活动和主体导向评价为创新尝试，进一步构建体验型德育体系、激活型教学体系、综合型活动体系，使师生获得整体发展，个性才能充分发挥。

“名师工程”发展目标：打造一批德艺双馨的名师队伍，具有正确的政治方向、高尚的道德品行，对于教育事业有强烈的责任感和使命感，以当教师为荣，以教书为乐，淡泊名利，甘于奉献；严谨治学，业务精湛；教书育人，以身作则，为人师表，以高尚的师德风范感召学生；通过各种有效途径，实现自身知识结构的多元化，教学方法的科学化，教学手段的现代化，教育能力的复合化，促进学校发展，从而实现“名校出名师，名师促名校”的双向互动发展；具备博大精深的学科造诣、丰富的现代学识、高远的科研理念，长期从事于科研或课题研究，并有自己独到的研究成果，对学术研究有一定深度和广度，形成自己独特的教育思想与教学理念。

“名生工程”发展目标：培养学生的自主创新精神和实践能力，注重学生全面加特长的培养；实现学生品格、知识、能力、个性、身心、审美六位一体的教育教学目标同步发展，使每个学生逐步形成适应学习化社会需要、进行终身学习的能力，生动活泼、主动和谐地健康发展；深入开展“三个学会”道德行为规范活动，使学生成为懂礼貌、讲卫生、敬师长、讲诚信的现代少年。

“多元化工程”发展目标：教学方式多元化，即兼顾常态教学与特色教学，课堂教学与课外教学，班级教学与团队教学，基础教学与个性教学等多种教学方式；教材使用多元化，即整合统编教材与校本教材，课堂教材与课外教材，活动课教材与特色班教材等多种教材；班级管理多元化，即融合自主管理与学校管理，长效管理与阶段管理，人文关怀与严格自律，班级管理与学科渗透等多种形式；评价方式多元化，即建立教师评价与学生评价，定期评价与随机评价，自我评价与群体评价等多种评价渠道。

“信息化工程”发展目标：改建、扩建专业教室，发挥专业教室的功能作用；提升普通教室的资源配置，实现教室多媒体化；建立、健全教学资源库，完善教案库、课件库；连通行政与办公网络，实现备课、教学、管理办公现代化；建立数字化图书馆，实现可靠、快速、安全的数字化传输和信息分享；完善校园网建设，使网络进课堂、以现代信息技术为媒介，创新教材整合与课堂教学实践的研究，加强学科教学与信息技术的整合；优化学校电教资源，盘活学校资产，做到四部资源优势互补，有效利用；以学校网络为平台，加强组内和校际间的教研，促进团队研究，实现知识管理。

“国际化工程”发展目标：以国际部为窗口，借助国际教育博览会等交流平台，开展国际交流与合作，了解和借鉴国际先进的教育思想和办学理念，与时俱进，不断更新教育理念；与不同国家的先进学校结成友谊校，定期开展教师教学研讨交流、文化理解交流、师生互访等活动，促进教师对教育实践的深度认识与思考，促进学生对多元文化的理解与接纳；以“英语节”为渠道开展丰富的英语语言运用活动、文化体验活动，使语言学习真正成为学生了解世界、沟通交流的工具。

（3）学校类型定位

《中关村一小 2010 发展纲要》明确指出我们要把中关村第一小学建成国内一流、国际知名的品牌学校，建成与中关村自主创新核心区相匹配的现代化、国际化的学校。目前学校拥有一支高素质的具有自主创新精神的教师团队，享有较高的社会声誉，得到广大家长和学生的高度认可，学校发展已经进入由规范化建设到创新特色发展的新阶段。学校将进一步加速规模办学基础上的国际化发展进程，打造符合首都整体发展需求的基础教育品牌基地。

（4）人才培养定位

学校要培养什么样的人？教育的根本任务是培养人才，特别是要培养德智体美全面发展的高素质人才。所谓全面发展的高素质人才，我们的理解是将其定位于“一种眼光”和“一个视野”。“一种眼光”指立足未来的眼光，人才培养要适应未来的社会需求，培养适合未来发展的公民。作为教师，要努力通过教学方式和教学内容的个性化设计，使学生从简单地接受知识转化到学会学习、学会创造，最终实现培养创新型人才的目的；“一个视野”指国际视野，我们鼓励教师把眼光投向世界，树立大教育观，培养能够立足中国文化，具有国际竞争力的未来世界公民。基于这样的认知，我们确定了“品德成人、学习成才、做事成功”的学生培养目标。

2. 锤炼办学理念

在明确办学定位的基础上，学校要改革，要发展，要创新，还必须有先进的办学理念做支撑，早在 20 世纪 90 年代，国内就有学者提出学校发展要走向理念办学，不能再拘泥于传统管理模式和短期规模效益，而应确立一个全新的办学理念来引领学校办学，规范办学行为。这一观点得到了学校的广泛响应和积极支持，为国内教育的发展注入了巨大能量。办学理念是教育工作者通过对教育活动的观察、思考与实践所获得的对教育对象的再认识和在此基础上所形成的教育思想观念和教育理想。

我们认为，锤炼办学理念首先要确立两个意识，即问题意识和挑战意识。

问题意识是要对学校的现状进行深入的剖析，在学校的历史、学校所处的地域以及时代的背景等多个角度剖析的基础之上寻找切实可行的生长点，进而明确学校进一步的发展目标。具体而言，迈入21世纪的大门，随着全球知识经济、信息技术、科技文化一体化的迅猛发展，各国都把确立教育优先发展的战略地位作为推动国家可持续发展的重大战略决策。市、区教委也确定了扩大优质教育资源建设，加强内涵发展的基本思路，这些都为学校的发展与提升提供了广阔的前景和强有力的政策支持。

中关村一小有着六十年的办学历史。半个多世纪以来，学校在各级领导的关怀支持、历届校长的正确指导、全体教职员工的共同努力下，经过多年的改革创新，稳步发展，逐步提升，已成为一所享有一定社会声誉、得到广大家长与学生认可、在国内外具有一定影响力的现代化学校。学校办学具有一定的优势，教育教学环境、设施比较先进，拥有一支素质较高、能力较强、结构较合理的教师队伍。一些学科的教学在市区、全国具有一定的影响力，培养造就了一大批全面发展、学有所长的学生群体。学校呈现出比较扎实的发展基础和良好的发展趋势。

面对新的形式与要求，在看到优势的同时，我们也清醒地认识到我校当前存在的主要问题：在学校规模不断扩大的同时，学校一校多址管理体系的完善与创新有待探索，管理理念在原有基础上有待提升；师资队伍的整体水平有待提高，特别是缺少在社会上享有高知名度的教师，人才强校计划需进一步实施；学校用人机制有待深化，以激活教师队伍，形成人才能够流动的良好态势；课程改革及一系列相关内容的特色创新有待尝试；随着教育政策、教育投入的逐步加大与倾斜，各校的办学实力与整体水平都在提升，兄弟学校的迅猛发展也同样带来强大冲击与压力。

挑战意识是指要根据教师专业发展状况、办学条件及周边可利用的资源等情况，准确把握学校发展潜力，为教师团队建设和学生成长制定个性化的发展目标。具体而言，针对我校教师团队研究能力有待加强和教师内心深处的创造性张力不足的现状，我们挖掘周边各项优质资源，开展了形式多样且扎实有效的校本培训与校本教研，构建了十项实施策略：“教、学、研、协”同期互动校本教研、教师论坛——“说出我的教学故事”、“伙伴互助行动计划”、“1＋x教师培训计划”、首席教师评选、“4321”工程、学生评教、新教师入职培训、“研伴”——农研站的教师、“多脑河之波”教学内刊等；面对学生的个性化发展需求，在学校教育中，我们更要拓宽视野，树立大教育观，关注学生长远发展的自主创新能力培养，关注学生自强自立的社会实践能力养成，同时也要关注学生积极健康的身体心理素质的培养。通过学校实施多年的自主德育和自主教学行动研究，探索新的育人模式，培养具有健康人格的、适应未来需求的自主创新人才。

压力就是动力，问题就是出路。经过分析思考，我们把中关村第一小学的生长点确定为“丰富内涵、突出人本、凝练特色、迈向世界”。丰富内涵，就是总结中关村一小的世纪历程，挖掘学校文化，提炼中关村一小精神，以带动学校教育现代化和加快学习型学校的建设；突出人本，就是突出以教师和学生的个性发展为本，强化师资队伍建设，优化用人机制，改革人事制度，启动“人才强校”计划，落实名师工程。学校继续推行素质加特色教育，培养合格加特长学生，满足学生个性潜能发展的需求，促进学生可持续发展；凝练特色，就是深化课程改革，内化科研动力。在学校原有基础上，根据学生的具体情况和实际需求，从课堂和社会等多渠道入手，创新教学理念、教学方式、师生关系、评价方法；开展特色教学、特色活动，组建特色团队，形成风格。同时扩大教育资源，扩展育人环境，构建学校、社区、家庭一体化教育网络，形成教育合力；迈向世界，就是在树立首都教育观念的同时，面向全国乃至世界教育教学现状，根据建设首都教育的内在要求，树立“大教育观”，打破区域束缚，加大对外交流与合作，广泛吸纳国内外先进教育经验，建构与“首善之区”相匹配的现代化教育，把学校建成多元化、信息化、国际化的全国乃至国际的品牌学校。

这一生长点的显著特征在于学校教育生命活力的高度活跃与不断增

强，而这种生命活力的源泉正是人的自主性、能动性与创造性的发挥。

2003 年，我们将这一生长点进行分析整理，提出了“自主发展主动适应”的办学理念，旗帜鲜明地把学校的可持续发展定位于“人”的“自主”，强调关注每一个学生个体的个性化成长，促进每一位教师的主动发展和完善。

维度一：自主发展

“自主发展”主要有两方面的含义。其一，倡导自己做自己的主人，即每一个学生和教师都具有自己的选择权、决策权、管理权；其二，强调每一个人都有自我发展的愿望和动力。每一个个体的内心深处都有发现的潜在愿望，但这种愿望需要外界因素的影响才能得以激发。“自主发展”强调的就是激发“自我”潜能的主动发展，追求一种有引导的自然的成长，而不是被动的遵从；追求一种在“自我”基础上的提高，而不是整齐划一的达标。自主发展的前提是正确认识自我，从而正确地规划自我，发展自我。

维度二：主动适应

“自主发展”不是毫无规划和控制的自由发展，“主动适应”是“自主发展”更为广阔的视野思考和发展依据。“自主”的基础是“自我”，同时也是在大的发展环境下的一种协调和适应，任何人的发展都不可能脱离社会大的发展趋势和所接触到的复杂的外部环境。因此，发展与适应是和谐统一的，只有在“主动适应”的前提下才能更好地“自主发展”。外部环境既包括学生成长的班级环境、课堂环境、校园的文化环境等小的区域环境，也包括社会大的发展环境，如伴随着市场经济发展社会环境呈现出的区域化、多元化，本土化文化与全球多元文化的冲突与融合等。我们既要为学生的创造力提升及他们的个性发展提供积极向上的成长环境，又要帮助学生正确对待和适应复杂的社会环境。建构个体与环境和谐的关系需要两个阶段的积极努力，一是个体具备积极的态度，而非消极被动地等待，即强调“自主”；二是个体与环境的相互融合的过程，即强调“适应”。

在随后的几年中，“自主发展主动适应”的办学理念对学校的整体发展起到了很好的引领作用，中关村第一小学也在追求国际标准、融入地域文化的过程中走在了基础教育的前列，并拥有了一个优秀的学生群体和一支高素质的教师团队。

2009 年，教育形势发生了很大的变化。《国家中长期教育改革与发展规划纲要》的制定已经进入尾声，即将进入征求意见阶段，国民对教育的需求提升到一个新的高度，也对学校教育提出了更高要求。在学校发展态势已经初步形成、学校教职员工的工作积极性有所增强的情况下，国家即将推行教师绩效工资制度。面对当前教育形式和学校实际状况，学校决定对学校办学理念进行进一步完善。作为一所已经发展到高原期的学校而言，仅仅做到自主发展还不够，需要有进一步超越自己的气势和魄力。2009 年 6 月，在学校构建学习型组织、打造学校文化的过程上，我们充分总结学校几十年教育教学实践经验，最后决定在原有两个方面的基础上，丰富第三个方面，将学校原办学理念修订为：“自主发展主动适应自我超越。”

维度三：自我超越

“人”的发展是建立在自身的不断认识、学习和不断修正的基础上的，需要不断积累和体悟，最终实现自我的超越。“自我超越”既是自主分析基础上的目标设定，又是自主评价基础上的目标达成。自我超越首先意味着适合每一个个体和群体的发展，我们要科学规划，回应每一个个体与群体的发展需求，帮助每一个个体与群体善于发现和肯定自我，并在“最好的我”的基础上不断提出新的发展目标，使学校成为帮助每一个个体与群体实现自身价值的场所。“自我超越”是一种动态生成的过程；它是每一次超越的终点，又是新的超越的起点，通过不断自我超越，达到个人发展的更高阶段。

“自主”、“适应”、“超越”是每一个个体的“我”与群体的“我”相互协调又相互制约。“自我超越”是自主发展、主动适应基础上的更高发展。“自主发展主动适应自我超越”正好组成一个螺旋上升的发展环，形成了完整的动力系统。这一理念的修订与学校新的发展时期的必然需求相适应，也促进了学校发展迈进一个新的阶段。

“做最好的我”是中关村第一小学教育创新的核心目标，“自主发展主动适应自我超越”是个体与环境的和谐发展、共同进步的良性循环动力系统，是“做最好的我”的内涵的三个核心维度。我们努力通过“自主发展主动适应自我超越”的路径，实现“做最好的我”的核心目标。

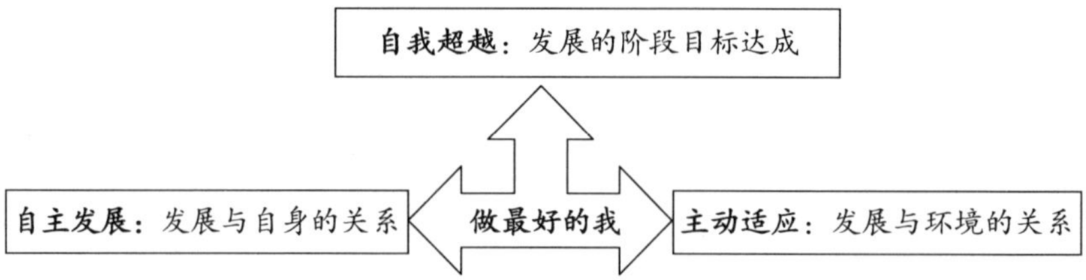

图1 “做最好的我”核心内涵

“自主发展主动适应自我超越”的办学理念是在我校发展中逐渐提炼、总结出来的，是教育理论、管理理论与我校具体实践相结合的结果，是我校在学校教育创新方面进行的有益尝试。“自主发展主动适应自我超越”的办学理念使中关村第一小学的每一位师生进一步明确了自身的优势与潜能，明确了学校发展的优势与定位，明确了学校办具有国际视野的中国最好的基础教育的共同愿景。

二、核心价值观引领学校发展方向

学生的成长没有差距，但存在差异；教师的发展没有标准，而各有特点。教育的力量就在于尊重每一个人的不同，让每一种不同沿着正确的方向走向不同的成长。和任何优秀的团体一样，我们需要正视差异，在尊重的基础上促进每一个人不同的成长，并尝试着将差异转化成资源。我们迫切需要找到最简明的语言把这种思路以显性的形式表达出来，以便更好地激发每一个人发展的力量。为此，2009 年，我们在全体教师“雨丝征集”活动的基础上提炼出了“做最好的我”核心价值观，倡导“人人都有想法，人人都能创造，人人都会成功”，这一核心价值观旨在充分挖掘每一个人的自主成长潜能，追求生命个体的多元价值，并启示我们学校教育要研究学生的成长规律、身心特点、现实需要，实行有针对性的教育，使每个学生都尽可能得到最大的进步。

“做最好的我”既是学校的核心价值观，同时也是学校教育创新的核心目标。“做最好的我”强调“我”的角色，倡导“自我领导”、“自我管理”、“自我发展”。首先，作为发展的主体，“我”是核心价值观中极重要的一个概念定位，是对自主发展主体的界定，在学校教育创新的过程中，“我”有两个层面的含义：从小“我”的角度来说，“我”即每一个学生和教师的个体，每一个学生都是一个寻求自身可持续发展的“我”，教师的任务就是帮助每一个“我”在科学认识自己的基础上科学地设定目标并为之不懈努力。每一个教师也都是一个不断学习与完善的“我”，教师的发展也必然是个性化的。学校的任务就是为每一位学生的成长、每一位教师的发展提供所需的帮助；从大“我”的角度来说，“我”即指与学校教育创新直接相关的大的群体，即学生群体、教师团队和学校整体。在共同的价值取向引领下，团体的成长会产生巨大的凝聚力，形成一个大家共同的“我”，团队的特色文化将带动整个团队的发展。

其次，对于学校教育活动来说，一切工作的起点都是人的个体。个体的“我”的认知能力、情感态度和外部的影响环境是个体发展的基本要素。“做最好的我”首先是强调每一个个体都能够在正确自我剖析、自我认同的基础上，定位自己的发展，并善于从环境中获取所需的资源，自我发展和自我提高。与此同时，个体的发展也只有通过多渠道、多范围、与大的组织环境多向的交互活动中，才能获得发展的平台，获得多形式、多内容的体验。群体的发展才能激发个体的主动回应、自我协调和改善，最终促进个体的发展。因此，个体的发展和群体的发展是相互促进的。而共同体是更高层面、理想的学校发展的表现形式。它是学校教育创新追求的最终目的，共同体的建立需要共享的价值盟约，使人们可以在一项共同的事业中凝聚起来。只有每一个小“我”的真正投入和参与才能实现学生群体和教师团队的整体发展，最终实现学校这个大“我”的发展，形成小“我”和大“我”的协调发展。只有每一个大“我”的发展，才能为每一个学生和教师个体的发展提供平台，最终促进每一个小“我”的成长。

“做最好的我”作为学校教育创新的核心目标，可以具化为：办最好的学校，成就最好的教师，培养最好的学生，这三点共同组成了学校教育创新的目标体系。

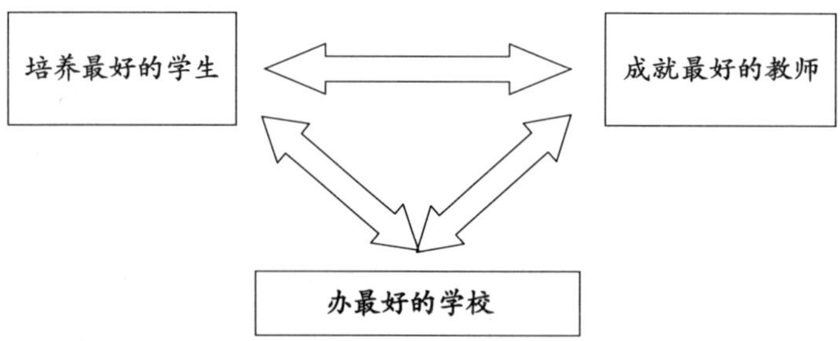

图2 中关村第一小学教育创新目标体系

1. 成人、成才、成功——培养最好的学生

“品德成人、学习成才、做事成功”是中关村第一小学的学生培养目标。具体而言，学习的目的不是取得高分，而是致力于学习能力的形成，树立终身学习的意识和习惯；德育的目的不仅仅是基本的品行，而是让学生学会快乐生活、快乐分享、快乐合作；做事成功，需要学生学会用思考的眼光规划，能够在过程中反思和调整，能够正确地对待与他人的关系和处理复杂的问题。据此，我们要培养会思考的学生，即在学习过程中，学生能够运用不同的思维方式、方法和技巧独立地提出问题，创造性地进行研究，并主动探究解决问题的途径与方法，最终使每一名学生都获得成功。因此，中关村一小的学生发展素养主要包括以学会做人为核心的良好的思想道德素养，以语言文字表达能力和文学艺术形象思维为核心的良好的文化知识素养，以创新能力和动手能力为核心的实践操作素养以及以良好的心理素质和处事能力为核心的综合素养。

2. 大气、雅气、灵气——成就最好的教师

大气、雅气、灵气综合了我校最好教师的标准，具体而言是指专业素养高、人格力量强、反思能力深、学习意识浓，教师要想提高教学质量，必须用渊博的知识魅力征服学生，鲜明的人格魅力感染学生，浓烈的教学魅力吸引学生，并且注重反思，主动学习，保持自身的可持续发展。当教师能够主动追求自我成长的时候，他们就是能够为责任和信仰付出和奋斗的幸福的人。因此，中关村一小的教师发展素养包括高尚的师品，即爱与责任，教师要树立以学生发展为本的现代教育价值观、以学生全面发展为本的现代教育质量观以及民主、平等、和谐的现代师生观；良好的师智，即多元化知识结构，包括当代科学与人文两方面的基本知识以及广博的文化修养、学科专业知识与技能和教育科学知识等；高效的师技，即娴熟的教学技艺，包括融会贯通把握学科知识体系的能力、灵活驾驭课堂的教学技能、引导学生求异创新的指导能力、总结教学所得的反思能力和开展校本教研的研究能力等。

3. 均衡、公平、特色——办最好的学校

均衡、公平、特色，这是办最好学校的关键。均衡不是平均，是关注每一名学生，能够为不同发展潜质的孩子提供相应的教育资源，使每一名孩子获得各得其所的成长。公平体现在起点公平、过程公平和结果公平，公平不是绝对的，在学校教育中，我们秉承一个原则，即不选择学生，在相同的教育情境下，尽可能地给予每一名学生充分的选择和参与权利，提供相对平等的受教育的机会与条件，以实现在接受同等水平的教育之后所应达到的最基本的学生成长标准。特色是一所学校区别于其他学校的重要标志，我校以自主教育为切入点，形成了自主管理、自主教学、自主德育等一些自主教育理念，提高了学校办学品位和办学效益。

秉承学校“做最好的我”的核心价值观，在对学校工作的整体分析的基础上，我们努力站在更高的角度，发现自身的优势和发展潜力，

以学校的共同愿景为指引，从大“我”做起，迈入了学校教育创新的发展时期。

在这一过程中，我们努力成就三个群体，做好四件事情，倡导做幸福的人，做成功的“事”，不断完善和优化“做最好的我”的结构要素。三个“群体”，即教师、学生和管理团队，四件“事情”，即以充分开发人的自主性为特点的教学、德育、课程和管理。

具体要素关系如下图所示：

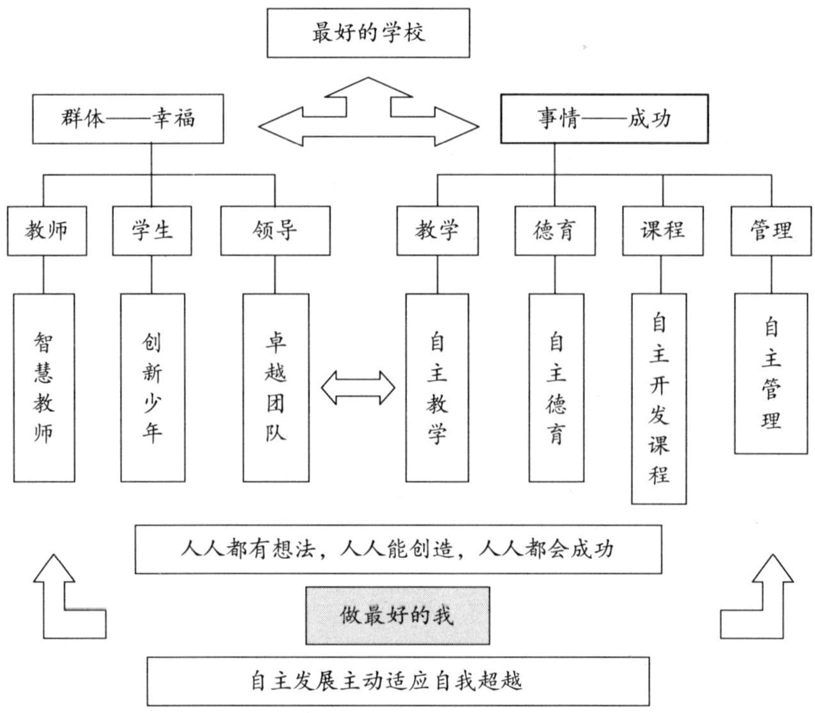

图3　学校教育创新要素及发展框架

依据学校教育创新的发展框架，学校教育创新的整体思路主要体现在以下几个方面：

第一，强化管理团队的自主与协作，创建具有生成性的学校生态制度与管理系统，构建学校教育创新的核心动力；

第二，深度开展教师团队学习，创新自主教学模式、丰富自主德育实践、完善特色课程体系，凝聚学校教育创新的持久动力；

第三，提供大量开放多元的课内外体验学习实践活动，打造积极优秀的学生群体，践行“做最好的我”的学校教育创新的核心目标。

一切教育的目的都是为了人的发展，为了人生命的成长。在学校教育创新的过程中，我们始终秉承“自主发展主动适应自我超越”的办学理念，践行“人人都有想法，人人都能创造，人人都会成功”的行动原则，培养会思考的学生，鼓励有想法的教师，努力使每一位教师的发展、每一个学生的成长成为一种自主、幸福的体验，使每一位中关村第一小学的师生，都能在工作、学习中与学校共同成长，共同进步，做最好的我。

第三章 构建『菜单』课程体系，为师生自主发展培育沃土

2009年7月1日，中关村第一小学《九点阳光》校报上刊登了一篇六年级9班的李夏慧子的小文章。

上五年级时，我在学校参加了单片机兴趣小组。可是，我一点都不懂什么是单片机，更不知道它能做什么。经过老师的讲解，我们知道了单片机非常实用，路边的彩灯、街上的霓虹灯、家里的微波炉、洗衣机的面板等，都是单片机控制的。由此，我对单片机产生了浓厚的兴趣。

在学习了一下控制指令之后，老师告诉我们，可以自己通过单片机搞一些小发明了，心情激动之余，我开始思考自己可以做些什么呢？周末到姥姥家，姥姥在炒菜时接了一个电话，说得时间长了些，结果把菜烧干了。还有一次，我自己在家煮方便面，由于我调不好火的大小，水扑出了锅，差点烫着我。

我想，如果我能做一个能定时、能感应、不管人在不在灶前都能用按键调整火的大小和能意外熄火时重新点火的燃气灶该有多好啊！我把这些想法提出来，在老师和爸爸的帮助下，不断完善我的创意，克服了许许多多的困难，终于取得了成功。我相信，只要有恒心，一切困难最终都会得到很好的解决。在老师、爸爸以及专家的帮助下，一个个问题都得到了完美的答案。当我完成这个作品的时候，比赛已经近在眼前，我参加了2008年海淀区和北京市的单片机作品比赛，获得了北京市的一等奖，真是太高兴了！我爱单片机！

从文章中，我们看到了孩子在我校校本特色课程的学习中的所获所感。在发现问题和解决问题的过程中体会着创造带给自己的快乐，获得的是实践能力的提升，进一步体现着在中关村第一小学这片土地上，“人人都有想法，人人都可创造，人人都能成功”。

课程是学校教育的载体，特别是校本课程，更是提升教师素养、培养学生个性的沃土。校本课程开发的过程同样是引导每一位教师专业可持续发展、帮助每一名学生差异发展，实现学校自主发展的过程。教师如何开发出适合学生的最好的校本课程，学生如何在校本课程中兴趣得到发展、个性得到张扬、能力得到提升，这是我们一直在思考并探索的重要课题。随着课程改革的逐渐深入，依据中关村一小的培养目标，我校逐渐形成了包含国家课程、地方课程和校本课程在内的课程结构总体设计图，为培养学生良好的学科素养，切实有效地完成各学科的教学任务，实现师生的共同成长提供了保障。

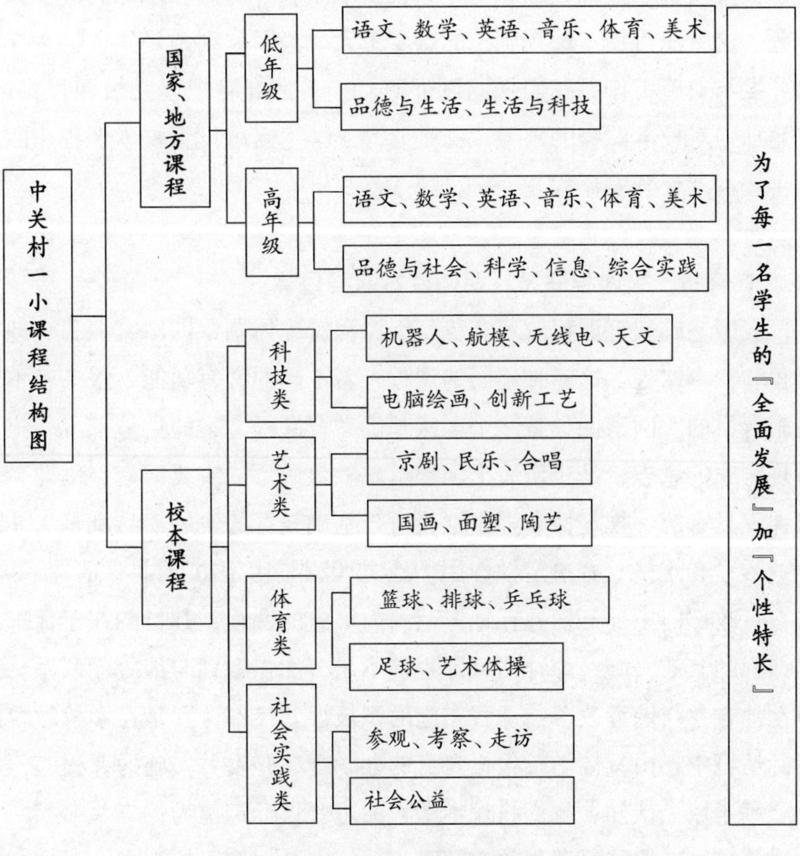

图 4　中关村一小课程结构总体设计图

一、基于发展现状，找准学校课程定位

在新课程改革推进过程中，校本课程的开发与实施逐渐进入到学校层面，但国家、地方和学校三级课程如何把握，如何对校本课程进行调控等问题一度困扰学校校本课程的开发与实施工作，尤其是我校还面对着学校规模大、校址分散、学生家长要求高和学生需求差异大等多方面问题，这就使得校本课程调控的难度更大。为了顺利做好我校校本课程的开发与实施工作，我们强调以下四点：一是准确把握三级课程关系，二是加强对校本课程的领导，三是要源于学生需求设置校本课程，四是完善校本课程开发流程。

1. 兼顾三级课程联系，明确校本课程目标

我国基础教育课程改革实行三级课程管理体制，即国家课程、地方课程和校本课程。这三种不同的课程有着不同的教育功能，服务于不同的教育目的。国家课程是一个国家基础教育课程方案的主体部分，集中体现国家的意志，是决定一个国家基础教育质量的主要因素，因此，国家课程具有统一规定性和强制性，对于基础教育的发展，特别是人才培养的质量和规格具有决定性作用。地方课程是由地方（主要是省一级）教育行政部门主导开发并在地方范围内实施的课程，其目的在于促进国家课程的有效实施，弥补国家课程的不足，加强教育与地方的联系，并调动地方参与课程改革与课程实施的积极性。校本课程是在学校教育的实际情境中，由具体学校根据自身的办学理念开发并实施的课程。

基于以上认知，我们将校本课程的主要目标定位为：

第一，确保国家课程的有效实施。校本课程虽以校为本，但也必须在国家宏观课程政策和国家课程标准的框架内进行，要与国家的教育方针、教育目标特别是人才培养目标相一致，确保人才培养目标更好地实现。因此，校本课程可以是对国家课程的改造与创新，也可以是在国家课程所规定的课程门类以外新开发、设置的特色课程。无论哪一种，都要求学校和教师要树立课程意识，了解和熟悉国家课程政策和课程标准。可以说，校本课程是国家课程和地方课程实施的催化剂和助推器。

第二，照顾学生的个别差异，满足学生多样化的需要。国家课程注重的是普适性，很难考虑学生的个别差异，无法照顾不同学生的不同需要，即使地方课程也无法完全满足不同学生的不同需要，因此，作为国家和地方课程补充的校本课程以校为开发和实施单位，可以更好地了解学生的不同需要，考虑学生的个别差异。

第三，促进教师专业能力的持续发展。培养教师开发课程的能力，不仅促使国家课程、地方课程的有效实施，也能有效提升教师自身专业素养。教师要成为课程与教学的领导者，要在一定的教育理论和课程与教学理论的指导下，在掌握国家课程政策和课程标准的前提下，在充分了解学生的发展特点和现实需要基础上参与课程改革。这是实现教师专业持续发展的有效途径。

我校校本课程的开发与设置依托学校规模大、学生已有基础好的优势开设多元校本课程，依托中国科学院、中关村科技园区（海淀园作为中关村国家自主创新示范区核心区）等资源优势突出科技特色，依托国家对创新能力培养的大背景建立校本课程创新机制。学校站在大课程观的角度，在校本课程的开发与实施过程中，整合各方资源，发挥区域优势，为教师的专业成长和学生的全面加特长发展开辟崭新的舞台。

2. 成立校本课程研修中心，保障校本课程实施

基础教育课程的三级课程管理体制赋予了学校很大的课程自主权，学校在课程发展中的角色由被动执行者转变为主动开发者，每个学校都要根据自己的实际情况开发、实施自己的一套课程体系，打破原来大一统的课程体系。获得课程自主权，对绝大多数学校来说既是机遇，也是挑战。第一，校本课程开发意义重大。对于学校来说，开发校本课程有利于学校开发教育资源，提高教育质量，发挥优势特长，走上特色办学之路；对于学生来讲，开发校本课程有利于拓展教学资源，扩大学生选择范围，发挥特长，使学生学有所长，达到学有所用。因此，在新课改

背景下，校本课程的开发很大程度上影响着学校的整体办学水平。第二，课程开发困难重重。课程开发对绝大多数学校来说既是一项全新的工作，又是一项规模宏大的复杂工作，它包括教材编订、学具开发、教师培训、课堂评价、教学实施等各个环节，需要人力、财力、智力等各方面的支持。

为有效加强学校的课程设置，建立科学、多样、富于特色、适应学生需求的课程体系，我校成立了校本课程研究中心，强调校本课程的开发与设置要更加关注学生、关注个性、关注差异、尊重差异，开发潜能，一切为了学生的全面发展。在校本课程研究中心的推动下，学校将探索建立多主体、多元化、动态的评价体系，对校本课程研发，从前期的设计论证、可行性调查、课程的预设、教材的编写到课程实施过程中的跟踪分析、教师的自我反思调整，再到从学生、家长的反馈，进行全程质量监控与管理，从而提高校本课程建设的质量，做到真正为学生全面而富有个性的发展服务。基于这种开发校本课程的指导思想，学校先后明确了校本课程开发要坚持的原则、校本课程体系框架，并逐步完善了校本课程实验“特区”模式，建立了校本课程实验流程、校本教材出版等方面的制度要求。

在此基础上，我校注重形成学校特色的课程文化，这是课程实施的最终走向。良好的课程文化氛围具有强大的感染力，它辐射带动每一位教师和学生成为课程的参与者、建构者和创造者，实现个人与学校的和谐发展。

3. 源于学生实际需求，促进师生共同成长

我校在校本课程的开发与实施中强调全体性、全面性和人本性三个方面，为学生成长和教师专业发展提供适当的平台与空间。课程的变革，从某种意义上说不仅仅是变革教学内容和方法，而且是变革人。首先，校本课程开发的理念是尊重学生个体的独特性和差异性，尽可能发挥每个学生的个性和特长。所以校本课程的实施，要使学生在掌握国家课程规定的基础知识、基本技能的同时引导学生在众多课程的选择中个

性得到发展，形成更多更广泛的能力，更好地健全学生的人格。其次，把开发课程的权力下放给教师和学校，教师成了课程开发的重要一员，教师就必须关注课程现实，发扬参与精神，形成创新意识。在精神领域，校本课程开发的实践给教师带来了一系列新的观念；在知识领域，校本课程开发不仅使教师改变了对知识本质的看法，而且为教师知识结构的改变提供了可能；在技能领域，校本课程开发能够有效提高教师的课程能力、研究能力和教学能力，是教师在专业发展方面成就自我的重要渠道和机遇。

2006 年 8 月，学校教育创新总课题组就校本课程相关问题对我校进行了一项调研，结果显示，在校本课程开发方面，有 67.6% 的教师认为“有必要”开发校本课程，认为我校的校本课程开发“切合师生实际，有利于教和学”的教师占到 72.5%。这两项数据客观反映了我校教师对实施校本课程的基本看法：教师认同校本课程的开发与实施。教师认同了，才有可能积极投身到校本课程开发与实施的过程中，才能开发出适合学生兴趣的、满足中学生需求的、立足学生未来发展的校本课程。与此同时，学校组织了对学生实际需求的研讨。2007 年，我校聘请北京市教科院张铁道院长为全校教师做了关于如何回应学生需求的主题讲座，先后几次组织教师对学生需求有哪些，如何回应学生需求等问题进行了讨论。在专家的高位引领与全体教师的积极参与下，教师们对学生需求有了较为深刻的认识，表现在课程开发与实施中，学校明确了四个原则：一是全员参与，二是学生自主参与，三是尊重学生差异，四是课程安排尽量满足学生需求。在校本课程科目设置的问题上，学校每学期期初都安排学生自主选择愿意参加的科目，在征求家长建议的基础上确定各自的选修课程，学校对学生所选课程进行统筹安排与管理。

4. 完善校本课程制度，梳理课程开发流程

本着稳步推进的原则和小步走的策略，学校确定分别对四个特色学科京剧课、宇航课、面塑课、inter 求知计划等学科进行试验，经过全体参与校本课程试验与创新的教师辛勤的付出，经过与专家反复论证的激

烈碰撞之后，学校初步总结并概括出中关村第一小学校本课程“特区”模式开发流程：教师先根据自己的特长和学科特点进行校本课程选题和申报，然后在教研组内进行讨论，组内通过后制订方案并提交教导处复核，由教导处根据学生年龄段特点选择、协调实施校本课程。同时要紧密跟踪、考查学生对新课程的接受与反应，并加强对教师授课过程的及时跟进。2004 年至现在，我们多次召集相关人员进行研讨，制定并完善了校本课程申报开发流程，从已有讲义本开始，寻找有价值的内容重点开发，初步构建了比较完善的校本课程开发流程。

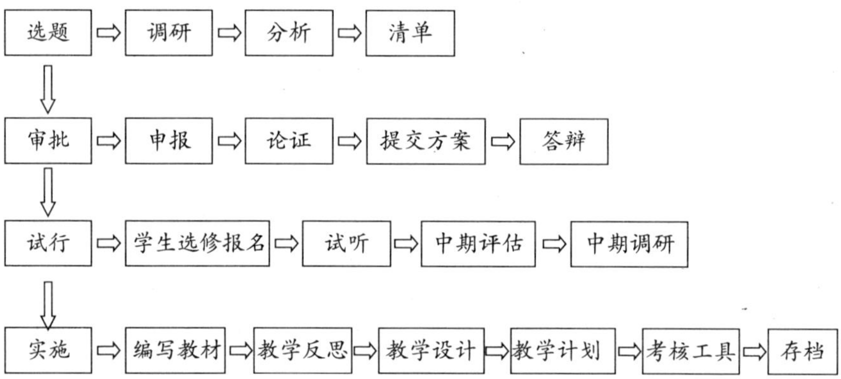

图 5　中关村第一小学校本课程“特区”模式开发流程图

校本课程的开发严格执行选题、审批、试行和实施四个阶段，每一个阶段均有详细、合理的环节相保障，学校的课程内涵在以下方面得到了提升：首先提升教材的内容含金量。我们组织教师进行通读教材的教研活动，开设课程开发相关讲座，为教师提供全套学科教材，使教师能够在整体把握教材的高度上进行教学；其次为教研组配备了不同版本的教材，以便教师能够更加合理地使用教材。我校的校本课程倡导教学的生活化程度，既包括教学内容的生活化，也包括教学方式、教学目的的生活化。如今学校的不少课程已经走出教室、走出学校，学生的作业形式越发多样，实践性越来越强，在关注教学的知识目标基础上，更加注重学生学习能力的培养与发展。

校本课程的开发与实施带来了师生的共同成长，教师积极研究教材，从要做“好教师”到做“学生喜欢的教师”再到要做“学者型的教师”；学生从学科课的学习到校本课程实践再到自主创新性研究活动，教师、学生的角色都发生了转换，创新、探索的潜能得到了进一步开发，为学校校本课程体系的建立打好了必要的基础。

二、实现差异发展，构建校本课程体系

我校的校本课程是在实施国家课程与地方课程的基础上，依据《海淀区义务教育阶段课程设置意见》，在“尊重差异，开发潜能，一切为了学生的健康发展”的办学思想的指导下，本着“以人为本，面向全体，因材施教，培育英才，为每一个学生营造个性发展的空间、快乐成长的沃土，让每一个学生享受到中关村第一小学最优质的教育服务”的原则，从满足学生的需求和发展出发，结合家长愿望、依据社区资源、根据体现时代气息的校本课程开发原则来构建我校的校本课程实施框架。到目前为止，我校校本课程已经形成了“三个结合、四大门类，五个板块、六个完善”这一具有中关村第一小学特色的、充分体现了传统与现代、科技与人文有机融合的校本课程体系，为学生的“全面发展”加“个性特长”提供了广阔的发展空间。

1. 一个宗旨——贯穿始终

素质教育的目标首先是培养合格的人才，其次是培养全面发展的具有特长的人才，更深层次的目标是培养具有创新精神的人才。国家课程和地方课程为学生全面发展提供基础和必要保证，校本课程是达到课程标准之后在学业知识和能力上的补充和提高，给了学生更多发展特长和提高的机会。根据学校地理位置和社会资源的优势，以及学校多年来形成的优势资源，我们将校本课程的开发宗旨确定为：面向全体学生，超越课程标准，以科技教育为核心内容，实施标准化评价。在校本课程开发过程中努力做到以下几点：第一，采用各种手段获取学生的兴趣信息（观察、访谈、问卷等），研究、评估本校学生的兴趣，明晰学生兴趣

的范围、层次和类型，形成基于学生兴趣的《校本课程规划方案》。第二，充分挖掘现有的、可用的校内外资源，如人、财、物、时间、空间、信息等，最大程度地满足学生的多方面需求，为学生提供多样化的表现、表达兴趣的机会。第三，应充分考虑到学生兴趣发展的过程性。在课程实施过程中，在保障学生课程选择权的同时，还要保证目标设置、内容安排、教学方式、评价方式、管理方式的适用性。第四，学校提供的所有课程都应关注学生的兴趣、处理好与学生兴趣的关系。此外，课程还必须处理好与国家课程、地方课程的关系，与学校特色的关系，与教师特长的关系，与学生校外专项训练（如钢琴、书法等）的关系等。

关注、研究并尽可能满足学生的正当兴趣，是校本课程的出发点，也是校本课程的归宿。

2. 两项策略——稳步实施

（1）长短课程兼顾：课程是学校对学生实施教育的手段，全校校本课程分为长课、短课和微型课。长课每节20—40分钟，短课每节10分钟，微型课每节课5分钟甚至3分钟。长课随其他学科课程安排在每天的第1—6节，短课安排在每周的班会时间，微型课安排在每天的早读和下午的广播或者是每节课以前。

长课包括：综合实践活动、创新思维、儿童画、篮球、排球、京剧、健美操、面塑、电脑动画、电脑美术、宇航、英特尔®求知计划（Intel® Learn）、数学思维体操、机器人、模型制作；

短课包括：中华美文、现代文学作品鉴赏、有趣的汉字、英语歌曲童谣、语文阅读大视野；

微型课包括：晨曲欣赏、古诗词诵读、演讲。

（2）隐性课程与显性课程兼顾：通常的学校课程，是指明确的、事先编制的课程，也称显性课程、常规课程或正式课程，侧重于知识和技能的传授。相对于这些教学课程，学生们还体验了一种非正式的、没有或较少事先策划的、也没有书面文本的课程，这就是隐性课程，也称潜课程、潜在课程或隐蔽课程。隐性课程由规则、法规和常规构成，对学生的社会化发生着不可避免的影响，并揭示学校是如何潜在地传递和强化各种态度和行为的，如学校的标语、书籍布置、学校的德育教育活动、体育节、艺术节、科技节、英语节、读书节等学生每年都要经历的、形成习惯的这些教育行为，这是由人、事、物、理、环境统一构成的，侧重于情意方面的学习。隐性课程与显性课程并非一成不变，是可以相互转化的。某些隐性部分一旦被人充分认识，通过分析、反省，给予重视和肯定，便会转为显性。

3. 三个结合——全面兼顾

科学与人文结合：科学和人文两种文化整合的教育是时代发展的大趋势，是我国面向21世纪培养高素质创新人才的必然选择，是现代教育不可分割的两个方面。科学为基，人文为本，科学教育和人文教育的融合是社会发展和教育发展的必然趋势，我校将“科学启智 教育立身”作为学校的精神，正是倡导并努力实施科学与人文素养交融教育的体现。

结合我校一校四址、学生人数较多的特点，学校广泛开展社团活动，并做到点面结合，特色鲜明。“点”是指重点突出，在整合四部的人力资源和物质资源的前提下，分析现有教师特长现状，寻求适合各部发展的重点课程。本部重点开发面塑、京剧、篮球、排球、机器人、宇航、天文、intel求知等课程；寄宿部重点开发航模、舞蹈、武术等课程；天秀部重点开发无线电、足球、民乐等课程，并聘请专家作为校本课程开发和实施的顾问，和教师一起负责课程的开发。精心设计的丰富多彩的特色课程与特色活动，促进学生德、智、体、美等全面发展，为学生潜能的开发、个性特长的发展提供了自由的成长空间。学校特色建设是一个动态过程，我校紧紧围绕教育目标，边学习，边实践，边总结，以求不断有所发现，有所进步，厚积薄发，实现从量变到质变的飞跃。

普及与提高结合：普及是培养学生全面发展的基础，提高则是发挥学生特长的保障，普及与提高相结合就是要把学生的全面发展和发展学生特长相互结合起来。坚持普及与提高的结合，是我校校本课程设置的重要原则之一。

在校本课程的普及过程中，我们根据学生特点和家长需求，结合课程的设置，为每个年级的学生提供了一门或者几门的校本课程供其选择，并且分阶段有重点地进行实施，称之为"必修课"：一二年级的必修课开设美术科幻画专题、京剧、面塑；三年级开设机器人、健美操、舞蹈；四年级开设机器人、航模、篮球；五年级开设宇航、无线电、排球、武术等校本课程。这些必修课不仅丰富了学校的课程，而且为教师施展特长提供了广阔的舞台，可谓教学相长、一举多得。

在学习普及性课程的过程中，学生中产生了一大批对某个学科兴趣浓厚且有潜能的学生，为了给这部分学生提供进一步学习和研究的平台，学校设置了丰富的"选修课"，学生可以根据个人的兴趣爱好自主选择。近年来，学校每学期都为学生开设 60 余项、100 多个班的选修课，学生全员参与。在全面培养兴趣和校本教材课程开发的基础上，为这些学有专长的学生们组建了"小梅花京剧团"、"九点阳光合唱团"、"雀之舞舞蹈团"、"机器人俱乐部"、"航模俱乐部"、"天文俱乐部"、"无线电俱乐部"、"DI 俱乐部"等近 20 个社团，为学生的个性发展、才华展示、智能开发提供了广阔的舞台。

学生们在"必修课"中学习知识，在"选修课"中提高技能，在"社团活动"中展现特长与才华，经过几年的培养，学生们的知识和技能明显提升，情感和价值观得到了很好的熏陶。比如，学校成立了"中关村第一小学少年科学院"，旨在鼓励学生们勇攀科学高峰，做有理想、有抱负的社会主义接班人，经过个人申报和学校审批，"少年科学院"吸纳了一大批学业水平高、竞赛成绩突出、具有一定研究能力的学生作为"小院士"、"小研究员"，启动"大手拉小手"计划，让小院士与中科院的研究人员和院士拉手，到科学院的实验室中完成他们的设想，研究他们感兴趣的课题。这些高端科研人员的指导和引领，更深入地推动了学校校本课程的发展。

课内与课外结合：学有涯而知无涯，拓展时间和空间的概念，丰富学生的知识与能力，让学生看得更多，学得更广，研究得更深，是我们开设校本课程的目的。我校的校本课程有意识地引导学生走出校门，走入社会的大门，走出课堂，走入课堂之外的学习的海洋，在知识的海洋中遨游，在社会的大熔炉中得到历练，并结合学校资源优势，建立了科普项目合作群。

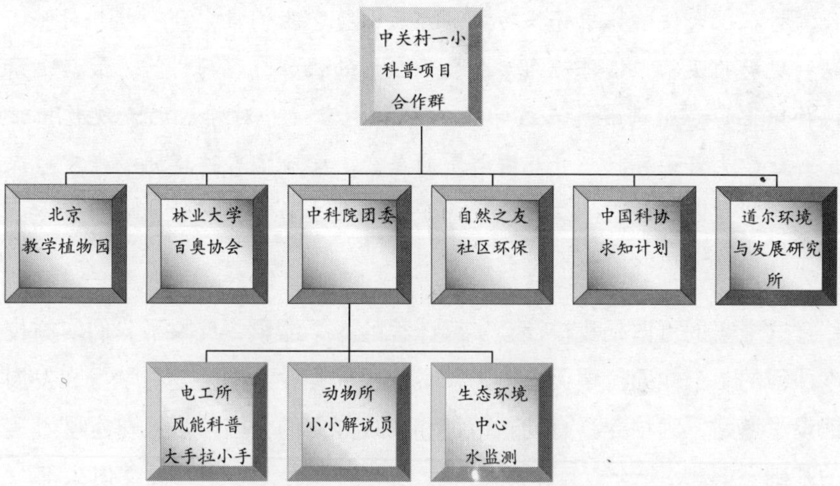

图6 中关村一小科普项目合作群

结合国家课程的综合实践课程，学校将校本课程中研究性学习、信息技术学习、社会实践类学习与劳动技术类的学习进行了有机的整合：利用综合实践课程，实施学校的机器人、宇航、天文、无线电、DI 等科技类的校本课程；结合艺术类的音乐、美术校本课程，实施京剧、面塑等校本课程；结合体育课，学校将足球、篮球、排球、武术等内容统一编排，整体实施，使学生的学习更具系统性和专业性；结合班会、队会和春游、秋游时间，学校实施社会实践类课程。这样，寓教于乐，学生在玩的同时也进行着有准备、有意识的学习。

案例 博物馆里的“小小讲解员”

在宇航课的学习当中，张建老师巧妙地把综合实践课程与春游活动《参观航天博物馆》有效地整合到一起。首先，给学生留下作业，让学生们搜集祖国航天科技发展的资料，查找航天博物馆的资料，准备讲解的注意事项。其次，将本应在课堂上讲解的内容搬到了航天博物馆，学生分组开展我当“小小讲解员”的活动，给每位讲解员五个问题，结合资料在航天博物馆中寻找答案。之后，将学生们集中到一起，对照问题和现场的实物，给每一组学生展示自己的机会，现场讲解。最后，请博物馆里的专业讲解员点拨学生的讲解内容，并对学生的表现作出评价，让学生自己寻找与专业讲解员的差距。学生们在这样的一堂宇航课当中，既学到了航空知识，又锻炼了语言表达能力，同时也培养了学生的团队合作意识和为他人服务的意识。

这个案例可谓是我校社会实践课程的一个缩影，反映了我们实施校本课程的一个侧面。学无止境，校本课程的开设为学生终身学习和发展铺设了道路，为培养具有创新精神和实践能力的合格接班人奠定了坚实的基础。

4. 四个门类——包容并蓄

我校的校本课程共分四大门类，包括：科技类——机器人、电脑绘画、航模、无线电、创新工艺、天文等；艺术类——京剧、民乐、合唱、国画、面塑、陶艺等；体育类——篮球、排球、足球、乒乓球、艺术体操等；社会实践类——参观、考察、走访、社会公益活动等。

5. 五个板块——逐层落实

校本课程的五个板块包括：

（1）纳入课表的必修课：我校根据学生的年龄特点与学习需求，在不同年级开设校本课程，并由专职教师开发编写了相应的校本教材。

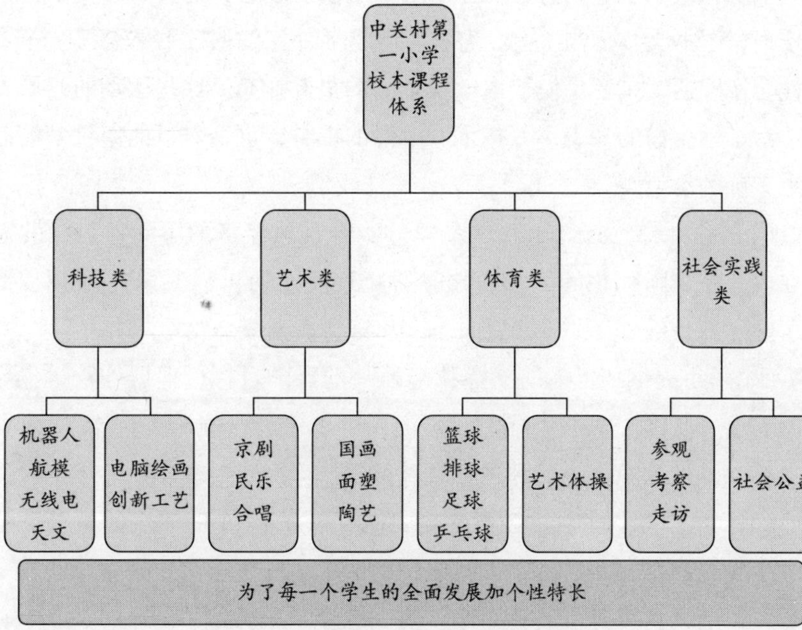

图7 中关村第一小学校本课程体系图

一、二年级开设科幻画、京剧、面塑、形体；三年级开设机器人、健美操；四年级开设机器人、航模、电脑美术；五年级开设宇航、无线电；六年级开设国学、思维训练。这些校本课程大多与学科课程相结合，不仅解决了课时紧张问题，也在一定程度上实现了课程的综合化。

（2）列入课外活动的选修课：选修课每学期开设60余项、100多个班，为有突出特长的学生组建了“雀之舞舞蹈团”、“机器人俱乐部”、“航模俱乐部”等近20个社团。

（3）延伸校外的社会实践活动：学校充分利用周边的社会资源，为学生走出课堂、走向社会、开展实践活动拓宽渠道。与中国科学院合作，成立了双百家长顾问团，定期免费为学生作科普讲座；计算所、植物所等院所成为学校的科技教育基地；航天英雄杨利伟是中关村第一小学学生家长，学校与航天员训练中心建立了合作关系，举行“我当一日小小航天员”、为“神舟六号”航天飞机呈送搭载物等活动，并建立了宇航中队；组织学生到生存岛体验动手劳动的乐趣；为贫困山区手拉手学校捐赠图书文具；与王蒙、曹文轩等著名作家畅谈读书体会等。丰富的社会实践活动是学生们校内学习生活的很好补充。这些活动的开展不仅丰富了学生们的知识，开拓了学生们的视野，更培养了他们科学的态度和正确的价值观。

（4）独具特色的国际教育课程：随着我国经济的不断发展，北京正在成为一个国际化的大都市，教育正逐步走向世界。2004 年我校成立了国际部，确立了“以国际视野培养全面发展人才”的办学理念，“为每个学生提供尽可能的支持和帮助”的办学目标，根据外籍学生学习的需求，开设了中国传统文化、面塑、剪纸、中国画、京剧、民乐、武术等深受外籍学生喜欢的国际教育课程。

（5）异彩纷呈的学校特色活动：为了更好地展现学生的特长，搭设学生发展的舞台，丰富学生的课余生活，学校每年在不同时段安排了学生特色活动：一月份的读书节，五月份的体育节，六月份的艺术节，十月份的科技节，每一个活动的主角都是学生，他们激扬个性、尽展魅力、奇思妙想、吟诗诵文，相声小品、诗词朗诵、课本剧、轮滑、手工创作、科技发明……琳琅满目，这些活动真正让学生走进阳光学会健身，走近艺术接受熏陶，走近科技学会创新，与书为侣快乐成长，极大地推动了校本课程向纵深发展。

6. 六个完善——确保实效

校本课程开发并不是一朝一夕的事情，需要学校长期的投入，需要教师坚持不懈的努力探索，更需要在实践中不断的尝试和试验。每一门校本课程的开发和实施都是对学生和老师的一次挑战，学生需要去熟悉新的学习方法，教师需要更加精心的准备教材和教法。全新的挑战为学生和教师提供了学习和历练的机会。

在我们学校实施的众多校本课程当中，经过教师试验已经获得认可的教材，学校会不遗余力地为教师提供扩展的空间，为学生们提供更加优越的条件。教材的选择会随着学生们的需求不断的更改，学生使用的学具和教师所使用的教具会不断地更新，让课程常上常新，让学生们永远保持良好的学习兴趣，让教师觉得课程总是可以做得更好。多年来，学校和校长为教师和学生们提供了优越的校本课程实施的条件。我们力求做到：完善一门课程开发和实施、完善一本校本课程教材、完善一间与校本课程相关的专业教室、完善一套教师用具和学生用具、完善一个学校专业社团的活动和竞赛、完善自我，让教师在校本课程实施中达到自我完善。“六个完善”将课程与学生、教师与学校和社会联系到一起，做到了让教师成为学校的课程开发和实施的主人，做到了一切为了学生们的发展，实现了人、事、物、理的全方位结合，让学生在学习与成长中享受到了学校教育的幸福。

为落实校本课程实施的有效性，学校制订校本课程教学评价方案，采取调查法、问卷法等方式对学生的发展和课程本身进行评价，注重形成性评价在学生成长过程中的作用。每年的科技节、读书节、艺术节、体育节、英语节的设立为学生搭建了展示的舞台，每位同学至少在四大节中展示一项校本课程所学技能，以此来评价校本课程的实施效果。为保证校本课程的有效实施，我们设置了不同的校本课程活动室。活动室的建立主要遵循“开放”的原则：由单一的活动环境建设向环境与教育教学活动相互作用发展，由活动室向走廊、校园和校外发展，使整个学校具有浓厚的科技氛围，由分区的活动场地向全校的综合性活动场地发展，由学校这个小环境向周围的自然环境、社会大环境拓展，由物质环境向心理环境发展。

以我校的科技大本营为例，在科技大本营里，我们设置了机器人活动室、宇航研究室、创新操作间、天文观测室等为学生提供广阔的学习与实践空间。人与自然生物走廊，是我们利用楼梯的拐角建成的，面积不大，却涵盖了各种动物标本，是一个声、光、电全面结合的科普宣传教育环境。学生一走进这里就如同进入了一个神奇的溶洞或大森林，不仅能真切地看到墙上画的、树上立的鸟和各种动物，而且还能清晰地听到森林里各种鸟叫和动物的声音，真可谓身临其境。进入四楼小厅的时候，首先映入眼帘的是两幅神奇的光谱，光学原理所反映出的有趣现象吸引了很多同学驻足观看，在这里还可以看到 118 种海洋生物标本以及 104 种中外名蝶标本。学生在“人与自然生物走廊”不仅学到了科学知识，而且感受着科学的神秘，体会着人与自然亲密的接触。走过“人与自然生物走廊”，就来到了创意大本营。两边墙上和屋顶上的天体星座，使学生们仿佛置身于璀璨神秘的星空下，使人产生无限的遐想和创造欲。这是我校科技类校本课程开发和实施的缩影，更是我校社团活动开展的真实写照。

几年来我校应用“微缩、浓缩、直观、立体、综合”的原理，投入少、见效高地创设了一系列校园科技教育设施，探索出校园科技教育建设的基本模式。学校在校本课程的实施过程中更注重以下几点：首先，鼓励学生敢于质疑问难；其次，要为学生提供新的舞台；再次，为学生提供创新的时间和空间；最后，教给学生创新的方法，实现了环境、课程设置、学生活动和教师发展的和谐统一。

7. 七种融合——融会贯通

（1）三级课程融合：由于课程设置的要求，给予学校实施校本课程的课表中的时间很少，所以校本课程的实施就必须借助国家课程和地方课程的空间，有效地进行课程补充与实施。例如：我们借助综合实践课程实施机器人、宇航、模型制作等课程，将音乐课与京剧课有机整合在一年级二年级实施，面塑课程和美术课程整合在低年级实施，在低年级体育课中普及健美操，在中年级普及排球，在高年级普及篮球课程。

（2）学科内容融合：教材是一种重要的课程资源，在课程实施过程中，各学科内容不同，但是学科之间的内容存在着一定的联系，我们注意运用和挖掘教材中与其他学科内容相关联的结合点，将其他学科可用的内容与校本课程内容加以融合，有效地提高了校本课程的综合性和应用性。例如：在京剧课内容中，融入语文课中与京剧有关联的故事讲授；将美术课中画脸谱的内容联系起来以丰富京剧课的内容，让学生理解京剧的各行当特点；将现代歌曲中京剧的元素凸显出来，让学生感受京剧的魅力。

（3）学习方式融合：相较而言，学科课程是任务式的学习，以问题启发学生思维，以完成教学任务为目的，而校本课程从内容编写到实施都是以参与式、体验式、活动式、创新式的学习为目的。校本课程重视学生的亲身参与与情感体验，在活动中学习，启发学生的创新思维，所以，校本课程的学习是主动的感知、认识和提升的学习过程。例如：在综合实践课中，并不单纯教授书本知识，而是利用综合实践课程的内容开展“我当一日航天员”的主题活动，让学生深入航天员的生活，学习航天知识，体味航天精神。这样的学习方式更能激发学生学习科学知识的情感，促进学生的亲身体验。

（4）多种能力融合：每一个学科都会有重点地培养学生的各种能力，语文课可以培养学生阅读能力，数学课培养学生的逻辑思维能力，体育课培养学生的运动能力，但是整体而言，学生的各种能力在课堂中并不能完全的综合运用，有些校本课程内容则恰恰能够弥补这一缺陷。例如：在英特尔®（Intel® Learn）求知计划课程的《噪声的调查》一课内容中，学生要利用思维能力思考噪声调查的时间、地点和方法，要利用运动能力在恰当时间跑到恰当的地点展开调查，又要利用分析能力对数据进行有效理解，然后利用信息整理能力做成演示文稿，最后利用演讲能力输出调查结果。一个活动，让学生多种能力得到锻炼。

（5）教育功能融合：教育功能指的是教育在与人及周围环境相互影响中发挥的作用。它往往指向教育活动已经产生或将会产生的结果，尤其是指教育活动所引起的变化、产生的作用，既包括对教育内外系统的直接影响，也包括对教育内外系统的间接影响。在校本课程的开发中，我校的课程注重德育的渗透，注重培养学生良好的行为习惯，以科技教育为核心的校本课程注重培养学生的创新意识和创新精神。例如：在《头脑奥林匹克》的课程中，从解题开始到最后的表演，所有的事情都是由学生完成，道具由学生自己制作，剧本由学生自己编写，演出由学生自己导演，充分体现了学生的自主意识和创新精神。

（6）多种资源融合：校本课程的开发和实施过程不仅仅是某个教师个体的行为，应该是具有相关知识特点和特长的教师一起参与的，甚至是学生和家长共同参与的集体行为。因为有些教师可能会有自己的特长和能力，某些学生和家长可能会有课程相关的资源优势，学校整合了这样一批教师、学生和家长的特长资源，结合社会因素，适时、适地地开发和实施校本课程。以宇航校本课程的开发为例，当"神舟"飞船飞入太空胜利返回，举国为之欢呼雀跃的时刻，我校宇航员子女就读班级被北京市少工委命名为"宇航中队"，我们利用这一契机，深入挖掘航天城的科技资源、空间技术研究院的社会资源和我校教师的兴趣，适时地推出了《宇航》校本课程，校本课程的编写由语文教师出身的张建老师编写，由国家航天专家作数据支援，由空间研究院的专家作资源支持，由学生选择感兴趣的航天知识，由德育少先队开展的航天活动等，共同开发完成宇航校本课程，这一课程深受广大学生喜爱。

（7）评价方式融合：校本课程的评价方式应该是以定量评价和定性评价相结合的灵活的评价方式。我校校本课程的评价方式在定量评价的基础上，给予学生鼓励的、激进式的评价。学生不必为达到什么样的标准埋头苦学，而要在活动体验中对自己的学习有一个清醒的认识和能力上的提高。例如在《儿童英语童谣》的课程中，我们为学生准备了上百首的童谣，但是并没有定出具体多长时间背多少首的硬性规定，而是在每天的课堂中利用几分钟的时间，让学生听童谣看动画，在画面中跟读、跟背童谣，在潜移默化中积累大量的英语词汇和句型，烦琐的单词背诵和句型难题在多听多看中迎刃而解。

三、创新校本特色，实践"特区"模式

"学校在执行国家课程和地方课程的同时，应视当地社会、经济发展的具体情况，结合本校的传统和优势，学生的兴趣和需要，开发或选用适合本校的课程。"根据《基础教育课程改革纲要（试行)》以上要求和我校 2010 发展规划关于课程改革的精神，结合本校具体情况，我校早在 2004 年 9 月，便开始对现行的课程进行改革，推出我校的校本课程实施方案。

校本课程的开发包含多个学科，涵盖面广，在最初的实践阶段，如果全面铺开往往会应接不暇，甚至会出现什么都抓，却什么都没抓实、什么都没抓到位的尴尬。在不断的尝试与实践过程中，我校进行校本课程的开发注重两个方面：一方面学校要关注整个社会发展趋势，把握时代命脉，设置适应社会发展，满足社会需求的课程；另一方面也要关注不同学生的不同个性，尊重学生的个性差异，设置满足不同学生需求，适应不同学生优势的课程，在此基础上，结合学校自身的条件，审时度势，扬长避短，设置有鲜明个性特色的课程。

在对教师特长进行认真调研，并理性分析学科优势的基础上，学校根据学科发展趋势初步确定四个校本课程开发“特区”，分别是京剧、面塑、英特尔®求知计划（Intel® Learn）和宇航、航模课程。既然是“特区”，那就一定要在人员引进、资金保障、外出学习机会、展示平台的创建等多方面上给予更多的倾斜和支持。基于这些考虑，经过几次深入讨论后，我们作出决定：要大胆引进专业人才，开设受学生喜爱的特色课程。为此，我们引进了在面塑方面有特长的贾会珍老师；打破常规，引进了当时暂时还没有拿到教师资格证书的京剧专业人才刘鹭老师；为充实学校课程特色，组织在各方面有条件和兴趣的教师进行专业培训。就这样，学校先后开设了京剧课、宇航课、面塑课、英特尔®求知计划（Intel® Learn）等特色课程。这些课程作为学校常规课程的有效补充，为学生们开启了更多的神奇世界。

1. 传承国粹艺术，开设京剧校本课程

在对待传统文化上，我校始终坚持：“越是民族的，就越是世界的。”秉着传承中国传统文化，我校早在2004年就开设了京剧课程。回想2004年的春天，学校想引进京剧专业毕业的刘鹭老师，可当时刘老师不是师范院校毕业的。于是我们围绕“没有教师资格证书，不是师范专业毕业的人能否进中关村第一小学当老师”的问题展开了热烈的讨论。有的干部认为：没有教师资格证，不是师范专业毕业的，不应该进。有的干部认为：为了专业发展，发展学生的特长，办出学校的特

色，不用考虑是否有教师资格证书，是否师范专业毕业，都应该进。我们要为学生服务，为家长服务，办人民满意的学校，但如何办人民满意的学校？对于学校的发展而言，教师是关键，我们要敢于不拘一格聘用人才，只要是对学生、对家长、对社会有用，又不违反原则的事情我们就可以去做。刘鹭老师最终顺利地被引进学校，事实证明，我们的决定是正确的。如今，学生们对京剧的喜爱日益加深，还成立了“小梅花京剧团”。同学们在京剧课上并不是简单地唱唱京剧，他们讲京剧故事，认京剧人物，画京剧脸谱，听京韵，唱京味，体味的是京剧精神，传承的是京剧文化。

京剧作为学校最早的一批校本课程，自开设以来就受到学生和家长的广泛欢迎，并取得了可喜成绩。上学期末在对京剧校本课程的学生问卷中看到，学生对京剧课的喜爱程度非常高，90%以上的学生填写的是非常喜欢，且女生比例要高于男生比例，我们把得到的信息反馈给任课教师，一方面肯定京剧课开设的成功之处，另一方面也提出如何面向全体、关注差异，调动部分男同学的学习兴趣和在积极性方面有所改进等。京剧校本课程的有益尝试，不仅丰富了校园文化生活，满足了部分师生对于京剧的热爱，而且培育了全国少儿票友大赛银奖得主张青璐——一个学习京剧刚4年、我校自己培养的“土生土长”的京剧人才，这样的人才在中关村第一小学比比皆是。

2. 弘扬民间艺术，开设面塑校本课程

面塑艺术历史源远流长，早已是中国文化和民间艺术的一部分，它蕴涵着民族精华。学校贾会珍老师具有面塑的独家技艺，得到过泥人张的亲传，她开设的面塑课程列入了学校必修课程，她和面塑组同学的许多作品深受国内外参观访问人士的喜爱，同时贾会珍老师主持的“面塑工艺与科学技术教育相结合的课程研究”被立为海淀区的重点课题，并荣获优秀成果奖。

走进面塑教室，迎面感受到的是具有中国传统特色的文化气息，从教室设计的色彩、布局，到环境布置、物品的摆放，无不渗透着古朴、典雅的韵味。学生在这样的环境中学习面塑，可谓相得益彰。贾老师经过自己不断研究编写出了一套适合儿童的教学内容和方法，注重低年级的造型培养，造型从易到难，由浅入深，每节课都有不同内容的训练，在训练造型的同时还对学生进行色彩、花纹、构图、空间立体感的训练等；贾老师将面塑工艺在小学课程中发展为面贴画，这种简单易学的形式很适合小学生来制作，实践证明学生制作兴趣非常浓厚。教师和学生在面塑课上找到了自信和快乐，感受到了无穷的乐趣。

四年级2班吴思雨说：“我觉得一星期才上一节面塑课真是让我没有足够的空间发挥我的想象力。”

四年级7班任雅青说：“在没学面塑前我的心是很浮躁的，学过面塑之后我的心平静多了。我很喜欢面塑，12生肖和人物都会，学习面塑后我的想象力、观察能力都增强了。”

四年级7班刘天然说：“我学过面塑后，不但比爷爷做得好，而且比全家人做得都好。姥姥总是说遗传，可我心里觉得我是一个顶好顶好的小天才。不光是这样，我还比以前更心细了呢，在语文和数学方面我也认真了许多，让我感到了生活的充实。”

四年级2班熊碧君说：“学面塑以后，我才真正体会到捏彩泥的乐趣，面塑让我变得心灵手巧。我更爱上学了，我真是太喜欢面塑了！”

在学习面塑的同时，贾老师有意识地向学生渗透一些中国传统的绘画风格、民间工艺的特色等内容，引导学生不断了解民族文化，在民间美术教学中，开发智力，发展美术能力，培养学生的创造力，以民族优秀传统文化之魅力陶冶情操，从而更加热爱我们的祖国。我校曾赠送给前国务院副总理李岚清同志两件小礼物：贾会珍老师的面塑作品——老寿星和学生的面塑作品——顽皮的小猴子，两件作品色泽鲜艳亮丽，造型精美别致，刻画细致入微，具有很强的文化气息和观赏性，李岚清副总理收到礼物后赞不绝口。这两件作品代表了我校的校本课程在实施国家课程与地方课程的基础上，从满足学生的需求和发展入手，结合学校、教师的特色和优势开设的特色课程取得了丰硕的成果。

3. 挖掘创新源泉，开设英特尔®求知计划（Intel® Learn）校本课程

创造性人才培养的一个重要方面就是对学生创造性思维的培养，创造性思维是创造力的核心，是学生创造性完成活动的基础。在实际教学过程中，如何培养学生的创造性思维，如何在教学过程中激发学生创造的潜能，是我校开发校本课程中重点关注的内容。学生创新精神的培养以科技校本课程的成果最为突出，英特尔®求知计划（Intel® Learn）就是其中之一。

英特尔®求知课程的最大特点是知识与生活实际相结合，让学生利用知识来解决实际问题，进而把解决问题中获取的新知识转化为自己的能力和本领。在课程中，学生主要学习与信息技术相关的知识，如画图、文字处理、电子表格和多媒体演示文稿等，在学会这些基础知识之后，学生必须围绕社区资源和生活实际来制作作品。以画图为例，学生在学习画图时，要利用社区的自然景观、人物或某地的风土人情来设计一枚邮票或一张明信片，甚至是一本台历；在学习文字处理时，学生要为社区或学校设计一些活动宣传海报和社区大事记等。总之，生活中出现的各种现实问题，经常成为学生完成课程项目作业的灵感源泉。

在作品制作过程中，教师通常根据学生的特长和能力搭配分组，使学生能够更好地完成研究的内容。课程刚刚开设一个学期，学生们发现校园垃圾桶的位置摆放与学生生活息息相关，于是学生就这一问题展开校园调研，亲历了分析原因、讨论解决方案、制订实施计划、制作演示文稿、设计讲解台词、汇报实施成果等一系列项目研究所需要的流程。

英特尔®求知项目“校园垃圾筒”实施方案

第一，活动设计理念。我们正处在一个科学技术飞速发展的时代，但是单纯的科学技术并不能帮助人们成就健康的生活方式和绿色的生活环境，我们必须正确认识科技发展与环境保护的关系，大力开展环保教育，以培养公众的环境意识，使人们共同关心和保护自己赖以生存的环境。就像“电脑要从娃娃抓起”一样，环境教育也要从小开始，让孩子从小就真正认识到保护环境的重要性，自觉树立环保意识，建立起绿色健康的生活方式。但是，如何才能让学生主动地参与到环保中来呢？这就需要我们设计出丰富多彩、贴近学生生活的实践活动，把环境保护与可持续发展这颗“种子”播种到学生们的心中。

学生们每天学习生活的大部分时间都是在学校中度过的，良好的校园环境对学生良好行为习惯的养成和绿色环境意识的树立具有潜移默化的影响。通过让学生参与对校园环境状况的调查、规划校园垃圾桶的安放位置、选择与设计校园垃圾桶和最终的方案展示四个相互独立，而又密切联系的活动，可以为学生构建起自主探究的空间，提供合作体验的机会，使得学生的科学知识、实践能力和创新精神伴随着绿色环保意识全面提高。

第二，活动目标。认知方面：通过观察分析、制订计划、动手操作、交流分享等活动过程，提高学生的计算机基本操作水平，学会扫描仪、数码相机等电子设备的简单使用方法，熟练掌握微软画图、Word、Excel、PowerPoint 软件的操作。能力方面：培养学生获取、分析、加工信息的能力；培养学生的表达、交流的能力；在小组活动中，培养学生团结协作的能力；通过展示和评价，培养学生欣赏、评价他人作品的能力。情感方面：引导学生观察生活、创新思考、动手实践、自主探究、合作交流，培养学生的交往能力、实践能力。

第三，活动实施过程及四个具体的活动内容。活动一：校园环境状况调查。其中包括活动目的、情境与问题、初步观察、设计调查表格、进行日常观察、集体讨论、活动小结。活动二：校园垃圾桶安放位置的规划。其中包括活动目的、情境与问题、调查数据的统计与分析、确定垃圾桶安放位置、绘制垃圾桶的安放位置图、活动小结。活动三：校园垃圾桶的选择与设计。其中包括活动目的、情境与问题、集体讨论选购垃圾桶、自行设计垃圾桶、活动小结。活动四：垃圾桶规划设计方案的展示。其中包括活动目的、情境与问题、制订展示计划、准备展示活动方案、展示活动小结。

第四，活动反思与评价。经过两个学期校园垃圾桶规划与设计实践活动的开展，形成了这样一个较为完整的实践活动方案。在活动过程中，学生们对身边环境产生了前所未有的关注热情，形成了主动探究的学习动力，展现了共同解决问题的聪明才智，也让教师对“主体探究—综合渗透”型课堂教学模式和“主体探究—合作体验”型环境教育与人口健康教育活动模式有了一次深刻的体验。

这一案例充分利用了学校这块教育的主阵地，活动内容贴近学生生活实际，切实地体现了“主体探究、综合渗透、合作活动、创新发展”与“主体探究、关注社会、合作体验、创新发展”的实验原则，使学生们能够自觉地树立环保意识，从保护环境的角度修正自己的行为，自觉地成为“环保小卫士”，把环境保护这颗“种子”播种到学生们的心中。看似简单的研究步骤，却让学生感受到了科学问题研究的严谨和缜密。在活动中，学生们挖掘潜能，精辟阐述自己的想法和意见，在争执与合作中体验着科学研究的快乐，在差异的补充和才华的展现中体会科学探索的幸福。最后，我校的“校园垃圾桶的规划与设计活动”在2006年12月获中国可持续发展教育项目“十五”科研成果一等奖。《校园垃圾桶的规划与设计活动》是中关村第一小学参加英特尔®求知计划（Intel® Learn）① 中的一个项目。

在英特尔求知课程的开发与使用中，学校更注重适应新课改的理念，结合学生的兴趣爱好、年龄特点和知识水平，强调学生能力的培养和知识体系的建构，给学生最大施展才华的空间，最大限度地为学生的

---

① 英特尔®求知计划（Intel® Learn），这是由英特尔公司与各国政府及教育机构合作进行的一个教育项目，它是英特尔®教育创新计划的一部分。这个计划的目标并不仅仅是要让学生掌握计算机操作技能，更重要的是要在教师的指导下通过一些基本的课题探究活动培养学生创造性的思维能力和团队合作精神。它通过一些具体的项目和活动，向参加的学生介绍常用的计算机应用技能，如文字处理、图形图像和多媒体应用技术。

研究和学习提供支持，让课堂成为学生们实施计划、大胆设想、培养能力、发挥特长、产生灵光的场所。学生创新的火花从这里起步，创新的源泉从这里流淌。

4. 启蒙飞天英才，开设宇航和航模校本课程

近年来，学校以科技教育为突破口，通过多种手段提高学生的科学素养和创新精神。满足学生不断发展的好奇心和不断膨胀的探究精神已经成为科技教育的主流。“神舟”飞船返回，“嫦娥一号”的探索，已经成为学生不断关注的热点问题。学生是社会活动的参与者，甚至是社会活动的推动者，必须让他们从现在就领略到科技的进步和科学的发展。

基于这一认知，我校从培养学生对航天知识及航天科技的兴趣为切入点，开发了宇航和航模两门校本课程。航模科技是国家航空航天事业的基础科研活动，是国防科技领域重要的研究手段，是国际科学界许多专家、学者终生的兴趣和爱好，能够极大地激励参加者的上进心。在宇航课上，学生们可以学到国际航空航天的发展史，各类航空航天的工作术语及专用名词，各类航天器的名称、作用及简单的工作原理，航天器模型的制作，简易的航天模拟试验，太空生活的小知识，中国的航空航天发展史等，激发了学生学习科技知识、探索科学奥秘的热情，更培养了学生的多种能力。航模制作、试飞的过程能够培养学生的动手能力和创造精神，促进学生对外语、计算机、电子、物理，甚至管理等多个学科的学习和了解；有目的地准备比赛能够培养学生的责任心、有始有终的毅力和合作精神，还锻炼了学生动手动脑的能力，让学生有一展才华的地方，体验航空航天科技的魅力；学生将在航模课程中锻炼出来的创造性智力运用到实践中，通过技能操作指向成功，为素质教育打下了坚实的基础。

我校开展宇航教育还有一个得天独厚的条件——宇航员的孩子就在我校就读，在“神舟五号”载人飞船安全返回地球之后，我校以此为契机成立了宇航中队，这是由北京市少工委和海淀区少工委联合授予的中国唯一的宇航中队。宇航中队的队员们致力于学习航天知识、汲取航

天智慧，在航天精神的引领下发扬中关村第一小学少先队员的学习精神：特别有恒心、特别有信心、特别有耐心、特别要专心，努力学习，提高自己的科学素养。

2005年4月20日，宇航中队的队员们以“我当小小航天员”为主题走进了梦寐以求的航天城，与航天员面对面、手拉手，更直观也更真切地感受到了航天科技人员的奋斗与生活，虚幻缥缈的臆想变得实在了许多，他们的艰辛、汗水与智慧、勇气充实到学生的想象中，航天英雄的形象更加崇高丰满了，也更加深了学生们的景仰。与航天英雄的接近，让孩子们懂得了一切成就的取得都需要坚韧与坚忍的道理。这种认识上的深化，在他们小小的心灵中引发的震动是巨大的，这种变化与升华，激励了他们从小立志的思想。随后，在我校以“宇航杯”命名的科技节上，学生们自己表演线操纵飞机、空中遥控飞机；绘制百米长卷，抒发对中国航天的无限情怀；制作形态各异的飞机模型，并进行紧张激烈的航模竞赛。2006年1月19日，我校召开了心伴“神舟”让宇航精神常驻——中关村第一小学第三届“宇航杯”颁奖暨呈接“神舟六号”搭载物仪式。航天英雄杨利伟、费俊龙、聂海胜来到学生们中间，航天英雄将中关村第一小学“宇航中队”写的《我给宇航员叔叔的一封信》搭载物交到了少先队员手中，并在搭载物上写下了“一起飞翔”四个大字。下面是我校宇航中队的张元瀚同学参加活动后写下的一篇日记。

2005年9月8日，我怀着兴奋的心情参加敬送“神六”搭载物仪式。我的任务是给航天员叔叔献花和红领巾，在这个过程中，我非常紧张，生怕出错，紧张过后我的心情完全被兴奋所占据。

在我们读了来自中关村一小全体学生的一封信后，杨利伟叔叔给我们讲了话，他代表宇航员们感谢中关村一小对航天工作的大力支持，并希望学校能越办越好，希望我们中关村一小的同学天天向上。我想起上次去航天城的遗憾，没有得到杨利伟叔叔的签名，于是我向同学要了张纸，正在此时，刘校长提出了让杨利伟等航天员给我们签名的建议。“太棒了！”我高兴地跳了起来。杨利伟、翟志刚、聂海胜这些光荣的名字将会一直陪伴着我，我终于拥有了敬仰的航天员叔叔们的签名！我们度过了多么有意义的一天啊！

宇航中队通过开展的一系列活动，让学生们从先辈一点一滴脚踏实地的扎实工作与业绩中，体味日常学习所必需的勤奋与认真；每一次活动过后，孩子们各抒己见的畅想，展现出幼小心灵在经历了“航天精神”洗礼后焕发出的蓬勃向上的力量。我们坚信，“宇航中队”的经历，将是孩子们人生中一笔无价的财富，科技的种子已经播撒，未来的航天英雄正在成长，未来的登月者将从这里诞生。

四、群体个体共进，校本课程成果显著

1. 学生社团成果：差异得到尊重，学生健康成长

校本课程的开发与实施为学生的“全面发展”加“个性特长”提供了广阔的成长空间，至今我校成立了100多个兴趣小组，开发了航模、舰模、车模、定向越野、机器人、计算机编程、数学思维训练、面塑、京剧、电子琴、健美操、篮球、排球、足球、跆拳道、围棋等特色课程。学校有200余人的管乐队，60余人的男童声合唱队，180余人的合唱队，80余人的舞蹈队，60余人的京剧队，40余人的健美操队，30余人的跆拳道队。

众多的学生活动和课程也为学校赢得了多项荣誉。2006年4月，我校获得北京市第九届学生艺术节校级合唱比赛一等奖；2008年5月，我校获得北京市第十一届学生艺术节校级合唱比赛一等奖；2008年10月，我校获得北京市第十二届学生艺术节校级管乐比赛一等奖；2009年7月，我校获得第三十八届维也纳国际青年音乐节合唱组金奖；2009年7月，我校获得维也纳第三届“至高荣耀”国际青年音乐节“特别荣耀”大奖；2006年，我校天文项目获得北京市天文观测和天文知识竞赛团体冠军；2006年，由于我校的航模项目成绩突出，被北京市金

鹏科技团授予北京市金鹏科技奖；2008 年，我校获北京市中小学软式排球赛冠军；2009 年，我校女子排球队和男子排球队，在北京市系列排球比赛中分别取得第一名的好成绩，体育成绩的突出，也使得我校多次被评为北京市体育传统校。

每年的“科技节”、“艺术节”、“体育节”、“英语节”、“读书节”更是成为学生们展示才华、展现才能、切磋技艺、展现聪明才智的舞台。丰富多彩的课程形态为学生的全面健康发展搭建了广阔平台，独具特色的校本课程已成为我校教育创新和特色办学的重要组成部分。

2. 学生个人成果：潜能得到开发，发展充满后劲

校本课程的开设，最大的受益者当属学生，学生们学到了他们书本中学不到的知识，掌握了相对专业的技能，一大批学生脱颖而出，分别在各级各类竞赛中获得奖项。

每个学期，学生获奖总数都保持在 600 人次以上，更有个别同学获得了国际奖牌和全国冠军。2004—2006 年，机器人项目中有 6 人获得全国机器人足球竞赛项目一等奖，并在韩国举办的机器人竞赛中获得银奖和铜奖；2006 年，汤子毅同学在全国青少年航模锦标赛中获得二级线操纵项目全国冠军，并被北京市教委评选为银帆奖；2007 年，田戈飞同学在全国青少年锦标赛中再次获得该项目的全国冠军；2008 年，获得亚洲少年机器人大赛 vex 项目银奖；2009 年，娄澜同学获得 24 届全国青少年科技创新比赛一等奖，杨懿婷同学的《卖水》获北京市京昆比赛一等奖，参加中央电视台《梨园擂台》获最佳人气奖。张清麓同学先后在第三届全国京剧票友大赛中获银奖、第十三届全国“小梅花”比赛中荣获金奖并获“十佳”称号。同一年，周蔚惟、王海娜、黄语迪三位同学获得北京市中小学生最高荣誉——北京市金帆奖；张昕昱、章佩芷、夏田田、孙雨辰、高悦茗等同学，在全国万人健美操大众锻炼标准大赛总决赛中，获小学生组一等奖。

3. 教师成果：资源得到利用，专业发展落实

（1）教师课程观的改变：校本课程为学校带来了新的生机和变化，教师也在这种变化中不断地改变着他们自己。校本课程的开发和实施对教师提出了更高的要求，实施一门新的课程必然会遇到各种困难和问题，教师们必须主动适应新形势、新目标和新要求，在校本课程实施的过程中与课程一起成长。经过七年多的探索与实践，我校越来越多的教师从校本课程的开发和实施中成长起来，教师对校本课程的理解越来越深刻，逐渐成为校本课程的传授者和学生学习方式的促进者，成为校本课程的执行者和研究者，成为校本课程的开发者、实施者和改进者。

（2）挖掘教师潜力，人尽其才：校本课程的实施在很大程度上发挥了教师的积极性，使其在工作中感受到自信与成功。英特尔®求知计划的负责人赵宇老师原是一个默默无闻的计算机老师，在经过培训和学习后主动制订了一份英特尔®求知计划的培训方案及设想，刘校长看后十分重视，由赵老师亲自主抓这一校本项目，赵老师从这个项目中找到了自信，并获得了成功，不但校本课程受到学生的热烈欢迎，他的论文也荣获了全国环境、人口、可持续发展课题一等奖，被评为海淀区的骨干教师。像赵老师这样在校本课程中成长起来的教师还有很多。在校本课程的开发过程中，教师的个性得到尊重和张扬，教师的专业知识得到充分挖掘和利用，教师的自主发展得到有效落实，教师有了自我实现的成功体验，这些正是我校“做最好的我”核心价值观的有力印证。

（3）校本课程开发促进教师专业发展：校本课程的开设使教师成为课程改革的践行者，较高的专业素养和扎实的教育教学能力成为教师基本功。迄今为止，学校在学科教师积累总结的基础上，已经正式出版5个学科的校本教材。这些教材都是由教师自己整理，经过实践、改进、再试验、再调整的过程逐步完善形成的，每一本都凝聚着本学科老师的心血与智慧，教师也在这一过程中得以锻炼与成长。教师专业化的一个重要指标就是对本学科的专业知识要有深刻的认识和了解，在完成校本教材的经历中，教师们的专业技能、专业素养也在得到提升。可以

说，校本教材的开发过程，也是教师专业成长的过程。

4. 教材成果：反复斟酌遴选，出版校本教材

2009年7月，校本课程研究中心在反复斟酌、认真遴选的基础上确定部分校本教材由“龙门书局”正式出版，这些教材分别是数学思维体操、机器人、儿童面塑工艺制作、日常行为习惯养成、语文阅读大视野。这5本校本教材，选取了各学科某一个年级的精华和特色，以下仅对数学、科技进行简要介绍。

数学思维体操（二年级）主要包括知识要点、典例分析、策略与详解、挑战自我和走进美妙的数学花园等内容，其中，走进美妙数学花园的内容中讲述了很多数学趣闻、数学家的故事，成为学生最为喜欢的一部分。在数学思维体操课的基础上，学校还在各年级开设了数学活动课，主要包括：

（1）故事活动课：结合有关数学知识的教学，通过活动的形式讲述一些数学故事，包括数学家和数学历史故事，蕴涵数学知识的童话和寓言故事等，由老师学生共同收集，可由老师讲，也可由学生自己讲。通过讲故事，激发学生的民族自豪感，培养学生热爱数学的情感。

（2）实践操作课：指导学生制作学具或操作学具，进行实际测量活动和社会实践活动，从而培养学生的操作能力和运用所学知识解决实际问题的能力。活动课可制作内容较多，如计数教具类有：简易计数器、数字卡片、口算卡片、口算表等；几何形体类有：用硬纸制作长方形、正方形、三角形、平行四边形、梯形、圆及长方体、正方体、圆柱体、圆锥体等模型或表面积的展开模型，制作推导面积、体积的计算公式教具等。还可以有计划组织学生进行实地测量或进行社会实践活动，如在学习长方体的表面积计算后，可组织学生帮助学校或家长计算装饰有关房间的墙壁，该粉刷面积的大小，应贴多少墙布，从而教给学生合理使用材料、讲究节约等。这样的活动，让学生在理论联系实际的过程中，培养其运用数学知识解决实际问题的意识和才干。例如，在学习过“正多边形包围问题”后，老师建议学生利用所学的知识设计出了各种

各样的地板砖式样。

（3）游戏活动课：数学游戏融知识性、趣味性于一炉，让学生在游戏中提高辨别能力和反应灵敏度，是一种很好的益智活动，如下数学棋，玩数学扑克牌，猜数学谜语，开设数学诊所、数学游乐园等。开设数学活动课是数学教改的新课题，其功能和旺盛的生命力已在教学实践中显示出来。因此，我们应该做开展数学活动课程的有心人，认真开设好数学活动课，为全面提高学生的数学素质而努力。

第四章 实施自主教学，为学生终身成长奠基

新课程改革之初，在我校一项关于“小学生自主学习能力”的问卷调查与访谈中，我们发现这样几个问题：第一，学生在回答“学习是为了什么”时，三个年级段中选择“为了上大学”和“为了获取知识”的比例均在59%以上。访谈这部分学生发现，这类学生的学习动力多来自于家长与教师的不断督促，自身对学习的兴趣具有明显的不确定性，可以看出，学生学习动机系统中内部动机明显不足，持续学习能力不强。第二，在“遇到难题，你通常会怎么做”四个备选项中，选择求助于他人的占49.6%以上，学生独立思考和解决问题的意识较弱，自主学习行为能力较差。

问卷的结果令人深思，从什么时候起，我们的孩子习惯了依赖和被动？教师不进教室，学生便一味等待等待再等待，是什么让孩子学得如此“听话”？认为写完作业便是完成学习，是什么抑制了学生主动求知的冲动？作为学习者的唯一主体，从何时起，被如此之深地烙上了家长和教师的印记？我们的教育依然存在简单的指令服从，依然不自觉地强调自我控制、约束欲望，在很大程度上忽视了孩子的自我表达。兴趣、激情、主动性，这正是塑造学生一生成功的重要品性，是培养全面发展的现代人的重要因素。我们的孩子，不仅应该具备丰富的科技文化知识，更应该有主观能动性、独立自主性和开拓创新性，具备终身学习能力和独立人格精神。苏联心理学家赞科夫曾说：“扎实地掌握知识，与其说是靠多次的重复，不如说靠理解，靠内部诱因，靠学生的情绪状态而达成的。”自主性正是这样一种积极有效的情绪状态，是促使学生持久学习的内驱动力。

学生主动学习的意识不足，与教师自主教学的意识与能力有着密不可分的关系，其核心是自主发展。因此，我校以自主教学研究为切入点，了解学生主动学习的现状与不足，挖掘影响学生主动学习的主要因素，开展自主教学策略研究，强化学生主动学习的意识，形成各学科自主教学理念，在教师指导下，让学生学会自觉学习，主动发展，为学生的终身发展奠基。

一、关于“自主教学”内涵的追问

中关村一小自主教学实践研究以辩证唯物主义理论为指导，以培养和发展学生自主性为主要目标，强调尊重学生主体地位和独立人格；在教师指导下，唤醒学生的学习潜能，激发学生的学习意识，让学生独立、主动、创新地学习，促进学生个体可持续发展的教学。

从哲学上看，“自主”即主体作用的发挥，主观能动性的发挥。学生的自主性包括独立性、主动性和创新性三个基本特征。独立性是指学生主动行使和支配自己权利的意识与能力，集中表现为自尊、自省、自立、自强、自控、自评等自我意识及能力；主动性是指学生能够自觉参与课堂教学，主动寻求自身发展；创新性是指学生有强烈的创新意识，具备较强的创造性思维能力与动手实践能力。

“自主教学”强调的就是在教学过程中给予学生确定目标、选择内容、自我发现和自我校正的权利，即在教学中最大限度地发挥学生的主体作用，从而实现学生的自主学习。“自主教学”针对教与学的内在品质而言，是一种主动的、建构性的过程。“自主教学”的“自主”主要体现在六个方面，即学习动机、学习方法、学习时间、学习的行为表现、学习的物质环境、学习的社会性。在这六个方面，学生的参与度、获得选择权利的成分越大，学生在学习过程中的主动性也就越强。

“自主教学”的过程就是从这六个方面最大限度地调动学生参与的积极性。在教学之前，教师依据教学目标帮助学生确定自己的学习目标；在学生学习过程中，学生在教师指导下制订学习计划，选择学习策略，并能够在课堂学习中自我监视、调节、控制，由目标和情感特征引导和约束自身认知、动机与行为，对学习的物质和社会环境保持高度的敏感和随机应变能力；在学习之后，学生能够明确自身学习效果并进行有效的总结评价。在此过程中，教师应当是一个引导者，主要任务是给予学生恰当的支持和修正，组织和引导学生进行自我检查、自我总结、自我评价和自我补救。

因此，自主教学首先是一种感悟式教学，只有当学生的情感态度被充分激发时，其认知才更为深刻，行为也才更为坚决。感悟式教学强调已有生活经验与教学内容的联系，充分发挥个体基本认知在课堂教学中的作用，通过对课程内容的感受认知与对教学情境的体验感悟，引导学生自主体验、自主判断，逐渐达到对知识、情感、态度以及价值观的领悟与内化。

自主教学还是一种体验式教学。让学生用自己的脑子去想，用眼睛去看，用耳朵去听，用嘴表达，用手操作，用身体去亲身体验，用心灵去真切感悟，必定能学为己用。著名教育家蒙台梭利也曾说：“对孩子来说，听到的容易忘记，看到的记忆不深，只有亲身实践和体验到的才刻骨铭心，终身难忘。”因此，体验式自主教学强调学生在亲身经历教学过程中，用全部心智对教学内容进行反复体察、反思，从而形成一定的知识储备、技能及品格。

自主教学还是一种探究式教学。在教学过程中，教师为学生提供充分自由表达、研究、质疑和讨论的机会，不断启发诱导学生采用合作、质疑、实践、体验等各种方法，让学生自主整理、分析和加工信息，亲历知识的产生过程，从而获取知识，提高能力。

最后，自主教学还是一种合作式教学。马克思说过：“一个人的发展取决于和他交往的其他一切人的发展。”合作与交流是全面发展的现代人的重要品格，也是学生个体性素养的重要部分。合作式自主教学是在伙伴互助合作中开展的教与学的活动，它在学生相互碰撞交流的过程中培养了学生的参与意识、合作精神与健全的自我认知。

我们所讲的“自主教学”既强调学习者的主体作用，也强调教师的主体作用。一方面，教师自主地教才能灵活自如，学生自主地学才能学有所获；另一方面，学生的自主成长通过教师对自主教学的实践与研究得以实现，学生的自主成长又加大了教师专业发展的需求，促进教师自主发展。

基于以上认知，我们明确了自主教学课题研究的两级目标：第一，显性目标：探索各学科自主教学的基本原则、理念及策略。第二，隐性目标：培养具有自主发展意识和较强创新能力的社会主义事业建设者和接班人。

二、从问题入手，寻找影响学生自主学习的关键因素

为了了解我校学生的自主学习现状，以及影响学生学习主动性的关键因素，我们从低中高三个年级段各抽出两个班进行了问卷调查，为研究“自主教学”的实施提供依据和背景材料。

1. 学生自主学习现状调查与分析

问卷从三个维度来设计：自主学习意识（包括学习动机、学习兴趣、学习情感、学习意志）、自主学习行为（主动预习、课堂积极思考、主动提问、主动进行课外学习、主动寻求解决问题的途径）、自主学习策略（明确学习目标、制订学习计划、时间管理能力、自我监控能力、主动求助能力）。

调查结果程度显示如下：（程度描述：1. 弱、2. 较弱、3. 一般、4. 较好、5. 很好）

表1　学生自主学习现状调查与分析

		低年级	中年级	高年级
学习意识自主性	学习动机	2	3	3
	学习兴趣	5	4	4
	学习情感	3	4	4
	学习意志	2	3	4
学习行为自主性	预习习惯	1	2	3
	思考习惯	3	3	3
	提问习惯/能力	4/1	3/3	2/4
	课外学习	1	1	2
	寻求解决问题的途径	3	3	3
学习策略自主性	明确学习目标	3	3	3
	制订学习计划	1	2	3
	时间管理与协调	1	2	2
	自我监控能力	1	1	2
	主动求助能力	2	3	3

注：学生学习意识整体情况比学习行为和学习策略的程度要高，但是仍然存在主动性明显不够的现象。

根据学生问卷反映的情况统计，其基本现状如下：

（1）学习目标多由家长和教师制定

学习目标由谁来制定，制定什么样的目标在很大程度上影响着学生的自主行为。从统计数据看出，三个年级段中，学生的学习目标完全由家长或老师制定的比例超过了5成，可见学生的学习目的不够明确，主动学习的意识相对薄弱。

（2）学生学习反思意识薄弱

在三个年级段能够运用小结的学生比例只有约5成，有近一半的学生没有养成做小结的学习习惯；在问题14“当你成绩下降时，你能自己找出原因吗”，选择“能”的学生比例只有6成，也就是说有1/3以上的学生没有自我反思的意识和能力。

（3）学生的自我监控能力欠缺

问卷显示，学生的自我监控能力还比较低，对学习时间的管理意识不足。在第7题“你正在和小朋友玩，妈妈提醒你该写作业了，你能立刻停下来去写作业吗”，选择“有时能，有时不能”的比例近1/4；在第12题，“你正在写作业，动画片开始了，你能坚持写完作业再去看动画片吗”，选择“先看一会儿再做作业”的比例超过1/3。

（4）教师指导学生自主学习的能力不足

学生问卷中呈现出的自主学习能力的欠缺，也反映了教师指导能力的不足。不少教师对自主学习这一理念的认识有偏差，把自主学习等同于自学，在学生自主学习策略的指导与训练上，忽略了对学生自我反思能力的培养。

从调研的结果来看，学生学习意识缺乏自主性，主要依靠外部刺激；学习行为主要靠教师和家长不断督促，学习策略基本是教师和家长的事，基本没有自主性。调研结果反映出的这些问题，其中有教师的教学理念和教学手段的问题，但更多是在教学设计与实施的过程中没有关注学生，没有调动学生积极主动地、真实地参与。怎样才能把学习的权利真正还给学生，不但让学生学会更要让学生会学？怎样才能让我们的学生具有终身学习的能力和动力？这些成为亟待我们思考和研究的问题。

2. 影响学生自主学习能力的关键因素

为了更好地促进学生“自主学习”能力的提高，我们对影响学生自主学习能力的相关因素进行了学习和研究。在以往的教学中，我们非常关注学生学习过程中教师对认知策略的使用和管理，如：复述策略——重复、抄写、做记录、画线等；精细加工策略——想象、口述、总结、做笔记、类比、答疑等；组织策略——组块、选择要点、列提纲、画地图等①。这些根据学习心理学知识衍生的策略，对课堂教学起到了很好的促进作用，对促进学生自主学习能力提高方面也有积极的影响。但是，我们觉得不能只停留在认知学习层面，还需要进一步的策略保障。迈克卡等人（Mckeachie，et al.，1990）把学习策略分成三类，除了认知策略以外还有元认知策略（计划策略、监控策略、调节策略）和管理资源策略（时间管理策略、学习环境管理、努力管理、其他人支持）。②结合迈克卡等人的分类，根据小学生的年龄和心理特点，我们主要从学习目标和计划制订、自我监控能力、反思能力等方面展开了研究。

（1）学习目标和计划

学习者的学习最终所要达到的目的，即学习目标的设置，直接关系着学习计划的制订、学习进度的安排和学习策略的选择，影响着自主学习的效率。与远大目标相比，制定近期目标的学生的自我效能感和提高学业成绩的愿望更强；与笼统的目标相比，具体可行的学习计划对学生的自主学习更具有推动作用。

（2）自我监控能力

自我监控能力是学生对自己的学习活动作出判断、反馈乃至调整的能力。自我监控策略能够及时调整学生的学习行为，有效改善学生的课堂表现和学习成绩。小学生的自我监控能力普遍较差，这是培养小学生

---

①② 陈琦，刘儒德．当代教育心理学（修订版）［G］．北京：北京师范大学出版社，2007.

自主学习能力必须重视的问题。

（3）反思能力

反思的意识和能力是自主学习的重要方面，直接影响着学生的学习效率，培养学生自主学习能力，要强化学生对自身学习行为的判断、调整与改进等反思能力。

（4）学业求助能力

学生的学习绝不是一个人的事，需要和同伴进行有效的合作，很多自己无法独立完成和解决的问题可以向同伴求助、向教师求助、向家长求助。除了向人请教以外，学生获取知识的途径还可以进一步拓展，如看书、上网搜集资料、进行访谈征求意见等。

同时，我们意识到“自主学习”是一种被引导的创造性学习。教师的教育理念、课堂管理方式、指导学生自主学习的能力、课堂教学行为等方面，直接关系到学生自主学习能力的培养。以教师讲授为主的教学模式，教师是课堂中心，学生的主动性和自觉性相对较差；善于组织小组合作讨论的教师能够帮助学生管理自己的学习，养成学生自律的习惯，对学生的自主学习十分有利。因此，教师要协调好教师主导要求与学生主体学习需要之间的关系，从学生的实际需要出发确定教学重点和教学目标，给学生留足自主学习的时间和机会，指导学生主动探索总结自主发展的方法策略，实现不同水平、不同特点学生的最大程度发展。

自主学习能力发展现状的研究给我们的教学实践找到了新的出路和生长点，围绕“如何培养学生自主学习能力，提高课堂实效”，我们提出了“自主教学”的理念，并对这一理念进行深入挖掘和实践，取得了良好的效果。

三、实施行动改进，开展自主教学的策略研究

提高学生自主学习能力，关键还要从课堂教学入手，教师首先要确立现代的教学观。现代教学是学生在教师指导下通过实践活动，在合

作、交往基础上主动建构知识的过程，学习是学生通过自己积极参与教学实践活动主动构建的过程，也是学生主观能动的改造过程。没有学生主体的自觉自愿的参与，就不可能有真正教育的发生和发展。因此，我们要注意满足学习者自身发展的需要，只有回应了学生的实际需求，才能引起学习者身心发展的根本转变，教育者要尊重学生人格，为学生提供自由和谐的教育环境，满足学生归属感的需要。在现代教学观的指导下，我们对有效课堂和教学本质进行了重新思考与建构。

思考一：对有效课堂的价值追问

课堂是教师的主阵地，课堂教学的有效性是教师的生命力所在。提高学生自主学习能力，应当从构建有效课堂入手。教育的终极目标是使人生活得更美好，更有价值，学校教育的任务是尊重生命，提升生命，让学生学会学习，学会快乐，学会生活，学会成功，使学生持续不断地成长。因此，课堂教学除了让学生获得促进自身成长与进步的基础知识和基本能力外，更重要的是教会学生做人。做人，应当做一个大写的人，做一个自尊、自爱、自信、自强、对自己的行为与生命负责的人。因此，在构建有效课堂的过程中，我们一直致力于研究学生成长规律和身心特点，使学生获得进步，培养会思考的学生。基于这样的价值追问，我们提出，高效课堂应该具备这三个基本要求：教师应该更具爱心、耐心和童心；注重学生话语体系；为每一名学生提供尽可能多的支持和帮助。

思考二：对教学过程本质的认识

在对有效课堂进行价值追问的基础上，我校突出强调课堂教学的三个方面：（1）营造宽松和谐的课堂气氛，把教室当做“家”，重视情感因素在教育中的重要作用，用真心爱学生，缺少师爱的教师是不合格的教师；（2）构建双主体前提下的“自主教学”，要爱学生，留空间，真发展。给学生充分的机会，把学习的时间、空间和机会真正还给学生，教师是组织者、促进者、教学支架而不是灌输者，教师要构建自主实效的课堂；（3）改善思维方式，调整教学关系，让课堂不仅成为学生获取知识的学园，更成为其发挥个性潜能、享受快乐幸福、获得生命滋养的乐园。因此，教学过程是人的生命展示与发展的过程，关注生命就要关注教育主体的生存质量，强调教学的发展性、自主性、开放性和文化性；教学过程是学生德性养成的过程，扎实的知识储备和高尚的道德品格共生共长，缺一不可。

基于以上认知，围绕调研中影响学生主动学习的若干因素，我们开展了自主教学的实施策略研究。

策略一：以问题为中心，进行教与学的行为分析

教师要能够及时关注并研究课堂教学出现的问题，以适应学生多样化的需求，从而促进学生全面而又个性的发展。

1. 研究学生，捕捉具体教学情境中的思考点

问题从学生中来，只有研究学生才能避免和解决教学中的很多实际问题，研究课堂教学的起点就是研究学生。

研究学生，我们从培养教师的问题意识入手。我校一直倡导教师要有问题意识，要善于发现问题并从问题着手确定研究专题，再带着专题回归实践，在实践中探索答案。为了将这一过程规范化、步骤化，我们把教学研究的起点确定为“问题记录单”的填写，要求教师依据“自主教学”理念和基本要素反思自己的课堂，随时记录问题，并以小组为单位开展“自主教学”的行动研究。为了使同伴交流更加便捷和直观，每个教研组还在办公室墙上开设了问题记录与交流专栏，每个教师可以随时把自己的困惑、想法和做法记录在上面与大家分享。“问题记录单”和“问题记录交流专栏”真实记录了教师们围绕“自主教学”开展的研究轨迹，帮助教师树立了自主研究的意识，定位了自主研究的思考点。

下面是英语组教师面对自己课堂教学中的真问题——“二年级部分班级学生纪律不好，学生活动参与率低”的现状，进行行动研究的过程记录——问题记录单：

中关村第一小学“自主教学”问题记录单

组别：英语组　　　　　　　　　　　　　时间：2008 年 3 月至 7 月

问　题	二年级部分班级学生纪律不好，学生活动参与率低。
问题分析	调查归因： 1. 课时较少，学习内容遗忘快，学生参与活动有困难。 2. 学生缺乏良好的课堂学习习惯，缺乏有效的约束力。 3. 教学内容抽象，活动设计缺少吸引力，不能很好地调动学生参与。 4. 学生较多，课堂活动时间少，造成学生参与的时间相对较少。
解决方案	1. 措施一：结合“月月清”开展阶段复习，在月末对相关单元的教学内容进行归纳总结。 2. 措施二：培养小老师，请小老师帮助检查学生重点歌谣、对话的朗读情况。 3. 措施三：开展课堂评价，利用各种趣味性的评比对学生的课堂行为进行肯定和约束。 4. 措施四：将语言材料形象化，利用图画、卡片等方式辅助学生理解，吸引学生参与。

由此，英语组开展大量的实践研究，并做出了具体丰富的过程记录和材料整理。

如果说“问题记录单”是研究学生的起点，那么“课堂观察表”则是研究学生的过程。为了帮助老师们更好地从不同角度与层面研究学生，学校教导处讨论制定了“课堂观察表”。“课堂观察表”以“自主教学”理念为指导，以“新”实效课堂文化的建构和培养学生自主学习能力为目标，对教师教学行为和学生学习行为两个维度进行课堂观察。设计了课堂反馈、提问等待时间、教师站位行走路线、个体参与情况等八个观察项目，在实际使用的过程中，教师们可以根据自己研究的问题节选观察表中的某个方面进行持续性的观察和记录，继而开展数据统计和分析，提出相应的改进措施和学生发展干预建议。下面是刚刚工作一年半的五年级教师在参加“四年级数学图形单元教学研讨”时进行课堂观察的记录及引发的思考。

【提问思考时间】

课题：《角的测量》　班级：四 9　教师：岳志刚　时间：12 月 7 日

观察项目	详细说明	统计结果	
提问 等待时间 与 问题设计	1. 教师提问后有意识等待学生思考的时间（2 秒钟以上） 2. 学生回答情况 3. 通过现象观察思考教师的问题设计	问　题	等待时间
		你知道周角为什么是 360 度吗？	5 秒
		从这幅图中你能知道什么？	5 秒
		（60°角）有多大？你有什么办法测量？	10 秒
		这几种测量方法有何相同之处？	2 秒
		回顾量角过程，有何相同之处，不同之处？	5 秒
		你怎么知道它就是半圆？	5 秒
		（指角）为什么是 75°？	6 秒
		这个角有多大？（48°）	3 秒
		每个角都这么数，太麻烦，怎么办？	3 秒

本节课教师的提问约有 16 个，其中有意识的等待问题约有 9 个，占 56.2%。其中有 6 个问题教师的等待时间都超过了 5 秒。

课题：《图形的旋转》　班级：四 4　教师：石永丰　时间：12 月 7 日

观察项目	详细说明	统计结果	
提问 等待时间 与 问题设计	1. 教师提问后有意识等待学生思考的时间（2 秒钟以上） 2. 学生回答情况 3. 通过现象观察思考教师的问题设计	问　题	等待时间
		这四幅图案有哪些共同点？	2 秒
		“大风车”是怎样设计的？	2 秒
		（方法）有何不同？	3 秒
		怎样利用三角形设计大风车？	2 秒
		（错误案例）你有什么想说的？	3 秒
		图形 A 怎样得到图形 B？	3 秒
		图中的 90°角，你是怎样观察的？	3 秒

本节课教师共提问 11 次，有意识的等待问题有 7 个，占 63.6%。

但可以看出与上一节课相比，教师提问的等待时间有所减少，基本都在2—3 秒。

问题分析：

通过以上观察，我发现教师在提问后基本都能够有意识地留给学生思考时间，让不同层次的学生都能够进行充分的思考，再回答问题。但通过数据也发现了教师在提问后的等待中存在一些问题：

1. 问题设置过多导致等待时间减少

在两位教师的课堂中都存在着一些自问自答或没有给学生思考时间的现象。其中有些问题的思维含量很高，但教师却没有给学生思考时间，如给出奔驰车标后让学生算一算一个角有多少度这个问题，只有部分学生能够一下子反应过来，一些学生反应慢就需要更长的思考时间。导致这种问题出现的原因就是在一节课中问题设置过多，教师要在规定时间内完成教学任务就势必要减少一部分等待时间。因此教师在备课时需要考虑学生实际情况，简单的问题少问，多设置能够激发学生思维火花的问题。

2. 课堂前半段等待时间长，后半段等待时间少

观察发现两节课在前半段教师留给学生的思考时间都较长，但到后半段思考时间都有所减少，甚至没有。如“哪位同学能够说说用量角器怎样量角的度数”这种总结性问题，教师都没有留给学生足够的思考时间。主要原因是两位教师都没有能够按照预案完成教学任务，后面为了赶时间就省略了提问的等待时间。

因此如何在 40 分钟内进行高效提问成为了我们关注的问题。

思考与建议：

为了留给学生足够的思考空间，一节课的提问设置就必须非常细致，教师既要考虑学生有可能的反应，又要了解学生得到这些回答所需要的思考时间。因此我们认为教师要想进行高效提问，留给学生充足的思考时间应该做到以下几点：

1. 问题设置要适当

我们可从问题的数量、难度、切入点等三个方面入手，精心策划，

做到问题精当、难易适度、思维含量高、切入点准确。如我组邓敏老师上的组合图形面积复习课，在拿到一道题后没有急着问如何解决，而是让学生观察条件，“哪个条件是关键点?”这样精辟、直入学生学习难点的问题提出后，能够激发他们进行深入的思考。一节课如果教师的问题都是这样设置，课堂提问的效率怎能不提高呢?

2. 教师要给学生足够的耐心

当有了好问题后，教师还应该有足够的耐心进行等待，在学生困惑不解时，再多给学生一点时间，静下心来，进行思考；在课堂一片沉寂时，再多给学生一点时间，任他们发挥无限的思维潜力。如在执教“三角形内角和”一课时，刚上课就给学生抛出了一个问题：“如何验证三角形内角和就是180°?”学生一下子就愣在那里，课堂一下子就冷了场。这时我没有急着找人回答，而是给了将近1分钟的时间让学生思考，慢慢地一双双小手举了起来，学生们都有了自己的思考。

因此我们在课堂上要多给学生一点思考的时间，让课堂成为学生智慧之树生长的地方，成为学生学习能力提升的场所。

量化的课堂观察数据，使教师能够更加客观地看待自己的课堂行为，纠正了教师课堂中的一些无意识行为，使教师的课堂行为更具理性的思考。同时，通过课堂行为观察，帮助教师更加客观地看待问题，利用数据分析问题，洞察数据背后隐藏的思考，提升了教师的科学研究能力。

2. 研究课堂，量化有效课堂中的各种要素

课堂观察作为一种有效的听评课方式，要想在提升教师教学水平方面真正发挥作用，必须做到有据可依。为此，我校从多个层面制定课堂观察的量化指标，以期对教师的课堂教学状况进行客观而全面的评价。

在课堂观察过程中，对教学过程的关注是非常必要的，但更重要的是要以教学过程能否有效服务于教学内容、满足学生成长需要为标准来审视其价值。基于此，我校从观察教师、观察学生、课下与教师交谈、课后对学生进行问卷调查以及反思等五个方面制定了基本的课堂教学观察量表。

1. 观察教师：（1）教师对教材把握的准确度；（2）教学内容的有机整合；（3）教学流程是否符合学生的认知特点及不同题材的学习特点；（4）教师的提问次数及有效提问的次数。

2. 观察学生：（1）课堂中是否有小组合作的环节？（2）本节课中回答问题的人数；（3）课堂中学生自己学习和动笔的时间；（4）教学内容的课堂掌握程度；（5）作业检查：抽查某组的练习册，从学生书写情况、批改规范性、教师复批情况进行评价。

3. 课下与教师的交流：（1）教师的素质：对学生的关注及学生回答问题后教师的提升能力；（2）针对教师对教材的把握情况进行教学环节分析；（3）学生的学习形式是否恰当合理；（4）学生的学习状况及兴趣；（5）年级组教师的想法。

4. 课后学生问卷情况：（1）是否喜欢本节课的学习内容？（2）在本节课上掌握了哪些新知识？（3）老师的教学方法你喜欢吗？有什么建议？（4）小组合作学习中的发言情况，你有什么建议？（5）教学内容能够熟练掌握吗？

5. 课堂观察后的反思：根据教师访谈与学生问卷提出意见与建议。

在知识习得的课堂教学观察量表的基础上，我们从教师、学生、班级三个层面细化了德育养成的相关观察内容。

（1）观察教师：①教师创设适合学生的充满和谐、自然、民主、宽松的氛围；②从教师在授课时的动作、语言中感受教师在班主任工作中与学生的关系是否和谐；③教师对期待成功的学生的关注；④课下交流，教师能否根据初期设计的班级行为习惯问题做出指导。

（2）观察学生：①学生在与同伴合作时是否和谐，大部分同学是否愿意和他人合作？②进班时学生是否有礼貌地跟老师打招呼和问好？③同学在发言时能否认真倾听，懂得尊重他人？④对同学评价时能否发现他人优点，与人友善？⑤学生课下活动时是否不大声喊叫，不追跑打闹？⑥是否能大方地表达自己的想法，做个自信的小学生？

（3）观察班级：①听课班级的班级文化，是否符合本年级特点，是否具有特色？②班级卫生状况，感受学生是否主动参与集体事务？③课下与学生交流，了解班集体是否形成良好的班风和舆论？

（4）分析及建议：根据相关项目的具体表现和数据呈现进行分析，提出建议。

策略二：整合有效课堂的构成要素，让学习成为学生主动建构的过程

在研究课堂教学的过程中，我们进行了大量教与学的行为分析，整合有效课堂的构成要素，力求教与学方式的转变，使教学成为师生主动建构的过程。课前调研需求，了解学生学习需求差异，有针对性地引导学生学习，科学合理地设计课堂教学结构，突出“学生互教”环节；课始营造积极的课堂教学环境，让学生体验学习的快乐；课中提供支架，制订可行的学习方案，为学生自主学习提供支架。有效利用课堂教学中学生的提问，培养学生探究意识，并强调小组合作学习的常规培养，实现学生间的良性互动；课后梳理反思，倡导学生“回头看”学习过程，培养梳理、反思意识，并分层布置作业，让每个孩子以自己适合的速度前进。在此基础上，我们逐步构建了合理的自主教学课堂教学结构，规范了课堂教学行为。

1. 优化课堂教学结构

“自主教学”结构的提炼与完善经历了这样三个阶段：

第一阶段： 启发质疑→自主探究→交流评价→梳理提升→课后拓展

实施后的反思：

教师们过多追求学生的“自主”，放手让学生随意讨论、任意发挥，教师面对学生毫无边界的信息反馈无从下手，造成课堂教学目标不明确甚至学生牵着教师走的现象，教师的主导地位忽视了。

第二阶段： 启发质疑→导学→自主探究→交流评价→梳理提升→课后拓展

通过课例分析、教学研讨，教师们逐步认识到：

（1）实施“自主教学”的前提是要恰当地把握自主的度，自主但不放任，自主但不随意，自主不等同于自学，教师一定要在学习过程中发挥引导者和合作者的作用。

（2）在课堂上，启发质疑与自主探究之间必须有一个重要的环节，即“导学”。“导学”的目的就是要给予学生明确的活动目的、恰当的方法指导、关键性的主导问题引领，同时又预留给学生充足的学习空间。

（3）通过对“导学”环节的探讨，帮助教师正确把握课堂教学中的“导”与“放”的关系。

问题：有的教师认为“自主学习”就是学生的自我认知、自我监控、自我反思，忽略了在学习中学习同伴的互助、互评、互促作用。

第三阶段：

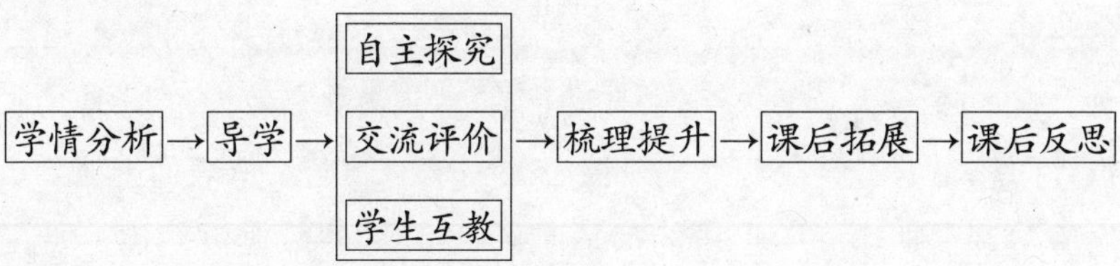

实践证明：

（1）一个完整有效的教学过程必须建立在了解学生的基础上；

（2）学生的差异是现实又是一种学习资源，通过开展学生互助，让优秀的学生勇于站出来做“小先生”，为学生的自主成长搭建平台；

（3）强化课后反思，通过课堂观察记录表，引导教师关注教学细节，关注学生变化。

通过不断的实践与调整，我校的“自主教学”模式基本形成，“自主教学”理念在各学科教学中也得到了不断的深化，“自主教学”的学科特色也日渐鲜明。

2. 规范课堂教学行为

规范课堂行为是实效课堂的基础和保证，规范课堂行为不是几节课的展示，而是每一节课的坚持。首先，我们明确“三讲、三不讲”的基本原则：“三讲”即“讲重点，讲难点，讲易错、易混、易漏点”，“三不讲”即“学生会的不讲、学生自己能学会的不讲、通过同伴互助能学会的也不讲”。只有这样才能使学生自主学习成为可能。“三讲、三不讲”作为“自主教学”模式的基本原则对教师提出了较高的要求，其重心在于教师对教材的把握，对学生情况的把握，教师在教材和学生分析基础上对学生自主学习能力的预期和课堂自主学习活动的设计。其次，受洋思中学启发，我们结合学校的教学实践提出了“四个清”的要求，即堂堂清、日日清、周周清，还要月月清。月月清的目的就是将梳理澄清的阶段整理在课堂、学习日、学习周的小循环的基础上增加月循环，在月末通过检测等方式帮助学生进行一次知识点的梳理和盘点，填补了从周周清到学期检测的空档，使学习的梳理频率更加趋于合理。

“四个一”的提出是对“四个清”在操作层面的行动释义，指的是每一节课“不迟到一分钟，不浪费一分钟，不拖延一分钟，不盲目一分钟”。“四个一”及时校正了教师们在追求课堂实效性过程中过多关注设计而忽略了实效最基本、最核心的要求的倾向。从表面上来看，“四个清”和“四个一”追求的都是课堂40分钟的最大效率化，要在有限的时间内，完成尽可能多的教学任务，这似乎是一个时间量与任务量的问题。但实质上，这更是一个质的问题，它解决的是我们到底应该教什么与怎么教的教学本质问题。这一点也正是教学的核心问题。可以说，“四个清”和“四个一”是新课改精神更直观、更明确、更易被教师接受与理解的表述，是有效实施“自主教学”的制度强化。

策略三：探索高效的课堂教学方法，为学生自主学习提供良好的平台

在“自主教学”的研究与实践过程中，我们从环境建设、时间保证、学习过程支持、关注需求和尊重差异等方面不断探索新的教学方法，努力将学习的主动权还给学生，初步形成了一些有效的教学策略，对学生的自主学习起到了很好的推动作用。

1. 构建积极的课堂环境，为学生创设自主学习空间

教师要努力为学生创建一个积极的课堂环境，积极的课堂环境至少应该做到三个方面：愉悦、自由、高效。教师首先要营造一种和谐的师生关系，喜欢老师，就愿意在老师面前表现自己，就敢于发表自己的看法。教师要为学生创设尽可能多的自主学习的空间，让学生在自然自如的学习环境中学习，同时，教师还要注重知识的趣味性和教学方法的灵活性，课堂教学效果自然就会达到好的效果。

下面是一名教师关于“自主教学”研究的课堂教学记录。

我在教学《观潮》一课时，通过不同的方法为学生创设了一个自主的课堂环境，在这样的课堂上，学生在获取语文知识、提高语文素养的同时始终是快乐的，是兴趣高涨的。

1. 从学生的生活经验入手，激发学生的学习兴趣

上课伊始，我没有急于讲课，而是和学生聊起了关于旅游的话题。我引导学生说自己都去过哪些旅游景点，印象最深刻的是什么。学生们的热情被调动了起来，他们纷纷谈论自己在假期曾经去过的景区，课堂气氛十分热烈。就在学生们兴趣盎然之际，我一点课题：“今天，我们就一起去钱塘江观潮。”学生们在兴奋的状态中进入了课文的学习，水到渠成，收到了很好的效果。

2. 让学生自主参与知识获取的过程

在《观潮》这一课中有一个词语——“人声鼎沸”，这个词语学生理解起来有一定的难度，但是，这个词语对于课文内容的理解又十分重要。按照传统的语文教学，我就会采取直接让学生查字典解释词语的方式。但这种方式对学生来讲是枯燥的，学生不会产生积极的情感体验，“自主”也就无从谈起。为了让学生自主参与获取知识的过程，我采取了如下的教学方法。

师：“人声鼎沸”这个词语是什么意思呢？

生：就是人们的声音很嘈杂，像锅里的水开了一样。

师：你们想象一下，当时是一种什么样的状态，人们会说什么，做什么？我读句子时，请你们把这个场面表现出来。学生听到我的话之后，个个跃跃欲试，随着我读书声的结束，学生们做出了各种各样的动作，有的激动地离开了座位，有的大声喊着“潮来了”，还有的互相拥抱着边跳边喊……学生们的表现简直超出了我的想象。我就势说道：同学们，刚才你们所展现的场面用一个成语来形容，就是“人声鼎沸”。

学生们在充满愉悦和趣味的课堂环境中，自主参与了知识获取的过程，更加深刻地理解了重点词语。

3. 给学生多一些自主选择的空间

在《观潮》这一课中，我还安排了这样一个练笔环节：让学生学完课文之后写写自己“观潮”的感受。我出示了这样一组句式：

假如你是一个旅行家，你观潮后会说________________。

假如你是一个外国游客，你观潮后会说________________。

假如你是一位老人，你观潮后会说________________。

假如你是一位年轻人，你观潮后会说________________。

假如你自己就在现场，你观潮后会说________________。

假如我是________，我观潮后会说________________。

学生可以结合自己的生活经验和对课文的理解，任意选择其中的一句完成小练笔。

在这则案例中，教师采取了不同的方式创设积极的课堂氛围，激发学生“自主学习”的兴趣。开始，引导学生从生活入手，运用聊天的形式，谈论自己曾经去过的景点。这一环节有效地点燃了学生学习的热情，让学生在一种宽松的氛围中，进入到新知识的学习过程中。在理解词语的过程中，采取了让学生根据自己的理解自主表演的方法，十分符合学生的年龄特点，学生感觉到很有趣味，他们愿意采用这样的方法学习，既理解了词语，又再现了当时的情景，给学生留下了深刻的印象。最后，让学生选择内容练笔的环节，为学生提供了更加宽泛的自主学习空间。在这样的教学环境中，学生的思维是活跃的。

2. 学习方案、分层任务设计等为学生自主学习提供保障与支架

学习方案的使用源于对如何让学生真正投入学习的思考。课堂上暴露出的问题才是最有价值的信息，学习方案的作用正是让学生先“下水”，带着问题自学，教师根据学生的问题引导。学习方案的使用无形中把教师从关注文本转变为关注学生，使教师站在学生的角度开展教学，从而整合优化了传统的教学过程，促进了学生学习方式的转变，培养了学生良好的学习习惯。下面是一位语文教师在《古诗二首》的教学中使用的学习方案：

《游园不值》学习方案

学习者姓名：________

学习目标	1. 理解诗句意思，体会诗人情感。 2. 正确、流利、有感情地朗读古诗。	
学习内容	**学习提示**	**学习成果**
游园不值 应怜屐齿印苍苔， 小扣柴扉久不开。 春色满园关不住， 一枝红杏出墙来。	1. “值”字意思是什么？说说题目的意思。	
	2. 为诗句中加点字选择正确读音。	应（yīng yìng） 印（yìn　yìng）
	3. 结合插图或生活实际说说“柴扉、苍苔、屐齿”的意思。	
	4. “怜”字的意思是什么？	
	5. 为加点字选择正确意思。	红杏： ②红色的杏子 ②粉红的杏花
	6. 说说诗句的意思。	
	7. 体会诗人的心情并有感情地朗读诗句。	
	8. 想象被关住的满园春色是什么样的？试着用一个词语、一句话或学过的古诗进行描绘。	词语：（　　） 句子：（　　） 古诗：（　　）

“分层任务设计”是为了让每个学生自主选择适合的速度前进。

建构主义认为，学生是有差异的，学生的差异是重要的学习资源。如何面对差异、利用差异，使之成为真正的学习资源？如何使每一个学生在课堂上都有体现自己价值和作用的空间，经历成功和被关注的体验？我们倡导老师站在学生的角度，从学生所学知识的差异、形成能力的差异上去发现并让学生认识到自己的欠缺。教师与学生在一个平等、民主、协商的氛围中，确定自己任务的内容和要求，使不同的学生心悦诚服地接受和选择属于自己的任务。当然在布置分层任务时，既要关注学生任务的自主性，又要发挥教师在任务布置中的主导作用，使任务分层更趋合理和科学。

【分层问题设计】在学习 My Hobby 一课时，教师为不同层次水平的学生设计了如下的三级问题：

A 级：What's your hobby? Why do you like it? What do you think of them?

B 级：Do you like … ? Why?

C 级：Do you like … ?

注：A 级任务和问题：对于掌握较快的学生；B 级任务和问题：对于中等的学生；C 级任务和问题：对于学习困难的学生。

【分层作业设计】教师从作业量和作业难度两个方面进行思考，同时，作业的布置可以分为基础、提高、发展等三个层次，兼顾不同的学生群体。这三个层次的作业应该螺旋上升，照顾到不同学生的实际和需求。

《红树林》一课根据学生学习需求和文本特点设计了三个层次的作业：

基础题：有感情地朗读课文，抄写词语，积累你喜欢的语句；

提高题：对比这一单元中同为奇观的几个地点有什么不同，阅读王成钊的文章《红树林的风骨》；

发展题：你去过哪些地方？仿照课文的写法写一写，事先列提纲。

当然，不同层次的作业，要采取不同的评价方式，可以把自评、互评、师评等方式有效结合起来，这样才能使学生获得真正的发展。

3. 了解并满足学生的多种需求

学生在学习过程中有着各种不同的需求，分析学生的多种需求，其目的是满足学生的多种学习需要。在学习过程中，学生有学习知识的需求，获得学科技能的需求，感受学习过程的需求，获取学习方法的需求；也有得到教师和同伴认同的需求，表现自我的需求；还有感受文化氛围的需求等。对于不同的学生个体而言，由于每个人获取知识的感官受刺激的敏感程度不同，需要我们满足学生的不同需求，如有的人对视觉刺激反应能力强，有的人对听觉刺激的反应能力强，有的人对实践操作刺激的反应能力强。在微观到视觉刺激上，也有不同，有人对颜色敏感，有人对线条敏感等。分析学生的学习需求，不能简单由教师的经验做出判断，需要教师对教材、学生以及儿童心理发展的规律进行整体分析，才能做出比较准确的判断，并把这些判断落实到我们的教学目标中。围绕着学生的需求，我校数学学科在“自主体验”理念的引领下，通过学生前测、访谈等调研手段，了解学生基础，让学生体验知识的发生、发展、形成的过程，在学习中获得积极的情感体验。

在《百分数的认识》一课的教学中，教师对学生的知识基础和经验基础进行了前期调研，结果如下：

(1) 教材分析

《百分数的认识》一课安排在北师大版小学数学第十册第六单元。

这是本节课的位置以及前后联系。

《百分数的认识》主要学习百分数的意义和读写。

教材中安排了“派谁去罚点球”以及“选中哪号种子”两个主题情境，让学生初步感知百分数产生的必要性和重要性，然后通过多方面、多层次的练习让学生丰富对这一概念的认知，进一步感悟数学与生活的关系。通过“问题情境—数学建模—解释应用”逐步丰富和达成教学目标。

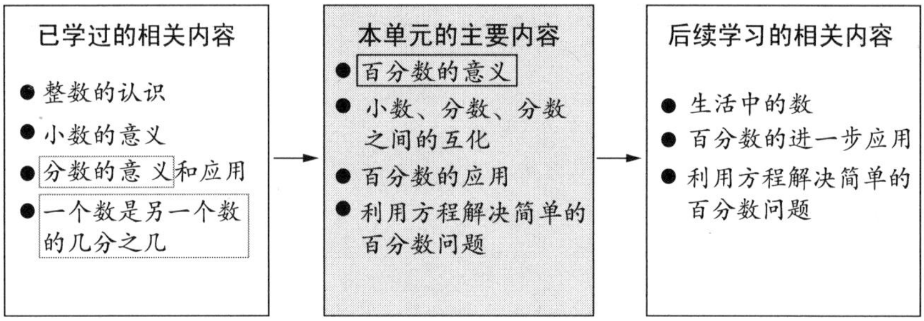

（2）学生分析

a. 知识基础

在前期的学习中学生已经较好地掌握了分数的意义；会进行整数、小数、分数大小的比较；会解决一个数是另一个数的几分之几（几倍）的实际问题；初步具备了统计意识，能对数据进行简单的分析和整理。

b. 经验基础

有84.2%的学生能正确写出百分数；有85%左右的学生可以正确读出百分数；有34.3%的学生能对带有情境的百分数进行简单解释，有25%的学生能对百分数的信息进一步思考分析情境背后的问题。

在对学生前期调研的基础上，教师调整了教学目标的重点和教学流程，把教学“百分数的读写”从教师讲授变成了以学代讲，去掉了单独的练习读写环节，取而代之的是通过问题解决过程来复习强化百分数读写，节省了时间，把更多的精力用在让学生体验百分数的抽象过程和存在的必要性以及理解百分数的意义上。教学重点和难点的判断与转变，决定了教师的教学方式和学生的学习方式，“学习材料”从死知识变成了学生探索知识的活“素材”，“教学方法”从讲授转变为尝试探索，“学习方法”从接受变成主动建构。

策略四：激发学生自我意识，培养学生的自我认知和主动成长的能力

我们从学生学习目标的制定、自我监控能力的培养、问题意识和反思意识的培养等方面，激发学生自我意识，培养学生的自我认知和主动成长的能力。

1. 指导学生明确学习目标、制订学习计划

学习目标是学习活动的出发点，也是衡量学习成效的关键指标。确立具体明确的学习目标是有效学习的开始。学习目标制定得越明确、越切合自己的实际情况，学生的学习行为才能越有效。只有明确了学习的目标，学生的学习才是一种有意识的行为。因此，引导学生参与、制定有意义的学习目标，并运用目标来引导学习是十分重要的。

教师在指导学生制定学习目标时要引导学生思考以下两方面问题——意愿和技巧：

1. 我想达到什么？我的动机是什么？
2. 为了达到目标，我应采取什么策略？

在学生建立学习目标的过程中，教师的角色是一个引导者，可以利用调查或个别访谈的方法，了解每个学生独特的需要。学生需要在教师个性化的指导下自己确立目标、制订计划、设计策略、调节学习进程。在整个过程中教师要把学生的自主性放在首位，才能够真正达到建立学习目标的目的，使学习效果达到有效。

案　例

在五年级6班教室的板报上，“让目标激励我们前行”的醒目标题，激励着班里的每一位同学。在目标制定的内容中，有关于课堂表现的、完成作业的、学习成绩的，有关于如何与同伴相处的，也有关心班集体、热爱劳动的，每个同学的目标都各具特色。班会上，学生们交流着自己的目标，规划着自己的未来，并请老师和同学一起修改自己的计划和措施，学生们诚恳地邀请同伴做自己的监督员，督促自己进步。每一位学生在老师的帮助、指导下根据自己的情况制定出了符合自身发展的目标。

在这些目标中小F同学根据自己的学习情况制定的学习目标特别引人注目。小F是一名成绩优秀的学生，特别喜欢古诗词，经常会利用课余时间阅读大量的书籍，提高自身的文学修养。教师根据小F的特点，帮助他制订了符合自己情况的学习计划，并取得了成功。

小F的学习计划

上学期基础分析：语文“优秀”；数学、英语“良好”。

学习目标：

1. 继续保持语文成绩“优秀”；

2. 努力提高数学和英语成绩，达到“优秀”；

3. 坚持喜欢古诗词的爱好，利用课余时间多写文章、发表在《九点阳光》校报上。

学习计划：

1. 每天进行知识复习和新知识的预习，上课认真听讲、积极回答问题，认真完成作业，保持优良成绩。

2. 利用这学期的时间阅读《诗词格律》《人间词话》两本书，并做好五千字的札记。

3. 在两个月内将小学阶段所有的古诗词整理成册，并配上我的解读。

4. 整理我所写的诗词，对作品进行进一步的修改和加工，完成我的“著作”。

从小F的学习计划可以看出，学习计划记载着的是学生的成长愿望和实现愿望的决心，也必将成为学生成长的动力。在教师的帮助下，小F同学根据自己的爱好和特点，制定了适合自己的学习目标，在这些目标的激励下，在老师和父母的鼓励下实现了自己出版著作的目标，小F不仅在学校中学习不断进步，还成了一位名副其实的“小诗人”。

2. 提高学生学习的自我监控能力

监控策略指在认知活动的实际过程中，根据认知目标及时评价、反馈自己认知活动的结果与不足，正确估计自己达到认知目标的程度、水平；根据有效性标准评价各种认知行为、策略的效果。① 自我监控的目的是学习中及时地进行自我校正和自我调节。由于监控的主体是学习者自己，因此更利于帮助学生建立学习的责任意识。

在实践中，我们引导学生分成两步进行自我监控：第一，辨别出自己要监控的行为；第二，记录、评估自己所控行为的某些方面。自我监控是学生在“自主学习”过程中的自我评价和自我调适，是学习者实现学习目标的过程积累。实践证明，自我监控能够改善学生的学习成绩和课堂表现。

下面是四年级学生根据教师提供的评价问题进行的自查：

一周学习情况自查表

班级：四年级 5 班　　姓名：小 D　　日期：2008. 4. 14—2008. 4. 18

1	你每天都按时交作业了吗？ 是的。☺
2	你各科作业的错题都修改并请老师复批了吗？ 是的。☺
3	你本周在读什么书？ 《上下五千年》
4	你完成本周的读书计划了吗？ 没有。因为排练节目。☹ 下周努力！
5	本周中，你在学习中存在哪些问题？ 数学计算题出了好几次错。体育课的立定跳远没有合格。
6	你准备用什么办法解决这些问题？ 做作业时更加认真。每次作业做完后进行检查。 每天早晨进行十分钟的跑跳练习。

学生自我学习的监控也可以是学习者之间的伙伴监控。个人监控与

① 陈琦，刘儒德. 当代教育心理学（修订版）[M]. 北京：北京师范大学出版社，2007.

伙伴监控是互为促进与弥补的。如：语文课上针对课堂学习态度、活动参与情况、合作意识等课堂表现进行的自评、互评，主要是强化学生课堂参与意识、规范课堂行为。

3. 培养学生问题意识

“今天课堂上你回答问题了吗?”“你今天课堂上提了几个问题?”小小的差异折射出两种不同的期待，不同的期待强化给学生的是两种不同的思维方式。传统的中国基础教育更多的是教给学生们如何回答问题，学生们习惯了“接球”，而不知道如何“发球”。“接球”是对别人思路的一种被动的回应与延伸，而“发球”更多依赖的是自己的主动思考与需求。会“接球”的学生可能变成“发球”者的翻版，但是会“发球”的学生获得的却是满足自身发展需求的支持。

鼓励学生提问是培养学生创新意识和创造能力的重要方式。在“自主教学”实践过程中，形成“创设问题情境—鼓励质疑提问—寻找解决思路—辩论优化办法—初步解决问题”的基本过程。我们把这个过程概括为“问题环”的教学模式，此“问题环”在不同层面具有封闭的特点，但学生的学习过程是由若干个闭环循环进行的。在某一个层面，某一个单元“闭环”过程里，强调以问题解决为目标，强调以梳理优化办法为任务。学生在这样的学习过程中经历、变化、成长、发展。

4. 促使学生养成反思的意识和习惯

反思意识是“自主学习”的过程保障。倡导学生对学习过程的反思总结，可以帮助学生及时把一段时间内多个学习内容用自己的方式进行梳理整合，在已有的知识基础上温故知新，以便帮助学生内化知识，发现学习内容的内在联系，掌握新的有效学习策略，并帮助学生针对学习过程中的问题及时修正和补救。同时反思的习惯和能力培养，也为学生的终身学习奠定了基础。

我校一位数学教师在进行完“分数单元”的教学后，鼓励学生用自己喜欢的方式进行单元梳理。学生们五花八门的反思总结，大大超出了老师的期待。有的学生用叙述式的说明，有的学生画出了自己设计的知识结构图，还有的学生根据知识与生活的联系撰写了数学小论文，甚至有学生借助自己的文学特长写出了数学“诗歌”：

要问三单元学了啥，我来慢慢告诉他。
第三单元学分数，又加又减比较它。
先学分数单位“1”，“1”和“1”可不相同。
为啥“1/2”比“1/2”大？单位“1”来不一样……

在这首小诗中，我们欣慰地看到，学生们已经有了寻找知识间联系的意识，同时也看到学生们与众不同的创意思维。学生们在享受着对学习过程反思成功的同时，从不同的角度又进行了多次复习，不仅梳理了有关分数的知识，而且在交流中拓展了思路、发展了思维能力。

当课堂成为学生进行“自主学习”的一种需求，成为学生解决生活中问题、交流自己思想、丰富自己见识的场所，它才能不断地焕发出生命的活力。

策略五：制定科学有效的教学评价体系，促进教与学行为的反思

制定科学有效的教学评价体系能够有效帮助学生质疑、反思和提高。

1. 从点到面，完善教学监控体制

随着课程改革的不断深入，我们的关注范围也由主要学科的课堂教学逐步扩大到每一学科的课堂教学，我们意识到全学科的综合素质评价对推进全面素质教育的重要性。由此，我们在校级、组级、班级语、数、英教学质量监测体系的建设的基础上，借鉴海淀区五年级综合素质评价体系的相关内容，进一步完善我校的质量评价体系，提出了“全学科素质评价　促进学生综合素质发展”的目标。

具体做法是在已有的语、数、英学科三级监测的基础上增加了学科能力素养的评价。如：语文学科，我们把每个年级段的古诗进行目标细化，每学年完成20首古诗，并在本年级段内完成古诗的背诵赏析工作；数学学科把数学能力培养作为教学的重要目标，以solo分类思想为依托，要求结合具体的教学内容，每节课补充一道题，每单元形成一个专题，把对数学能力的考查纳入每一次的监控中；英语学科增加了“月口头作业记录单”，把英语的听力和口语训练变成一种每天的习惯。在科任学科形成性评价的基础上增加了阶段性的纸笔测试评价，根据学科特点每月或每两月进行一次符合学科特点的质量监测，把模糊的质性评价逐渐明细，借助量性评价的方法和手段促进质性评价的科学性。

学生学科能力提升的主要途径是课堂，全学科的素质评价改变了过去对死记硬背知识的单纯考核，更加关注学生的学科素养和学科能力，对教师的日常教学起到了很好的导向作用。使教师不但关注课堂教学的评优“大餐”，而且更加关注每一天的“家常菜”，真正实现了全方位为学生的发展服务。

2. 从整体到个体，不放弃每一个学生

“不放弃每一个学生”是教师们应该秉承的教学理念。差异性在学生中是普遍存在的，正视这种差异，并通过我们的教育使这种差异尽量缩小，应是我们去努力做到的。“为每一个学生提供尽可能多的支持与帮助”是教师们的工作准则。为了帮助在学习上有困难的学生，学校制定实施了“学困生跟踪制”，每学期期初教导处要了解各年级各班的学困生状况，并与任课教师、学生本人三方一起分析学习困难原因，一起制定短期、长期的学习目标和提高措施，同时与学生家长取得共识，学校、学生、教师、家长四方的共同配合，使转化效果有了切实的保证。同时教师也注重挖掘这些学生身上的闪光点，以长板带动短板，因势利导，鼓励为主，帮助学生树立学习自信，培养学习兴趣，达到提高学习成绩的目的。“学困生跟踪表”由教师与学生共同完成，教师把每个学

困生的情况分析、帮扶进程、各阶段成绩等进行汇总，学生进行每一阶段学习效果的反思、学习重难点的整理。

下面是我校张静老师 2009 年 12 月份对班内学困生进行辅导的记录：

日　期	学困生姓名	辅导方式	辅导内容	效　果
12.7	小 A	一对一	讲作业中的问题	良好
12.9	小 A	一对一	辅导学生做题	良好
12.18	小 A、小 B	一对二	关于可能性方向的知识	良好
12.21	小 C	一对一	辅导学生写作业	一般
12.22	小 A	一对一	辅导学生作业中的问题	良好
12.23	小 A、小 D	一对二	辅导学生理解方向知识	良好
12.24	小 A	一对一	辅导关于“方向”的知识	良好
12.27	小 C	谈话	心理辅导	良好
12.27	小 A	改错	数学全练	良好
12.29	小 A	讲解	关于“时间”问题	良好
	小 C	讲解	关于“时间”问题	良好
12.30	小 A	改错	数学全练	良好

由于教师们自觉地将研究学困生作为教学工作的重点，而这些学生也从被动的帮扶者变为主动的参与者、改变者，因此学困生的转变工作取得了比较明显的成效。

四、梳理学科教学理念，践行“自主教学”

“自主教学”要想真正深入我们的课堂，必须保有学科特色，只有进入学科研究的领域才能使我们的“自主教学”深入每个教师的心里，体现在我们的课堂教学行为中，才能更加具有活力和生命力。因此，在学校“自主教学”课堂结构形成和教学策略探索过程中，我们在不同的学科进行了“自主教学”的实践研究。我们将老师们的优秀课例进行汇编和整合，归纳总结其中的共性和个性；分学科开展学科教学的专题研讨，并就不同学科的学术价值进行深入的分析与探讨，力求抓住各种学科能够起到核心作用的教学理念；与专家座谈，共同梳理我们对学科教学的认识以及教学实践中的探索，挖掘其中的理论基础；对不同教师的课堂进行剖析，走进课堂进行多角度、多层面的课堂观察和记录；对学生进行访谈和追踪，了解学生学习中的困难，对比不同教学方式带给学生们的变化……这是一条艰苦漫长的探索之路，但也充满了发现和惊喜。最终我们梳理提炼出中关村第一小学“自主教学”系列学科理念和学科教学模式。

（一）自主品悟——让语文学习以情动情

语文学习的过程形同“品茶”，茶叶入水，慢慢泡开，细细品味，才从缓缓升腾的热气中看到“大漠孤烟直，长河落日圆”的壮观；听到“狗吠深巷中，鸡鸣桑树颠”的自然；才能在品的过程中悟得茶的清香，茶的美妙。形同此理，学习语文的过程就是要这样细细地品，慢慢地悟。品悟是一种方法，它引领学生走进作者的言语世界，走进作者的情感世界，人入文中，文入心中，在品悟中习得语言，悟得情感，进而在品文悟情中提升学生的语文素养。这就是我们通过教学实践凝练形成的，具有一定实效性的中关村第一小学语文阅读教学模式，我们称之为“自主品悟”式阅读教学。

1. “自主品悟”阅读教学的内涵及主要特征

“自主品悟”就是以尊重学生为前提，以提高阅读教学的实效性为目的，让学生直面文字质疑问难、自读自悟、品评涵咏，在读中知其韵，悟中学其写为主要教学活动方式的一种小学语文教学模式。“自主品悟”教学具有以下主要特征：

（1）以尊重学生生命发展的内在需求为根本。即：阅读要基于学生的一种内在需求，使学生以平等的姿态在阅读中以品悟为渠道与作者、编者、文本对话。

（2）“以培养学生的语文素养为目标”、“以夯实学生语言文字训练为基础”。品悟式阅读教学强调立足语言文字，品评涵咏，重视基础知识的训练、基本技能的培养。

（3）“以自读自悟、合作探究为途径”。即：阅读教学要通过学生的自主品读，通过师生、生生之间的交流对话、合作探究达成对文本的感知。

2.“自主品悟”阅读教学的基本操作步骤

“自主品悟”教学基本操作步骤是：激发兴趣，引发期待→自读自悟，形成认知→合作探究，研读文本→实际运用，练习拓展。具体操作体现如下：

（1）激发兴趣，引发期待

兴趣是最好的老师，是学好知识的前提。兴趣程度不同，将决定学生学习的好坏优劣。所以唤起兴趣，是提高学生学习积极性的先导。在“自主品悟”阅读教学中，我们常通过设计精巧的导入语、采取形象直观的多媒体教学手段、质疑等方法激发学生主动探索的兴趣。

（2）自读自悟，形成认知

①自读自悟，初步感知

在“自主品悟”阅读教学中重要的一环就是留给学生充足的自主学习时间、空间，让学生在自主读书中形成对文本的初步感知，提出自己的问题与困惑，为后面的师生、生生交流做好准备。

②提出问题，引发质疑

“自主品悟”阅读教学强调教师要引导学生大胆想象，积极思维，主动去了解新奇未知的事物，探究不同事物的关系，而质疑正是激发学生的求知兴趣、激活学生创造性思维的有效手段。

“自主品悟”阅读教学通常采用以下质疑问题的方法：引导学生在预习中质疑，针对课文标题质疑，从课文遣词造句的妙处质疑，抓住关键词句、标点符号质疑，抓住过渡语段质疑，引导学生在教学后质疑。作为品悟文章内容的辅助手段，资料包括音乐、图片、视频、文字。运用资料的方法有教师提供资料、生生相互推荐资料、学生个体提供资料。

③收集资料，整合内容

阅读教学就是通过对精选文章的赏析、品悟，激发学生的内心感受，从而转化成自我的内心积累，适时运用并正确表达出来。而收集与文章相关的资料有助于帮助学生理解文章的内容，以达到自主品悟的目的。

（3）合作探究，研读文本

语文阅读教学活动不仅仅是为了传授知识，更重要的是为培养学生自主探究、主动获取知识的能力。“合作、交流、品悟”是实现这一目标的重要途径，是学生学习的重要方式，是“自主品悟”语文教学的重要步骤。在本书教学策略部分，我们将具体说明。

（4）实际运用，练习拓展

“自主品悟”语文教学努力构建一个开放的学习环境，放手让学生在课堂上通过自主品悟的阅读后自由发挥，个性得以展示，热情得以激发，人格得以培养。

3. “自主品悟”阅读教学的基本教学策略

语文课程标准指出：阅读教学说到底是一种对话，是编者、作者、文本、学生和教师之间的复杂对话。在这诸多的元素之中，文本是关键，它是架设在编者、作者、学生和教师之间的桥梁，对文本的解读应该成为语文课关注的焦点。而解读文本不应该脱离品悟语言，语言承载思想，表达情感，不同的作者有不同的话语方式，通过品味揣摩语言，引领学生走进作者的情感和思想世界，是语文教学的正确途径。品悟文本语言有很多方法，“自主品悟式”语文教学通常选择以下几种策略。

（1）抓住文字品语言

①从优美的词、句入手

有时拿到一个文本，粗粗一看，语句平淡朴实，似乎没有什么特别之处。然而细细读读，品品词句，换一个词语，换一个顺序，才发现没有课文中来得精彩。课本中的每一篇文章中的语言都极具灵性，因此，教师要引导学生在品词和品句中悟情、悟理，同时也领略作者在语言运用上的考究。

②从典型的段落入手

学生在阅读中抓住自己喜欢的句、段进行品读，在品读感悟中抓住重点词语去体会、去想象，就能真正走进文本，深刻感受语言文字的魅力，真正实现与文本、作者、教师的对话，真正实现课标倡导的尊重学生的情感体验、尊重学生自主选择的目标，真正实现教师主导、学生主体。所以，学会品读的方法比知识积累更重要。

（2）补充课外资料品语言

阅读教学中的补充课外资料，是根据教学需要出发，教师依据教材补充相关背景资料，通过形象、富有感情色彩的具体场景或氛围，有效地解决学生学习重点和在学习中遇到的难点，以达到最佳的教学效果。它是“自主品悟”语文教学中常用的一种方法，运用于我们的课堂，有效的课外资料补充可以起到深化课程主题、强化文本思想、加深学生了解写作目的、理解文章深层含义的作用。

在《渴望读书的大眼睛》一课中，教师补充了一段录像，介绍了“在安徽省金寨县，他遇到了一群每天跋涉 30 里路求学的学生”。并顺势引导学生感悟“这 30 里路有多长呀？30 里是 15 公里，从我们学校到同学们最熟悉的劳动技术中心是 3 公里，学生们每天要走五个这么长的路。同学们再想想，马路平坦而开阔，而学生们走的却是——蜿蜒的山路呀！就是这样他们仍然渴望读书，坚持上学。让我们来看看学生们艰难的求学之路吧！”说着教师展示了崎岖山路的录像。

本课中通过课外资料的及时补充，学生设身处地地了解了山区学生求学的艰辛，为朗读和理解课文打好了基础。通过展现一张张贫困山区儿童千辛万苦艰难求学的照片，播放山路崎岖的录像，通过对比一组组震撼人心的数字，帮助学生深入理解贫困山区的儿童在学习条件极度恶劣的情况下，仍然怀着渴望读书、求知的强烈愿望。

由此可见，在语文教学中，适当及时地补充课外资料启发教学，可以使学生深入理解文本，体会文本深层含义，深入品悟语言文字的魅力，提高学生对文本的理性分析，从而达到有效解决文本学习重点、难点，激发学生主动学习、积极参与文本情感体验的最佳教学效果。

①在课前补充课外资料

课前补充资料能更好地促进学生理解课文，深入解读文本思想，对有效地学习文本起到了引领作用，尤其针对与学生生活经验相关较少的文章，课前补充资料起到了拉近文本和学生生活距离的作用，更有效地揭示了文本的主题，为学生从课文中产生理性思考奠定基础。

②在课中补充课外资料

课中补充资料能引导学生更好地借助多种渠道阅读、理解文本的重点和难点，使学生加深理解、促进学习，唤起学生的情感体验，与自身经验联系在一起，产生情感的共鸣，达到入情入境的境界，对学生深入文本、接受信息、了解文章精髓起到了画龙点睛的作用。

（3）品味修辞手法的运用

修辞手法是描摹事物表达思想感情的手段，恰当地运用修辞手法于具体的语言环境中，就能产生巨大的表现力量。在语文阅读教学中，教师要注意启发学生想象，联系具体的语言环境，运用恰当的修辞手法，体味它的表现形式，从而培养学生从分析修辞手法入手深入地理解事物特征的能力，并使他们在思想感情上受到感染和影响。

例如：《桂林山水》一课中就妙用了多种修辞手法，从而产生了巨大的艺术感染力量。

如文章第一段中的"桂林山水甲天下"就是清代诗人金武祥的诗句，这儿恰当地运用了修辞手法——引用，从而以简洁的语言开门见山地点明了课文的中心，又赞美了桂林山水。教学中，教师围绕这具有"牵一发而动全身"的语言，设计了三个问题，引导学生品味(1)"甲"是什么意思？"甲天下"呢？"桂林山水甲天下"是说桂林山水美到什么程度？（2）作为中国人，你为有甲天下的桂林山水感到怎样？（3）你向往桂林山水吗？这甲天下的桂林山水为何让人们都赞赏不已呢？请读第二、三、四段……除此之外，课本还运用了衬托、对偶、比喻、排比等多种修辞手法，教师可引导学生细细品味。如："桂林的山真奇呀，一座座拔地而起，各不相连，像老人，像巨象，像骆驼……”一句，把山比喻成“老人”、“巨象”、“骆驼”，使静态的、无生命的山，变成了人或物，学生在读中体味，在脑际中展现出一幅幅妙不可言的图景——“山像老人，盘腿而坐，沉醉于秀丽的风光中，山像骆驼，跪卧于山水间，美妙的景色使它陶醉了”。至此，学生在领悟文章中运用的修辞手法的同时，就会油然而生热爱自然、热爱生活、热爱祖国山山水水的感情。

（4）展开想象品语言

想象可以将抽象的语言文字变为直观的表象。挖掘课文中能够使学生想象的训练点，进行品悟，将文本语言转化为学生会运用的“活”的语言，学生便可以在想象中对文本语言进行品味、感悟。

①在图画中想象品悟

课堂上，一幅气势宏伟、栩栩如生的挂图，一张色彩明丽、令人神往的照片，或是一个细致入微、感人至深的画面，都能迅速集中学生的注意，使其产生新鲜的感觉和强烈的兴趣，学生能依据图像去感知、去欣赏，体会文章的描述，加深对文章的理解。插图往往是课文内容重点部分的直观展现，利用插图想象，能更好地理解课文内容。

《飞夺泸定桥》中的插图描绘了战士们夺桥的情景。教师引导学生结合文章插图说一说泸定桥和我们平时所说的桥有什么不同以及泸定桥的特殊性，从而使学生感受到，泸定桥是怎样的险峻，桥下的水势是怎样的汹涌，战士们怎样艰难地前进……边看边想，仿佛进入了激烈的战斗之中。红军战士那种不怕牺牲、勇往直前的英雄形象就会浮现在我们眼前。

②在美妙的音乐中想象品悟

音乐的感染力是无穷的，听众可以因旋律的哀怨而悲伤，因节奏的欢快而雀跃，音乐很能激起人情感的共鸣。在教学中借助音乐渲染课文内容有助于学生在音乐中遐想，加深对课文的理解。

例如：《小音乐家扬科》一文中，教师就可以播放几种不同的音乐：“小扬科在田野里倾听各种乐声——在旅店的墙角里听着小提琴的乐声——躺在长凳上最后一次倾听林子里悠扬的音乐。”这一组连续的动人情景和不同故事情景的乐声勾起了小音乐家扬科命运的悲哀。抓住“小扬科睁着眼睛，眼珠已经不动了……手边还放着那把心爱的小提琴”的凄凉情景播放音调低沉的音乐，在音乐声中学生想象当时的情景，动了感情，有的主动谈了感想，“小扬科望着天空，仿佛在说：‘我到底犯了什么罪?’有的学生更富想象力：村里的人也围在小扬科身旁，流不尽的眼泪，诉不尽的哀怨，啊！都一起化为愤怒的火焰”……

上面的片段，教师把情景和音乐交融，激起了学生们对小扬科的同情和对资本主义社会的切齿痛恨，音乐的渲染为整节课的学习打下了良好的基础，作了较好的情感铺垫。

③进入角色想象品悟

学习活动是认知情感和意志综合作用的结果，学生学习不仅是掌握知识、发展能力，同时也是心理品质、道德、行为形成的过程，在对课文内容初步理解的基础上让学生扮演其中的角色进行语言训练，能收到意想不到的效果。

例如：《圆圆的沙粒》教学设计中：

“啊呀，从今以后，他再也看不见美丽的阳光、奇妙的海景，听不到滚滚的涛声了!”教师可以引导学生想象“如果你就是小沙粒，你还看不见什么，听不到什么了?”

下面是学生精彩的回答：

我再也看不到雨后的彩虹了，听不到海鸥的叫声了。

我再也看不到我的好朋友了，听不到我们一起嬉戏的笑声了。

我再也看不到风平浪静的海面，听不到海浪拍打岩石的美妙声音了。

……

学生们通过进入角色，把自己当成文中的小沙粒，想象在漆黑的蚌壳里度过漫长的岁月，这样设计拉近了学生与文本的距离，使得学生更加理解课文内容，体会小沙粒下定决心、坦然地钻进蚌壳里时的坚定。

（5）创设情境品语言

创设情境，要从教学需要出发，教师依据教材创设以形象为主体、用富有感情色彩的具体场景或氛围来激发学生主动学习，引起学生情感体验，以达到最佳的教学效果。它是小学语文阅读教学中常用的一种方法。

①借助挂图、图画来创设情境

“诗中有画，画中有诗”揭示了诗与画之间的关系。其实，这两句名言同样揭示了画与文之间的关系，当人们用文达意时，心中总有个“境”，这个“境”就是画，可见，文与画是相通的，因此，借助图画可以再现课文情境，可以把课文内容具体化、形象化，收到“一图穷千言”的效果。在图画面前，学生看得清楚，感受得真切，从画的颜色、明暗中不仅能迅速立体地感知课文内容，易于接受和理解，涵养美感，同时也能体会到作者把图画变成语言文字的高明以及依文绘图的创造性。在运用图画再现情境时，教师要加以指点和启发，以引导学生认知的方向性，同时，还要有感情地讲述，便于学生充分感受形象，进入情境。

在《妈妈的葡萄》的教学中，教师把学过的课文中的有关母爱场景的图片串联在一起，这样既是一种情境的烘托，又便于学生形象地感受课文的内涵。

②用音乐渲染情境

音乐是一种诉诸于人的听觉，启动人的联想和想象的一门艺术。音乐能调动人的情感，抚慰人的心灵。播放音乐能渲染情境，创造气氛，如果能把音乐语言与语言文字沟通起来，教学就真正实现了调动学生的听觉、视觉等器官，收到意想不到的教学效果。

把音乐引进课堂，能提高学生学习的积极性，发挥他们的主体作用。学生们仿佛身临其境，他们欣赏到了音乐旋律的美，也感受到了作者语言的美。

在教《永生的眼睛》时，教师利用婉约优美的音乐来渲染情境，使学生在情境中感受永生的眼睛的真正含义。

师：（音乐起）对于琳达来说，她亲眼目睹了自己的母亲、父亲、女儿（边说边板书）三位亲人离去，这是多么大的打击呀！然而，她却勇敢地面对着这一切！还好，来自奥列根勇敢者角膜捐献银行的一封信给了她心灵上的安慰。请你深情地把这封信读给大家听吧！

生：有感情地朗读。

师：读了这封信，琳达泪流满面，她仿佛看到：金发温迪手中的画笔依旧不停地挥动着，她的碧眼仍然闪烁着骄傲的光芒。学生们，温迪的那双碧眼将是我一生的思念呀！（同时出示课件图片）

在收到那封信的晚上，我做了一个美丽的梦。在梦里，我梦见了我亲爱的温迪。我们像以前一样，亲切地交谈着。

温迪！妈妈已经遵从你的遗愿，把你的眼角膜捐献给需要光明的人了。你后悔吗?

生 1：不后悔。虽然我死了，但我的眼睛还在别人身上永生！

生 2：我的眼睛仍然在别人身上发挥着作用，我真的很快乐！

生 3：虽然我死了，但我的事情又会影响到其他的人，这样就会有更多的人捐献眼角膜了。

……

师：妈妈不难过，妈妈为你骄傲、为你自豪。因为，我看见了你帮助过的人重见光明，我就等于看到了你呀！（音乐停）

这样，师生在凄美的音乐声中进行着朗读与对话，使学生感受到了眼睛之所以能够永生，不仅仅是因为它能够带给别人永远的光明，永生的还是一种乐于奉献的精神。

③扮演角色体会情境

为了使教学情境真切地再现在学生面前，教师可指导学生如同演戏那样扮演课文中的角色，让学生站在该角色的立场上深入课文，讲述自己的所见所闻所想所感。由于学生的心理位置换成了课文中人物的心理位置，这样，不仅能把教材内容迅速形成表象，同时还能很快地进行理解，文中的“事”好像就是自己做的，文中的“话”好像就是自己说的，扮演得越真就越感到亲切，越感到愉快，越感到学习的轻松。让学生带着强烈的感情阅读课文，进入角色时，让学生们分别站在不同人物的立场上，体会不同人物的心情，达到理解课文的目的。

（6）联系生活实际品语言

①回忆曾经的经历

阅读教学中，有很多的情境是学生熟悉的，很多是学生在现实生活中亲身感受过和实践过的。教材中的每一篇课文都来自于生活，在教学中，教师可以根据教学的需要，引导学生回忆曾经经历过的生活片段，去解读文本材料，说出自己的独特体验，实现与文本的对话，并真正受到启迪。

②移情体味

让学生从自己的情感经验出发，从多角度体味作品人物的心理情绪、情感思想。尽量站在对方的角度去看问题。这样，学生就能走进作者的心灵，把自己的情感与作者的情感融为一体，设身处地地体验作者的情感，从而缩短了自己与文本的距离。

③抓住重点词句悟语言的表达

学生对课文内容的理解和对语言文字表达的理解，都是先通过“读”来完成的。在教师指导下，让学生就作者遣词造句、布局谋篇的巧妙，进行认真品味，从而领悟汉语言文字特有的表达能力。尤其是逐字逐句的品评，其味无穷。

教学过程中，针对教材中的重点词、句、段，精心设计一些有梯度的问题进行语言表达训练，既能帮助学生感悟语言文字内蕴，体会文章遣词造句的精妙，又能让学生进行语言表达的实践活动。

④抓住文章的结构悟语言的表达

注重字、词的运用，并非可以忽略文章的整体结构。既然要强化语言文字训练，就不仅注重于单个字词在语句中的作用，还要特别注重语言段落在课文中的结构功能。

“自主品悟”阅读教学的研究与实践还存在着诸多不足，我们将在实践中不断改进和提高。我们深刻地认识到：在语文教育系统中，阅读教学是提高学生语文阅读能力的最直接最有效的途径。而学生阅读能力则直接影响自身学习效率以及学业成就。因此，我们将继续努力使学生具备良好的阅读能力，为学生们的健康成长打下坚实的基础。

（二）自主体验——让数学学习经历过程

数学知识的抽象性对小学生来说有一定的难度。小学生的思维正处在从形象思维到抽象思维发展的阶段，这一阶段的学生的学习还需要大量的表象作为支撑。因此在教学中，要为学生提供大量的鲜活的表象，学生表象知识的建立还依赖于学生的亲身体验，为学生提供动手操作的机会，使学生在掌握大量表象的基础上发展抽象思维。

学生自主学习是主体教育的一种境界，动手实践、自主探索与合作交流是学生学习数学的重要方式，强调学习过程和个体体验是新课程所倡导的理念。在不断的摸索中，我们觉得不管是选取怎样的教学内容，组织怎样的数学学习活动，运用怎样的评价语言，借助怎样的信息辅助手段，其本质并没有脱离给学生创造体验的机会，感受数学的价值，丰富学生的数学活动经验，进而建构知识。对“自主体验”数学教学的思考在教师的教学实践中也越来越清晰，逐渐成为一种共识。在参与主体教育试验的基础上，我们提出了在数学教育中实施“自主体验学习”的研究。

1. “自主体验”数学教学的含义

“自主体验”教学以心理学、教育学的原理和实践论的思想为基本理论，强调注重引导学生对学习过程的全程参与和全力体验。以对人的发展和生命的关怀为本，以对知识、生活的体验和智慧的开启为目标，要求教师以组织学生“出乎其外”的实践性学习为基本载体，以追求学生学习“入乎其内”的深刻体验为教学目标，从学生已有的生活经验和知识背景出发，向学生提供充分的从事学习和交流的机会，突出学生的主体地位，拓展学生自由学习、思考、体验的空间，崇尚个性化理解，注重体现学生认知、思维等心理活动过程，促使学生对学习的全过程进行充分的体验。“自主体验”学习要求在学习活动中唤起学生的学习愿望，充分激发学生的学习积极性，实现学生的有意义学习、个性化学习、创造性学习，在自主体验式教学中实现学生学习方式的根本转变。

我们将小学数学教学的“自主体验”学习界定为小学生在数学学习和数学活动的亲身经历过程中，通过个体的反复观察、感受、探究，对认知、情感、行为和认识的内省体察与心灵感悟，最终认识某些可以言说或意会的数学的内容、思想方法，进而掌握数学的基础知识、基本技能、基本思想方法，形成基本的数学活动经验，发展数学能力，并在情感、态度、价值观方面得到发展。具体说，是指在师生共同参与、交往互动的过程中，学生在教师的组织、引导下，在一定的情境中，参与特定的数学活动，让学生有所感悟，个体经历数学知识的形成和应用过程，积累个人的活动与知识经验，从而获取知识、应用知识、解决问题。

2.“自主体验”数学教学的特征

在教学中，我们可以把握住“体验”的几个基本特性：体验需要体验的环境；体验的本质特征是亲身经历；体验既是活动的过程也是一种活动结果；体验因个体差异而具有很强的生成性；体验也指回顾与反思，具有自我监控与反思性；体验的内容很多无法溢于言表，这些内容的体验具有感悟性，即体验具有情境性、亲历性、过程性、生成性、反思性和感悟性。

（1）情境性

自主体验的学习过程往往与情境有关。在数学教学中，要实现学生学习过程中的自主体验，首先需要根据学习目标、内容和学生的特点创设一个问题情境，基于特定的情境开展教学活动。这个情境可以是真实的也可以是模拟的，并且需要考虑学习者学习方式的差异而创设不同取向的学习环境，并灵活根据活动情况变化而改变这些环境，以满足不同学习者的需要，让他们通过对数学问题的观察、反思、抽象概括，最后把体验运用到新的情境中解决数学问题。当然，情境或活动过程的设计应尽量切合现实生活，与实际生活联系，这样有利于学生更加自然地进入情境，产生体验。

（2）亲历性

自主体验的数学学习是一种基于学生的知识基础并结合具体环境中与学生生活、学科和社会等密切联系的主题和问题进行观察、探究、实践或讨论，经过反思，最后得出他们认同的结论的一种学习方式。因此，整个学习过程都需要学生的参与、亲历和体验，需要学生参与其中亲身经历，充分调动手、脑等多种感官协同作用。在此基础上，学生学习的结果是他们自己在行动（可以是针对原始经验，也针对第二手经验）中概括总结的，最终这些经验是能够运用的。

（3）差异性

体验是一种亲历，是经验积累的过程。学生新的数学认知和情感是在体验的过程中不断建构、不断生成的。个体差异决定了学生在数学学习中体验的起点不同，由此产生的体验的程度以及体验的效果也不尽相同。有的学生经过一次体验与反思，就可以形成数学经验，而有的学生则需要反复体验，或者在不同的情境中反复体验，经过不断外化、调节才能够形成。

（4）反思性

与以生硬记忆和反复操练为主的机械性的数学学习不同，反思是自主体验式数学学习的关键，它要求学习者有意识地关注所学的东西并设法巩固之，常常用“为什么”、“如何”、“是什么”来反思学习内容的价值、学习方法的适当性、每个阶段的收获以及与过去知识的联系、知识的生成性、需要调整的环节等。所以，学习者既可以反思内容，也可以反思过程；既可以反思主体（自己或老师的行为），也可以反思客体（数学学习的对象及其方法）。学生在反复观察、反复试验、不断思考的过程中，形成对数学问题的体验和数学知识技能的内化。

（5）感悟性

自主体验式数学教学的感悟性体现为学生对于数学情感的感悟、数学思维方式的培养。在数学学习过程中，学生对自己感受、体验的内容通过批判、探究、反思、讨论，最后整理、抽象、概括和提炼升华，不仅在情感态度上接受它，而且最终形成自己的理念和价值观。

3. “自主体验”数学教学的课堂教学结构

基于以上对于数学教学“自主体验”的理解，我们将教学的基本操作步骤设计为以下过程：

（1）创设情境，唤醒学生对事物的已有认知和情感。

（2）呈现问题，唤起新的认知需求。

（3）引导学生在观察、比较、感受和操作、探究中体悟。

（4）表达体验结果，进行反思，肯定积极的情感和认知建构。

（5）巩固，内化。

学生的体验学习是一个非线性过程，在“自主体验”的学习过程中，学生获取知识的过程可能是不断地进行反思、修正的过程。我们可以用如下图示进行表示。

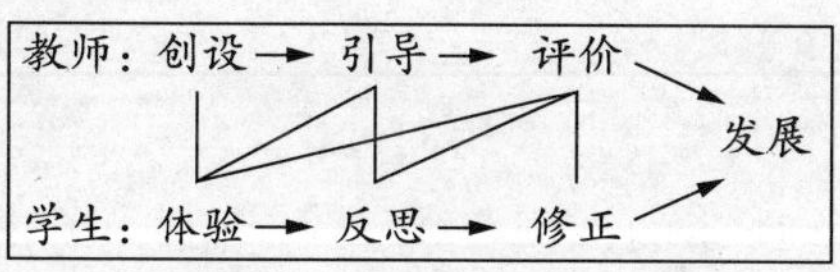

图 8　“自主体验”学习基本操作步骤示意图

解析“自主体验”学习教学架构：

一个核心：以学生的未来发展为核心。

两个维度：教师维度：“创设—引导—评价”教学方式的研究。

学生维度：“体验—反思—调整”学习方式的研究。

三种意识：

（1）服务意识：

其中教师的教是为学生的学服务的；

其中“创设”是为“体验”服务的；

其中“引导”是为“体验、反思”服务的；

其中“评价”是为“体验、反思、调整”服务的。

（2）经历过程意识：

经历体验情境的过程；

经历评价反思的过程；

经历调整建构的过程。

（3）发展意识：

学生的知识、能力得到发展；

学生的思维、方法得到发展；

学生的情感、价值观得到发展。

“自主体验”学习可以用一个数学的式子来表示，即：

$$\mathrm{Lim}\sum_{\text{行为(x)}\to n}[\text{正确的行为}(X_1),\text{错误的行为}(X_2)]\to\text{正确}$$

由上式可知，各种正确的学习行为与各种错误的学习行为总和的极限是趋向于正确的，我们正走在这条路上，教师的行为变量和学生的行为变量共同发挥着作用。

“自主体验”学习突出学生学习的过程，而且这个过程是一个反复的过程，是一个持续的过程，是一个学生亲历体验的过程。但这个过程又不是学生独立、盲目尝试、经历的过程，不可缺少的还有教师的组织与帮助，这是一个互动的、积极的、主动的、渐进的、和谐的发展过程。

4. “自主体验”教学的理论模型

教学模式的理论模型是呈现教学过程设计的一种方式，将教学的整个过程划分为明确的学习阶段，能够使我们更好地理解教学过程的运作。美国著名学者大卫·库伯（Kolb，D. A）基于杜威的经验主义哲学，以及建构主义心理学和人本主义心理学的启示，提出了体验学习的四阶段模型，即具体的体验——观察与反思——形成抽象的概念和普遍的原理——在新情境中检验自己的认知。① 柯尔保把体验学习的过程看做一个不断循环往复的过程，在这个循环周期里，具体的体验是观察和反思的基础，观察到的东西会同化到可能由于演绎推理所产生的新认识和理论中去。然后，这些认识或假设作为行动的指南指导未来的行为，又会产生新的体验。

根据大卫·库伯关于体验学习的“体验学习圈”模型，结合数学学科自身的特点，我们设计了如下“自主体验”数学教学的理论模型。

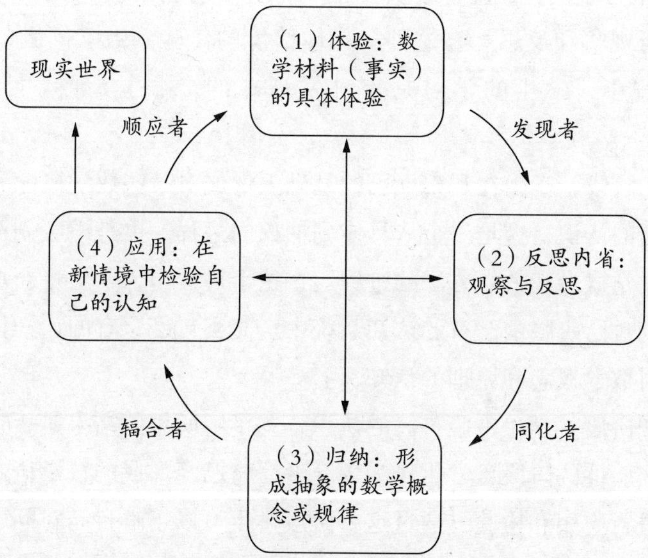

图9　“自主体验”数学教学的理论模型

如图所示，自主体验的数学教学是一个让学生充分实践和反思的数学教学过程。在这个过程中，学生的学习呈现出两个明显的、独立的、具有两极性的学习理论维度。一个维度是数学问题的体验和数学概念的抽象化；另一个维度是反思观察与数学概念的检验验证。而学生的学习正是在这两个不同维度的选择中运用不同的学习方式，实现自身的发

---

① Steven E. Brooks, J. E. Althof, New Directions For Experiential Learning: Enriching the Liberal Arts Through Experiential Learning, San Francisco, Jossey-Bass Inc. Publishers, 1979: 81.

展的。

在自主体验的数学学习中，学生的学习发生在学习循环的每一阶段。

第一阶段，在教师创设的学习情境下，学生独立地面对数学学习的材料（生活的、数学的），进行具体的实践，并在操作、探究中获得体验。

第二阶段，当在实践中进行具体体验时，学生直接从环境的反馈信息中获得对数学材料（事实）的认识，并对自己的实践操作及体验认识进行观察和反思。在这种从具体情境的体验到数学问题的观察反思的过程中，学生的学习是一种发现式的，学生是数学学习的发现者。

第三阶段，学生在观察反思的基础上形成对某些数学概念和数学规律、概括的认识，这是一个从具体到抽象的过程，也是学生创造性地形成新的数学概念和数学方法的过程。在这个过程中，学生将新形成的概念同化到自己头脑中已有的认知系统中，充实自己原有的认知体系，深化自己对数学概念和原理的认知。

第四阶段，学生检验自己的认识，并了解所想象结果是否正确。这是一个实验性的阶段，学生作为辐合者，将已经形成的数学概念在新的情境中进行应用和检验。通过这一阶段学生可以了解自己对问题理解的程度，而这一循环周期中形成的认识，也为学生下一个循环的具体体验提供了一个更高层次的认知平台，同时新的环境又成为学生进一步进行体验的素材，进而寻找新的结论。

5. 实施“自主体验”数学教学的原则

（1）换位思考原则

教师在进行教学设计时不能凭空想象学生的特点和知识基础，不能唯知识体系的完整性进行教学。因此，在进行教学设计时应该注意符合儿童的心理特征，遵循儿童认识事物的规律。在进行教学设计时，应该站在学生的角度来思考问题，以利于学生产生真正的内心体验。只有教学活动符合儿童的特点，真正触动了学生的内心，产生了共鸣，才能使学生形成主动的体验，才能利于学生建构知识。

（2）体验目标明确原则

学生的学习是一个主动建构的过程，当学生对数学活动或问题本身的目的性不明确时，学生的体验是多元的。教师在进行教学设计时，要考虑活动设计的目的，希望达到的效果，可能给学生怎样的情感体验等多方面因素，排除负面的体验和强化目标性体验，只有这样才能取得更好的效果。

（3）活动性原则

学生的学习活动是学生知识、技能、能力、情感、态度、价值观从无到有，从少到多，从跳跃到系统的动态过程。这个过程可能是直接接受的，也可能是经历一个过程得到的。自主体验学习强调主体参与实践活动，活动本身就是学生进行体验的载体。不同的活动内容、不同的活动方式会给学生带来不同的体验，因此教师应该尽量从学生的年龄特征和心理特点出发进行活动设计。

（4）综合性原则

学生进行体验的内容是多元的，从目标体系划分，体验的内容广泛地存在于“知识与技能、过程与方法、情感态度价值观”三个纬度的目标之中。体验内容的多元造成了自主体验学习的学习目标和方式具有多样性。学习者在学习过程中的各种体验既是独立的，又是相互交融的，学习过程是对知识形成的一种体验，学习过程本身又是一种体验，在学习过程中，学生无时无刻不在进行着一种情感体验，体验成功、体验失败、体验喜悦……

（5）鼓励个性表达原则（语言、行为、动作、图画等语言表达）

学生对同一内容的体验，应该具有趋同性，但是由于学生的先天条件、生活环境、价值取向等差异，造成学生的体验历程会有所差异，学生的体验是伴随着学习的整个过程的。自主体验学习是以学生个体内心体验为途径的，学生存在差异，对同一体验素材所获得的体验也是有很多差异存在的，这些差异可能成为学生全面实现学习目标的障碍，同时也可能成为学生学习的资源，这些资源就是鲜活的生成性资源，同时也是学生进行学习、进行反思体验的资源，可见体验的素材具有生成性。正因为个体体验的差异性和生成性，就必然导致体验主体在体验表达过程中出现差异。在教学中教师应该鼓励学生对经历过的事情进行个性表达，这样可以丰富所有参与体验主体的内心感受，使一个体验主体从不同角度、不同层面对体验的内容进行全面的认识。

（6）反思性原则

体验本身就要求体验主体进行反思，在反思中完善对体验内容的认识，形成体验的结论。在自主体验学习中，必须给学生进行反思的时间和空间，同时在自主体验教学过程中，教师要培养学生进行反思的意识，把反思看成学生学习过程中不可缺少的环节。

6. 实施“自主体验”教学的教学策略

“自主体验”学习突出学生学习的过程，而且这个过程是一个反复的过程，是一个持续的过程，是一个学生亲历体验的过程。但这个过程又不是学生独自经历、盲目尝试的过程，教师的引导是不可缺少的，这是一个互动的、积极的、主动的、渐进的、和谐的发展过程。

（1）还原知识，让学生经历知识再创造的过程

荷兰数学家弗赖登塔尔说过：“学习数学的唯一正确方法是实行再创造，也就是由学生把本人要学习的东西自己去发现或创造出来；教师的任务是引导和帮助学生去进行这种再创造工作，而不是把现成的知识灌输给学生。”知识的形成和发现需要一个过程，这个过程可能是漫长的，也可能是顿悟的。把知识还原，给学生一个知识再发现、再创造的过程，对学生知识的学习，能力的形成，以及发现中的情感体验都是一个有益的促进过程。

（2）引导观察、比较，发现数学概念的本质属性

数学概念是反映一类对象本质属性的思维形式，它具有相对独立

性。学生学习数学概念就意味着学习、掌握一类数学对象的本质属性[①]。两种基本学习数学概念的形式：概念形成、概念同化。概念形成是指在教学条件下，从大量具体例子出发，从学生实际经验的肯定例证中，以归纳的方法概括出一类事物的本质属性。在数学学习中，对于初次接触或较难理解的概念，往往采用概念形成的学习方式，以减少学习上的困难。概念同化指学生学习直接用定义形式陈述的概念时，他们就主动地与认知结构中原有的有关概念相互联系，相互作用，并领会新概念的本质属性，从而获得新概念。在数学概念的实际学习过程中，概念形成与概念同化这两种方式往往是结合使用的。

（3）选择“生活化”的学习材料，让学生在体验中学好数学

教学内容从学生的生活经验和已有的知识出发，可以使数学贴近学生生活，变得有趣、生动，容易感受，能让学生在具体的观察、操作、猜测、思考、交流、反思等活动中逐步体会数学知识的产生、形成与发展的过程，获得积极的情感体验，感受数学的力量，同时掌握必要的基础知识与基本技能。

（4）创设操作情境，培养学生的动手实践能力

所谓主体性，是人在活动中所表现出来的功能特性。马克思认为，实践活动促进了个体主体性的形成。学生在数学学习过程中的实践活动，就是学生独立地面对学习材料，自主探索、尝试、体验、感悟并建构自己的认知体系的一种操作活动。正是这种实践活动，促进了学生主体性的生成。心理学的研究也表明，个体的思维特点是从动作开始，善于在动作中思考。因此，教师给学生提供充分的参与机会，让学生亲自动手操作，这样既调动了积极性，又加深了学生对于操作对象的印象。

（5）创造感知条件，促进学生自主探索

在课堂教学中，教师为学生创造感知的条件，让他们充分接触现实的、有意义的、富有挑战性的感性材料。这些材料要有利于学生主动地进行观察、实验、猜测、验证、推理与交流等数学活动。

① 选自“我国学校教育创新研究”第五辑·学科骨干教师培训材料。

（6）提供交流机会，引导学生表达自己的体验，促进学生社会性发展

课堂交流应是一种开放式的探索活动，它比教师讲和个人自学更能调动学生的学习主动性和积极性，提高应用知识的兴趣。学生在交流中学会合作，分享活动经验，在交流中体验“求得同一种结果可以有多种方法”的道理，在交流中也看到了自己的力量，在与别人协作中，分享着互助与竞争、成功与挫折的体验，促进学生社会性的发展。

（7）活化文本材料，变静态教材为动态过程

变“教材”为“学材”在现今的课堂上已经成为一种趋势，它更加强调的是教师对教材的使用。“教材”以文本和图片的形式存在，直接把文本和图片呈现在学生面前，往往起不到很好的效果。教师使用“教材”就要把静态的文本材料动态呈现在学生面前，这样符合学生的生理和心理特点，也可以加深学生对知识以及学习过程的体验。

（8）合理利用课堂反馈与评价，调节体验的方向，提高体验的效率

全面、及时、准确的课堂反馈可以使教师了解学生的学习现状，有利于教师对课堂进行有效调控。而教师调控课堂的一个重要手段就是利用课堂评价。评价应该贯穿于学生完整的体验学习过程中，根据学生的学习情况，选择适当的时机，组织学生进行交流并及时做出评价引导学生体验的方向，利用学生之间的评议和评价来增强学生对知识本质、学习活动以及情感上的体验。

7. 适合进行“自主体验”数学教学的内容

“自主体验”数学教学强调的是学生在积极的态度下，对学习内容、学习过程、数学思想方法、数学本身等的主动体验。从学习目标维度来考虑，“自主体验”应该体现在课程的三维目标中，即：基本知识与技能、基本思想、基本活动经验；过程与方法；情感态度价值观。从数学知识领域来划分，“自主体验”数学教学可以应用于四个知识领域：数与代数、空间与几何、统计与概率、综合实践活动。

小学阶段的数学知识，大多数都是可以探究的，同样也有体验的价值。但是，作为一种教学方式方法，它不可能适合所有的教学内容。从知识的分类角度来看，知识分为陈述性知识（declarative knowledge）、经验性知识（experiential knowledge）和程序性知识（procedural knowledge）。陈述性知识是“是什么”，经验性知识是“有什么用”，程序性知识是“怎么做”。陈述性知识不适合用体验的方法来学习，这些系统性的属于间接经验的知识，通过传统的学习方式比体验学习方式更有效。

鉴于知识的类型和数学学科本身的特点，我们认为“自主体验”适合以下几个方面内容的学习：

（1）体验数学知识（概念、规律、公式）的发生及发展过程。

（2）体验数学的知识结构。

（3）体验数学与生活的联系。

（4）体验数学思想方法。

（5）体验数学学习方法。

（6）体验学习数学过程中自身积极的情感。

（7）在数学学习中体验与人的交往和情感交流。

8.“自主体验”数学教学示例

围绕着“自主体验”的数学教学理念，我校数学教学团队分别从“数与代数”、“空间与几何”、“统计与概率”和“综合实践”四个领域进行了课例研究，并取得了初步成果。“自主体验”不但让学生对数学知识有了更深的理解，积累了大量的数学活动经验，也提高了学生学习数学的热情，丰富了学生的数学学习生活。同时随着“自主体验”数学教学研究的不断深入，也锻炼了我校的数学教师团队，提高了教师的专业素养和执教水平。下面就结合《可能性》一课的几个教学片段来简单地分析一下教师是如何引导学生在数学学习中进行“自主体验”的。

片段一：抛硬币初步感受事件发生的可能性

活动结束后，教师提问：

1. 你们抛出的硬币都是正面向上或者反面向上吗？是什么情况？

2. 你们每次都能猜对吗？为什么不能？

案例分析：

创设适合的问题情境，唤起学生的已有知识和经验，是学生进行“自主体验”的前提。提出了新的具有挑战性的问题，则唤起了学生认知的需求。在这个教学环节中，教师非常注重有效教学活动的创设与运用。根据《可能性》这一教学内容，创设抛硬币猜哪面落地后向上这一游戏情景迅速调动学生的参与热情和积极性。在这一过程中，学生通过自己亲自参与活动，不能够每次都猜对结果，初步感受到了事件发生的不确定性，唤起了学生的好奇心和探究的欲望。

片段二：摸球游戏感知确定事件

师：下面我们来进行一个摸球小比赛，看看从这个游戏中你能发现什么。

男生女生各派一名代表来摸球，摸到黄球次数多的胜利。

要求：每人摸5次，摸时不许偷看，摸后放回袋子。

注：女生袋子中都是黄球，男生的袋子中都是白球。

比赛结果：女生5次都是黄球，男生5次都是白球。

在争论中，让学生感受比赛的不公平。

案例分析：

在学生进行“自主体验”的过程中，要结合自己的自身经验，对所遇到的问题进行观察、探究、实践或讨论，经过反思，最后得出他们认同的结论。在这一教学活动中，事先不让学生知道装球的情况进行摸球比赛。通过摸球结果引发的学生争论如期而至，始终摸不到黄球的一队开始用不公平的呼喊声表示抗议。在激烈的辩论中最容易闪现智慧的火花，教师的目的达到了。“为什么不公平呢？”教师打太极般地把球又抛了回去。“男生的袋子里都是白球，女生的袋子里都是黄球。”“你怎么判断的呢？”“因为男生都摸到了白球，女生都摸到了黄球。”“这就能说明男生的袋子里都是白球，女生的袋子里都是黄球吗？”“男生可能总在一个地方摸，所以总摸到白球。”“摸球的代表，是这样吗？”

“不是，我每个地方都摸过了。”“男生袋子里可能只有一个黄球，在最底下，没摸到。”“有这种可能吗？”“有！”“你想再试试吗？”“我来。”勇敢的学生又来尝试。在这场辩论中，我们发现学生自主考虑到的因素越来越多，越来越全面，完全融入到对知识的探索中。在打开袋子，公布结果的一刻，很多学生忍不住欢呼起来，他们在为自己准确的判断喝彩！教师积极的评价“看来我们都是胜利者，不是简单游戏的胜利，而是找到了游戏的不公平，是我们思维上的胜利”。在这样的教学情境下，学生们通过参与活动其中，亲身经历了探索的活动，如此对确定事件有了深刻的认识，得到了积极的情感体验。

片段三：重设游戏规则体验“可能”

1. 怎样才能公平呢？

(5 个黄球 5 个白球)

师：这样从袋子里摸出的球会是什么颜色？

师：摸球之前你能确定吗？

2. 做这样一个游戏，验证我们的想法？

师：老师给每个小组准备了一个摸球袋，袋子里装了 5 个黄球，5 个白球。

3. 小组活动。

4. 汇报每组实验数据（填写全班统计表）。

5. 看看每组摸球的数据，你发现了什么？

案例分析：

自主体验的数学学习需要学生在自主的学习中，获得身体活动和心理活动的主体感受。学生在摸球活动中通过自身体验与反思一步步认识到了摸球的结果与装球的情况有关。由学生反思获得的活动经验和认识，再由自主的设计进行验证，进而更加准确合理地认识“知识”，同时验证的过程又是学生进行新一次体验的过程，可以使学生头脑中的“知识”表象更加丰富。教学中，教师创设了一个不公平的游戏，又轻而易举地让学生发现不公平，引发学生进一步去解决问题的需求。

学生们的想法出奇的一致：5 个黄球，5 个白球。可能摸出白球也可能摸出黄球，摸球之前不能确定到底是白球还是黄球。为了让学生也能够成功感受不确定事件，教师改变了游戏规则，让学生只做摸球游戏，但摸球前要猜测摸到哪种颜色，看自己能不能猜对，并记录摸球的结果。在亲身实践中，很多同学再次感受到了事件的不确定性，很难每次都猜对，即使猜对了也有很大“蒙”的成分。但是此时，学生们不像开始抛硬币那样沮丧了，因为他们已经发现了：有确定的事情就有不确定的事情。在这一活动中，学生们更多的对摸球的结果进行了探讨。“为什么球数放的一样多了，摸到的次数还是不一样呢?”原来还是可能性在作怪，这次摸到了黄球，下次还是不一定就摸到白球，还有可能摸到黄球，不论哪次摸球，摸到的结果还是事先不能确定，多么神奇有趣呀！此时的学生们已经从只热心游戏的阶段走出来，开始了更深的思考与探索。在活动中老师引导学生“摸球前要闭上眼睛；先搅一搅再摸；认真记录，并设置监督员”，看似为了防止学生活动不规范，其实让学生体验科学研究的严谨，科学实验对数据的尊重，培养学生的科学意识。在学生学习过程中，我们可以看到，教师在学生的学习过程中不停地引导学生反思自己的结论，思考结论背后的道理，为学生建构知识服务。

除了“自主品悟”语文教学理念、“自主体验”数学教学理念之外，我校还在英语学科和科学学科展开了实践研究，即：“自主交流”英语教学理念和“自主探究”科学教学理念（四个学科“自主教学”系列丛书现已经正式出版）。四个学科教学理念的梳理和总结丰富了“自主教学”的课堂实践，提高了教师的研究能力和执教水平，促进了学生对知识的理解以及情感、态度、价值观的形成。

（三）自主交流——让英语学习走近生活

长期以来，外语教学一直是社会各界责难的对象，“高耗低效”是人们对其历史与现状的普遍描述。因此，构建新型外语教学模式以提高教学效果、发展学习者语言综合应用能力成为外语教学研究者与外语教师的共同诉求。

正是带着这样的困惑，中关村第一小学英语组在专家的引领指导下，在不断的理论学习和教学实践中，努力从多层面、多角度观察和研究我们的课堂，研究教学中的学生与我们自己，从而得以靠近英语课堂教学层面上的相对真实，并总结提炼出中关村第一小学“自主交流”英语教学。我们深知，我们还只是在实践的过程中靠近，不断地靠近那个我们认为可以用“自主交流”来状摹的英语教学的相对真实。但是，我们相信，这种靠近已经点亮了我们的课堂，点亮了正在成长的我们自己和我们的学生。

1. 中关村第一小学“自主交流”英语教学的内涵及主要特征

（1）“自主交流”英语教学的内涵

“自主交流”英语教学即基于自主交流的英语教学，亦即以自主交流为基本活动形式并以之为目的的英语教学。何谓自主交流？自主交流即由真实情境引发的、学生自主启动的、基于学生经验的、以信息传递共享为目的的言语交流。概言之，“自主交流”英语教学的内涵为：在英语教学中，教师依据具体的教学内容、整合相关的语言学习材料，有计划、有目的、有层次地引导学生主动参与各种语言交流活动，通过师生间和学生间的语言、经验、情感、态度、行为、规范等信息的广泛的交流体验，引发学生的自主思考，促进新语言知识的主动理解和内化，促进语言能力的自主建构和心智的积极成长，最终实现学生语言综合运用能力的发展和提升。

（2）构建“自主交流”英语教学的意义

首先，语言是人们的交际工具，交流是语言学习的基本途径和根本目的。无可否认，交流本身并不能成为界定某语言课堂教学模式特质的唯一因子，因为无论采用何种教学模式进行授课的语言课堂，都离不开交流。但是，并不是所有的语言课堂均具备自主交流的特质，尤其是我们所提倡和建构的自主交流特质：在整合与具体教学内容相关的语言材料下的，教师引导的、有层次的、多边多维度的，向着自主思考、心智健全和语言综合应用能力提高的言语交流。

其次，真实的学习与人的实践活动是不可分离的。关于人类学习的研究最新成果表明：传统课堂教学中教师所能向学生传授的，只是显性知识，而默会知识的获得，必须通过学习者自身对实践活动的边缘参与或切身寓居。[①] 因此，科学的英语教学应该跳出“教授语言知识”的窠臼，向着“通过言语实践学习语言”回归。[②] “自主交流”英语教学正是要立足于学生已有经验，以现实生活中的真实任务为依托，为学生创建言语实践的真实情境，以支持学生就语言、经验、情感、态度、行为、规范等方面的信息交流，从而提高学生语言综合应用能力，促进学生认知与情感的全面发展。

最后，社会建构主义理论认为：知识既是客观的，又是主观的，是主观与客观的统一；同时，知识既是个体的，又是社会的，是个体与社会的统一。学习则是意义协商与身份构建的双重过程。“自主交流”英语教学注重教师与学生之间、学生与学生之间的交流互动与意义协商，关注学生在言语交流过程中的知识创生与身份构建，从而超越语言课堂“为语言而学”的局限，向着更为广阔的教育视域迈进，使得英语教学复归了真实学习的原初的“知”的状态。[③]

（3）“自主交流”英语教学的主要特征

“自主交流”英语教学鼓励学生发表自己独特的见解和进行个性化的表达，强调交际的真实性而非语言的简单重复。

“自主交流”英语教学强调在探索实践中学习，注重过程提升。在课堂教学过程中努力为学生营造一个基于真实生活经验的对话交流空间，帮助学生在独立思考的基础之上运用自己的语言进行交流讨论。

“自主交流”英语教学强调从学生的经验出发，通过交流活动激活经验，传递经验，丰富经验，提升经验，从而实现知识重组与能力提高。

---

① 赵健．学习共同体——关于学习的社会文化分析［M］．上海：华东师范大学出版社，2006.

② 王蔷．英语教师行动研究［M］．北京：外语教学与研究出版社，2002.

③ 吴宗杰．教师知识与课程话语［M］．北京：外语教学与研究出版社，2005.

“自主交流”英语教学为学生提供多种学习途径，鼓励学生选用自己喜欢的方式、运用适合自己的策略进行学习，形成自己独特的学习风格，从而使他们真正学会思考、学会归纳、学会学习。

“自主交流”英语教学注重学生沟通、合作、分享、欣赏等良好的交际习惯的培养和健全心智的养成。

2. “自主交流”英语教学的基本理念及主要原则

（1）基本理念

①基于对实践交流与语言习得二者关系的认识

交流是人与人之间信息交换、信息传递的一种双向式互动活动。而语言是人类交流的最重要的工具。语言因交流而产生，因交流而发展，因交流而成熟。言语交流不仅是人类获取信息的根本途径，而且成为信息时代知识创生与身份构建的主要形式，甚至成为知识时代人类生存的基本方式。

语言习得的过程正是个体在真实的情境中，通过参与各种交流活动，逐步建立内在语言系统并不断积累、自我发展和完善的过程。此外，自主思维能力的发展和语言能力的发展也是相辅相成、相互促进的，因此，交流活动必须为学生提供自主思维的空间才能实现语言的真正习得。

②基于对新课程所倡导的基本理念的认识

《英语课程标准》强调课程从学生的学习兴趣、生活经验和认知水平出发，倡导体验、实践、参与、合作与交流的学习方式和任务型的教学途径，发展学生的语言综合运用能力，使语言学习的过程成为学生形成积极的情感态度、主动思维以及大胆实践、提高文化意识和形成自主学习能力的过程。“自主交流”英语教学正是以任务型教学途径为核心，努力为学生提供语言实践的机会，在交际活动的实践中体验、感知、提炼、内化和掌握语言，并在此基础上形成积极的情感态度和文化意识。

（2）主要原则

英语语言习得与语言实践活动相结合的原则；

语言整体呈现的原则；

儿童语言能力发展的一般规律；

语言交际性的原则；

课内训练为主，课外训练为辅的原则。

3. “自主交流”英语教学的基本操作步骤

抽象的理论阐释让人觉得空泛、漂浮，找不到其实践土壤里的根，为了避免遭遇上不着天、下不着地的尴尬，我们将“自主交流”英语教学的理念与原则进行了相应梳理，对我们基于该理念及原则的教学实践进行了相应概括与总结，提炼出“自主交流”英语教学模式的基本步骤，其具体操作如下：

（1）活动热身，引发交流——语言准备。

（2）情境创设，体验交流——语言呈现。

（3）适度点拨，感悟交流——语言体验。

（4）生生互动，模拟交流——语言内化。

（5）任务驱动，真实交流——语言运用。

以上五个步骤既相互联系又相对独立，它的具体实施需要教师根据具体的教学内容和真实的教学情境加以整合与创造。

4. 中关村第一小学“自主交流”英语教学的基本教学策略

（1）多向对话式交流模式

自主交流式英语教学以学生之间的自主交流活动为基本组织形式，因此，该模式基本以学生小组活动为基础，教师在教学中更多地充当学生小组交流活动的协商者、组织者、参与者、支持者与评价者角色。[①]所谓协商者，指的是教师不再单一地包办所有与教学相关的事务，对诸如采用什么样的活动形式组织教学、小组成员如何分工协作甚至学习什么样的语言材料，都不再孤立地做出决断，而是与学生一道进行协商讨

① 皮连生．学与教的心理学［M］．上海：华东师范大学出版社，2002.

论，倾听他们的声音，了解他们的需求，进而对教学内容与活动形式做出决策。所谓组织者，指的是教师作为教学的主导主体，对教与学的双边活动承担着计划、编排、组织、管理、调控的责任与义务；参与者指的是教师在适当的时候和学生一道参与教与学的交流活动，共同体验、完成语言交流过程中的知识生成与意义协商；支持者指的是当学生的言语交流遇到困难时，教师应适时给予帮助，以促使学生的交流活动得以顺利完成；而评价者指的是教师作为多元评价主体之一，需要合理地对学生的交流活动情况进行客观科学的评价。由此可见，自主交流式英语教学中的教师，已从传统教学的中心地位向教学的主导地位转型，并逐步边缘化。我们不妨用一个概念地图来描述我们所指的“多向对话式交流模式”。

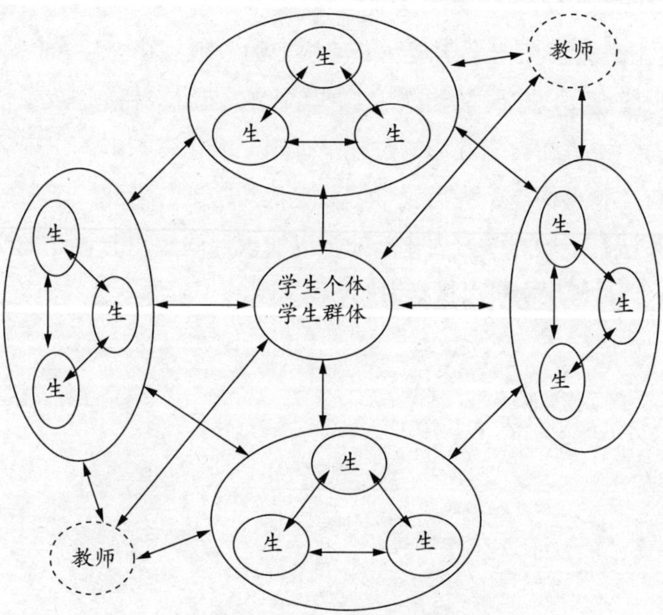

图 10　多向对话式交流模式图

多向对话式交流模式注重学生个体之间的信息交流与意义协商，既关注小组内各成员之间的交流与对话，又关注小组与小组之间的横向互动。由此，课堂成为一个学生个体基于已有经验与其他个体平等对话的场所，借以对话与意义协商，学生得以分享信息，发展认知能力，增强合作意识，并在与他人的互动交往过程中建构起自己的身份与价值体系。这里，需要说明的是，之所以用虚线勾勒教师，并给出两个教师圆圈，是因为教师在组织、实施、调控、参与、评价学生交流活动的过程中，他/她在物理空间上的位置不是固定的，将随着真实活动情境的需要做出相应改变。另外，将“学生个体或学生群体”作为该图的中心，意在隐喻教育教学改革的未来走向——在未来的课堂教学中，学习者完全有可能在教师的指导帮助下，尝试师生协同教学或同伴协作教学，从而真正实现学习时代教育情景中的前喻、并喻与后喻的统一。也就是说，知识时代，学习者既需要向前辈学习（前喻），也需要向同伴学习（并喻），还需要向后辈学习（后喻）。

（2）阶梯渐进式交流层次

“自主交流”英语教学遵循人类认知的一般规律，注重以学习者已有经验为起点，以热身活动激活学习者已有经验，并借此激发学习者兴趣，帮助学习者在自主交流的过程中感知、内化新知识，实现新旧知识的重组与经验再构建，为后续学习奠定认知基础，借此，学习成为一个不断激活已有经验、学习内化新知识以实现经验重组与再建的螺旋式上升过程。该过程层次可以概括为如下图所示的“阶梯渐进式交流层次”。

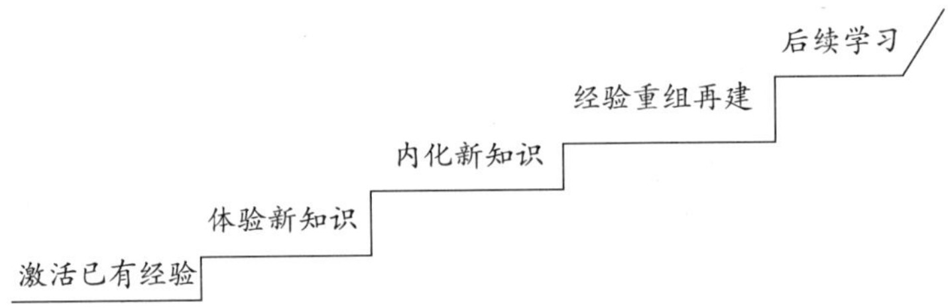

图 11　阶梯渐进式交流层次

阶梯渐进式交流层次体现了一节课学生学习层面的不断提升。这就要求教师有意识、有目的地将一堂课的学习活动设计为若干个不断提升的层面，从而为学生的认知活动提供有力的支持。这时，教育者不只是一桶水，而是一个支架，从而为学生的学习与认知提供适时、适当、适量的支持与帮助。然而，教学支架不能从零开始，它应当依据学生的已有水平和实际需求，高于学生的现有水平而又落在学生的最近发展区内。此后，教学支架互动递减，学生的学习层面不断提高，最终实现教学支架淡出，学生自主发展的深入功效。

（3）资源整合式交流内容

传统的英语课堂教学以“三个中心”为基本特征：以教师为中心、以课本为中心、以语法为中心。随着信息时代的到来，传统教学已无法完成教育本应承担的培养面向21世纪人才的育人任务。信息技术的广泛应用与网络传媒的飞速发展催生了教育后喻时代的到来，人类的教育与学习不再局限于学校，教育向着融合家庭、学校、社区乃至社会的“大教育”转型①。在此背景下，教师不再是知识的唯一传输者，教材不再是唯一的知识载体，语法则更不能成为课堂学习的主要内容。

大教育呼唤大的教学视野，大的教学视野要求教师树立科学的资源观，科学的资源观要求教师既立足于教材，又不囿于教材，需要教师在深入钻研教材、充分挖掘教材内隐的深层含义的同时，结合学生与教师自身特点，根据真实教学的客观需要，充分开发、利用潜在的自然资源、社会资源及网络资源，紧紧围绕着有效开展课堂教学这一主题进行资源整合，以构建课堂教学的生态系统，为教师与学生之间及学生与学生之间的自主交流活动提供资源支撑。自主交流式英语教学强调围绕教材的资源整合，以此拓展课堂交流内容，其核心理念“资源整合式交流内容”可用图12加以概括。

因此，我们强调：课堂不能以课本为教学的全部内容，而应当以课本为依据和参照，以大量的、丰富的、多形式的、多感官参与的、生活化的课程资源为依托。当然，在我们的教学中，这些资源不是随意堆砌

---

① 钟启泉，崔允漷，张华．为了中华民族的复兴，为了每位学生的发展：基础教育课程改革纲要（试行）解读［M］．上海：华东师范大学出版社，2002.

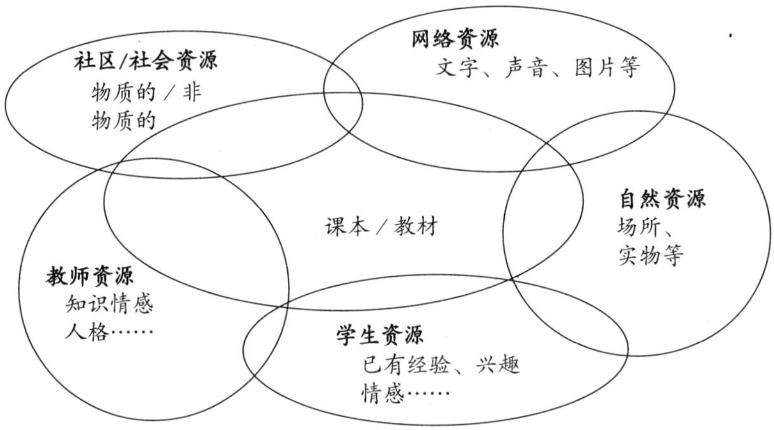

图 12 资源整合式交流内容

的，而是以《英语课程标准》为依据，以教材为线索，以满足课堂不同环节学生的学习需要为目的的有机整合。这种整合要求教师不但具备资源检索、搜集、选择、整理、加工的能力，更要具备资源有效重组、有效运用的能力。

（4）个体与全体共进式交流空间

“自主交流”英语教学认为：学生个体之间没有差距，只有差异。[①]由于学生在家庭背景、成长历程、智能结构、认知风格、气质性情、原有经验、动机兴趣、学习习惯、学习目的等诸多方面存在差异，他们在现实的学习过程中必将表现出新知识习得进程中的快慢差异。自主交流式英语教学以尊重学生个体之间的客观差异为前提，要求教师在充分了解学生的整体水平与个体差异的基础上，有针对性地设计多层次的教学目标，并根据多层次教学目标，设计包含不同参与程度的学习活动，既保证所有学生在同样的起点进入学习，通过自主交流言语实践实现人人均需到达的基本目标，又允许学有余力的学生通过对自主交流活动的更深层次的参与得到相应提高，这样，每个学生均在自主交流的活动参与

① 窦桂梅．优秀小学语文教师一定要知道的 7 件事［M］．北京：中国青年出版社，2007.

中体验到学习的快乐，从而实现了教育在课堂层面的相对公平，这就是自主交流式英语教学及其关注的“个体与全体共进式交流空间”（见下图）。

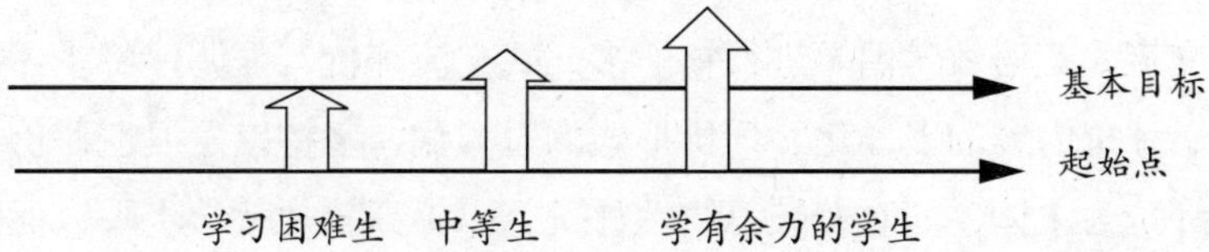

图 13 个体与全体共进式交流空间

（5）和谐协作式交流共同体

新课程倡导自主学习、合作学习与探究学习。自主交流式英语教学以小组活动为教学基本组织形式，提倡小组成员之间，小组与小组之间的多向对话式交流，以组建和谐协作式交流共同体，这样，学习者在运用英语进行自主交流时，所习得的不仅是语言本身，还有隐含着具有彰显群体身份特征的交流意识、规则、习惯等，久而久之，自主交流式英语教学便超越了狭义语言教学的局限，逐渐走向学科的融合与统整。

和谐协作式交流共同体的建立，可以通过共同体成员之间的多元对话与意义协商，逐步培育出共同体作为群体的身份意识及文化意识。从个体角度看，共同体成员之间的交流与协作，不仅可以实现个体知识的内化，还可增强学习者的交流意识，帮助学习者掌握交流规则，获取交流技巧，形成积极的交流态度，养成良好的交流习惯。

具体到课堂教学中，和谐协作式交流共同体的构建需要教师的不断引导、示范，通过小组活动步骤的设计，小组成员角色分配的计划与安排，交流语言的指导与强调以及课堂评价的强化与修正在逐步完善。此外，交流共同体的不断成长还需要教师根据学生不同年龄段的交流特点，运用不同策略调整交流指导的重心。

（6）科学多元式交流评价

教育从来都不是价值中立的，教育承担的社会功能与个体功能均决定了这样一条铁的定律：教育实践终究要以教育目的即培养“什么样的人”为标准接受社会的检验与评价。英语教学亦如此。英语教学的实践必须以《英语课程标准》为参照，接受学生、学校、教育行政部门、家长以及社会的检验。然而，持什么目的，用什么方式，由哪些人，对哪些人，就哪些方面，进行什么性质的评价，却是需要进一步探讨的。自主交流式英语教学倡导进行科学多元式交流评价，强调评价主体的多元化、评价内容的多样化、评价形式的过程化，坚持以发展性评价与过程性评价为主体，同时兼顾总结性评价，以提高教师教学水平，促进学生学习，改进学校管理。

“自主交流”英语教学多元式交流评价的主体包含有学习者本人、同伴、教师、家长及社会；评价的客体主要是教师与学生共同参与的学与教的实践；评价的指标体系主要包含知识技能、情感态度与行为习惯。

在我们的课堂教学中，科学多元式交流评价往往融合于课堂教学以及课后语言活动的全过程，评价的方式方法是多样的，但是评价的最终目的都是促进学生的发展（如下图所示）。

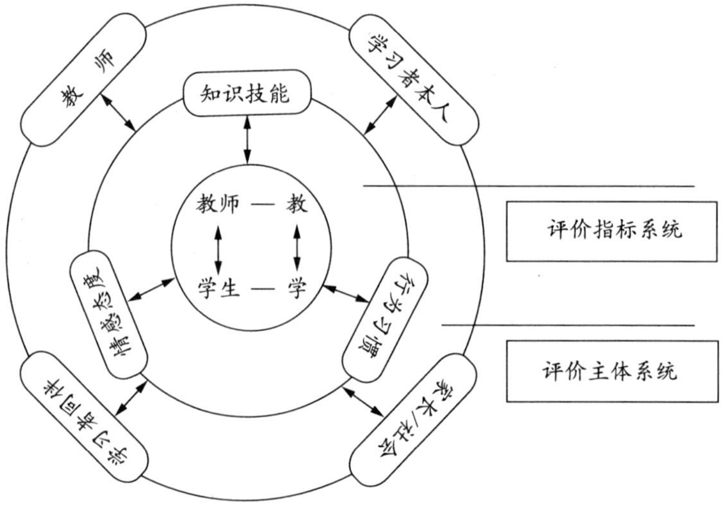

图 14　多元式交流评价

5. 中关村第一小学“自交流”英语教学课堂实例分析——个体与全体共进式交流空间

《英语课程标准》提出英语教学要以人为本、以学生的发展为本，教师要面向全体学生，关注每一位学生的学习体验。课堂上，我们面对的每一个学生都是独特的，他们的思维方式不同，他们的知识储备不同，他们的习得途径不同，他们回应教师的方法不同，他们建构知识的效果也各不相同。那么，如何使英语教学真正面向全体学生，使每个学生都能获得最大限度的发展呢?《中国教育报》资深记者李建平老师指出，面向全体学生，关注学生发展的课堂教学有这么四个特征：一是从学生的经验出发，激活经验，丰富经验，交流经验，提升经验；二是在探索实践中学习，注重过程提升；三是允许学生用自己喜欢的方式学习，形成自己的学习策略；四是不追求答案的唯一性。这就要求我们在设计教学时依据具体的教学目标，设计层次渐进、逻辑缜密的语言活动，既巧妙利用学生之间的差异，又尊重学生之间的差异，使每个学生都能够在不同层次的语言活动中，获得表现、发展、成长、收获的空间。下面我就结合几节课的教学实践进一步解释和例证。

课堂教学案例一： My Birthday 教学设计中在语言输出环节设计不同语言层次的运用活动，将新语言与学生已知经验融合，实现新旧语言的重组与构建。

活动一：《朋友生日备忘录》制作活动：给学生们两分钟的时间调查自己朋友生日所在的月份，并将调查结果记录在圆形表格中。请调查到的朋友最多的学生向全班学生汇报自己的调查结果。语言运用：When is your birthday? My birthday is in. . . .

活动二：制作《Family Birthday Book》(家庭生日书) 活动：

语言运用：My name is. . . . I am. . . years old. My birthday is in. . . . My father's birthday is in. . . . I want to. . . for my father. My mother birthday is in. . . . I want to. . . for my mother. I love my family. 请学生展示并介绍自己的家庭生日书。

案例分析：《朋友生日备忘录》和《家庭生日书》的制作是两个层

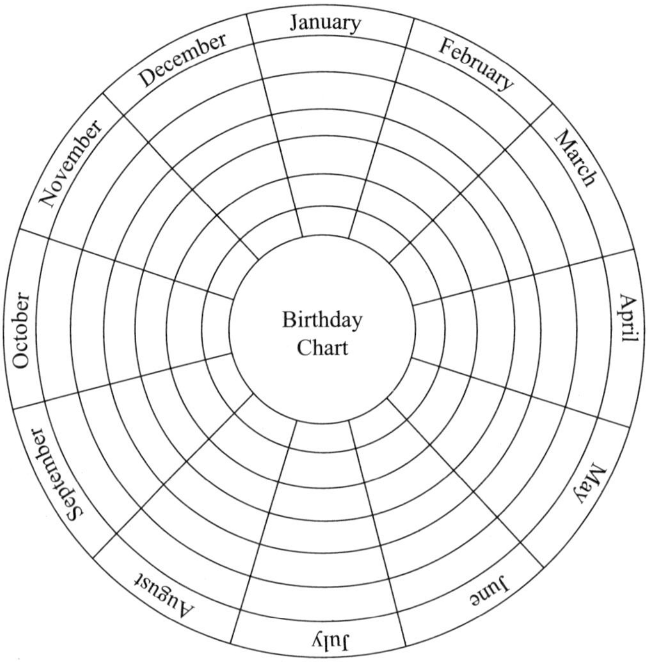

次的活动设计。前者对学生的语言运用只停留在重点句型 When is your birthday? My birthday is in ... 的操练上，而后者则要求学生在谈论自己生日的基础上，进一步谈论爸爸妈妈的生日所在的月份以及为爸爸妈妈庆祝生日的计划等内容，从而综合了重点词汇、句型以及相关旧知识的复现和运用。家庭生日书的制作活动将语言的输出提高到书写和表达一段话的高度，显然比朋友生日备忘录的活动提高了难度和要求。通俗地讲，第一项语言活动是一个保底的浅层次的语言运用活动，是一个面向全体学生提出的基本任务；第二项活动则为每个学生预留了自我选择和发展的空间，学生们可以根据自己的想法，选择自己会的语言，有弹性地完成，从而使每个学生都可以在一个相对宽松的空间中得到尽可能多的提高。

课堂教学案例二：Communication 教学设计中的阶梯式体验活动设计，引导每个学生完成对新语言的感知、探究、习得与内化的提升过程。

活动一：新语言理解活动。

通过听力活动的开始听录音为六个主线人物 Yaoyao，Lily，Bill，Andy，Binbin 和 Joy 的图片标号。以旧带新，帮助学生感知和理解新语言。

活动二：新语言认读活动。

听力活动的延续。要求学生听标号，试着读出相应图片的新词组。教师根据情况给予适当的带读和讲解。

活动三：新语言记忆游戏。

听力活动的再延伸。给学生们 30 秒钟仔细观察画面，画面消失后提问：What does Yaoyao want to do? What does Lily want to do? 等，在讨论交流中将答案用卡片呈现在黑板上，实现新语言的基本输出。

活动四：新语言初步运用活动。

教师通过 Free Talk 的方式，向学生介绍自己的交流习惯。T：Everyone has his or her own communication habit. I often make phone calls to my friends. Do you often make phone calls to your friends? ... 在 Free Talk 的交流中完成主句型的学习运用：Do you often ... to your friends? Yes，I do. / No，I don't. I often ....

活动五：新语言浅层次运用活动。

教学生使用调查记录表。每位学生调查三位同学与朋友进行交流和联系的习惯，将被调查人的名字记录在相应的柱状图中，最终完成柱状结果显示图的制作。请几个学生向全班学生汇报自己的调查结果。

语言运用：Do you often ... to your friends? Yes，I do. / No，I don't.

活动六：新语言高层次综合运用活动。

制作《班级通讯录》。请学生们填写各自的信息卡，找部分学生将自己信息卡的内容进行汇报。最后将全班的信息卡装订成 CLASS COMMUNICATION BOOK。

案例分析：依据建构主义的理论，知识是不能简单地进行传授的。对知识的理解和掌握，实际上是在已有经验基础上，对新知识的意义进行理解和发现的过程。从这个意义上来讲，教学的本质是对话，是交流和沟通，是师生以教学资源为中介的交互影响过程。在 Communication

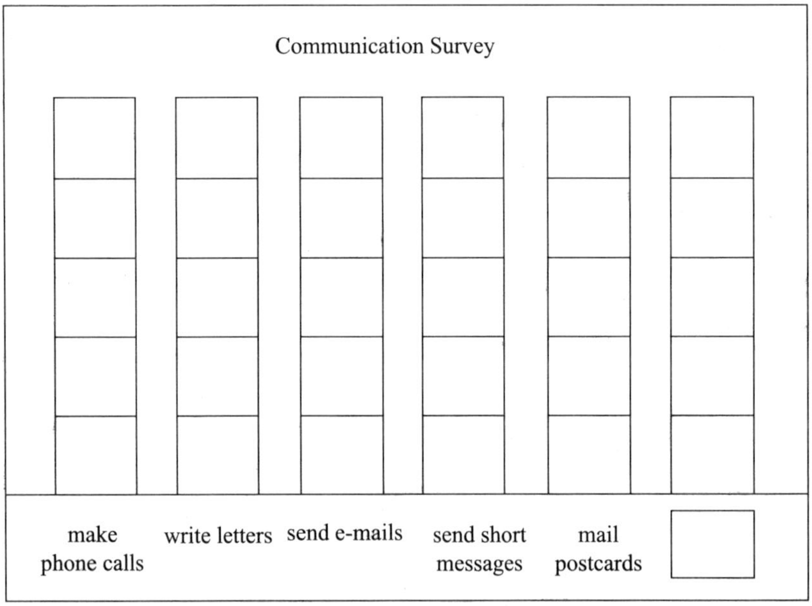

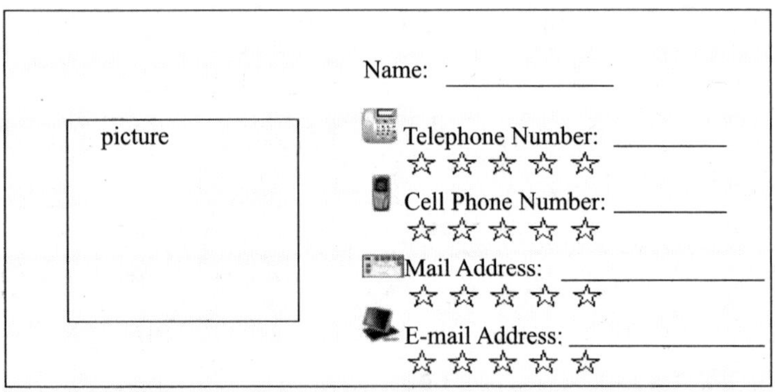

的教学设计中，每一项活动的开展都是在前一项活动的语言基础上的提高，这种缓坡式的阶梯式层次设计，为每个学生的学习体验提供了脚手架式的支持，每个学生都在各自的基础上以不同的速度进行知识探究和个人经验提升。交流习惯的调查活动和《班级通讯录》的制作活动对学生的语言输出提出了不同层次的要求。每个学生不一定都要走到活动设计的最高点，但是都要走过基本点并在老师的引导下走到各自的最高点。因此，我们在设计语言活动时，首先要确定活动设计的目的与要求，注意语言活动的层次由浅到难，由简及繁，使学生们有能力、有步骤地通过各自的探索，不断地收获和提高。

课堂教学案例三：Feelings 教学设计中多语言感知、多语言技能的发展活动，让每个学生在学习探索的道路上走得更远、更稳健。

活动一：新语言呈现，有指导的交流活动。

1. 听音乐谈感受：教师先后播放三段不同风格的音乐，就音乐给我们的不同感受进行探讨。感知词汇：happy，sad，excited。

2. 观看真实的新闻图片，就图片开展讨论，从而引发和呈现更多有关感受的词汇：worried，proud，surprised，angry，nervous，并在讨论中体会和运用功能句型：How are you? Why?

活动二：听力活动。

听录音，为课本上的故事图片排序。（转变感知形式帮助学生内化新语言）

活动三：对话活动。

请每个学生选择一个 feeling word 填写在心形的小纸卡上。依据教师提供的语言支持进行交流。语言运用：How are you? I'm .... Why? I ···. （模拟真实情境的半开放式口头交流活动）

活动四：阅读活动。

心理小测试，请学生独自阅读教师下发的材料，完成心理小测试的分数测算。通过 PPT 演示文稿呈现心理小测试的结果。（以文本形式呈现的新旧语言知识的重组再现）

活动五：写作活动。

以小组为单位制作 Feeling Book 情感书。每个人负责完成情感书的一页，每页以一种感受作为主题。最后每个小组汇编成册，在全班进行朗读分享。教师通过 PPT 提供了可选择的语言材料支持（全开放式的创作活动，但实际操作中可以有认读抄写和个性写作两个不同层次的要求）。

案例分析：听说读写是语言学习的四项基本技能。听是说的基础，读是写的前提，听说读写是语言能力构建缺一不可的四个基本环节。在 Feelings 教学设计中，教师设计的语言学习活动遵循了语言学习的一般规律，结合本课的教学内容，从交流入手，在感知新语言的基础上，通过听的活动、说的活动、读的活动、写的活动实现语言的多种运用形式的整合、多层次活动的整合、多感官体验的整合、多目标设定与发展的整合，在捆绑着不同课程资源的语言活动中引导着学生以不同的方式方法认识、体会和运用新的语言材料，从而实现三维目标的完成。研究表明，有效的学习方式因人而异，有的人在听的活动中学习效率最高，有的人在图片的辅助下才能实现真正的理解和记忆，也有的人必须在亲身体验中才能高效率地习得，因此，在教学设计中，我们要注意给学生提供多样的机会，包括多角度、多方面、多方式的发展机会和表现机会，从而最大限度地开发他们的潜在能力，实现各自最佳的学习效果。

面向全体学生的语言教学要求我们在设计教学时既要关注全体学生，又要关注每个学习个体，不光追求外显性的活动，更要追求高质量的有思维、有层次、有内在联系和正确语言定位的课堂活动，从而为每个学生预设体验、探索的过程，提供丰富多彩的资源，搭建自主收获的空间。

（四）自主探究——让科学学习成为回归自然

《科学（3—6 年级）课程标准》强调：科学学习要以探究为核心。这也是小学科学学科课堂教学最重要的特色。科学课应向学生提供充分的科学探究机会，使他们像科学家那样在进行科学探究的过程中，体验学习科学的乐趣，增长科学探究能力、获取科学知识，形成尊重事实、善于质疑的科学态度，等等。[①] 我校在科学学科教学中总结出了自己对该学科教学的一些思考。

1. “自主探究”的研究与实验过程

第一个阶段：针对课堂教学状况存在的问题选定课题，并分解和设

① 北京市基础教育课程教材改革实验工作领导小组．中小学课堂教学评价方案及实验研究［M］．北京：首都师范大学出版社，2004.

计相应的子课题，形成“点”、“面”结合的课题研究格局。

第二个阶段：教学实验研究，将课题理论用之于教学实践。组织课题研究课、公开课、评课、经验交流会。充分利用校本教研，把教师的日常教学工作与课题研究、自身专业成长融为一体，实现理念和行动的良性互动发展，不断提高自身的科研素养。以案例研究为方向，确立了“实践—反思—实践—反思”的行动研究策略。教师确定具体的研究专题、研究方案，写出案例分析。从案例中改善困境，解决问题，弥补缺憾。案例包括：机器人的眼睛、运动与摩擦力、骨骼、指纹与遗传、大力士、串联与并联电路、水蒸气、纸的研究、斜面、杠杆……

第三个阶段：交流研究，组织实验教师参加优秀论文、案例、优质课、基本功大赛等活动，既造就了一支锐意改革的教师群体，又促进了课题研究的深度。同时，注重发挥骨干教师的力量，进行传帮带。

第四个阶段：将教学实践经验提升为课题理论成果。各位教师结合教学实践，将研究专题进行总结和提升，形成书面成果。

2. 研究对象

（1）自主学习：陪着学生一起成长，建立在以学生意识发展为基础的自发的、主动的、相对独立的、自我建构的学习模式。

（2）探究学习：科学探究既是学习的过程也是学习的目的。在教师有效指导下，学生模仿科学家的研究过程来学习科学知识，同时体验和理解科学研究方法。

（3）自主学习与探究学习的关系：自主是探究的前提，而探究又有利于自主的深入，自主、探究离不开教师指导。

（4）自主探究：我们可将“自主探究”模式看做一种学习的循环扩展过程。尝试解决与交流提炼环节构成一个循环，可称为内环。尝试探究环节重在学生比较开放地收集新的信息，以及对信息进行初步解释；交流提炼环节重在学生用集体智慧重新建构他们的前概念，用新的概念（定义）来解释新获取的信息。

有效迁移与提出问题环节也构成一个循环，可称为外环。有效迁移环节重在让学生将新的概念运用于新的情境，在新的情境中出现不协调的概念，或无法解释的现象时，新的问题也就出现了。随着新问题的提出，又一次探究将重新开始。以上两种循环不断往复的过程，也就是学生探究水平不断得到发展的过程。

可见，自主和探究两者既相互促进又相互补充。在我们的科学课堂教学中，自主是基础，而探究既是教学的方法也是教学的目的。

什么是科学课堂中的自主探究学习呢？我们认为，它并不是简单地把自主学习和探究学习相叠加。而是以学生自主学习能力为基础，通过教师的有效指导，将生活中的现象与教材紧密结合，积极主动地运用探究的方法去探究教材中的具体问题，并促进学生养成探究习惯、提高探究能力。换言之，就是以自主为基础，以探究为目的和方法的教学模式。

3. 自主探究学习的含义

“自主探究”是以学生自主学习能力为基础，通过教师的有效指导，将生活中的现象与教材紧密结合，积极主动地运用探究的方法去探究教材中的具体问题，并促进学生养成探究习惯、提高探究能力。换言之，就是以自主为基础，以探究为目的和方法的教学形式。

4. 自主探究学习的目的和意义

目的：

(1) 使学生获得重要的科学概念和科学概念之间的联系；

(2) 使学生学习探究的技能；

(3) 改善合作交往能力促进语言和表达能力。

意义：

(1) 有利于转变学生的学习方式，培养学生的自主学习习惯；

(2) 有利于开发学生的潜能和发展个性；

(3) 有利于培养学生的创新精神和实践能力；

(4) 有利于知识和能力的综合、理论和实践的统一；

（5）保护学生的好奇心；

（6）激发想象力，扩展思维并且培养学习知识的积极主动性；

（7）促进老师教育技能的提升。

5. 自主探究的操作步骤及要点

（1）创设情境，激活学生主动参与

——情境创设要有新意，具有挑战性；

——情境要有趣味；

——内容要紧扣教学主题；

——形式要新颖、活泼，能激活学生主动参与。

案例一：在《运动与摩擦力》一课中，教师创设用筷子夹玻璃球比赛的活动，教师和一名学生使用筷子夹球，看谁在短短的 30 秒钟内夹的球最多。比赛的形式对于争强好胜的学生来说是容易调动积极性的，但是教师设计这样的情境不光是为了调动学生，更主要的目的在于由活动引发学生思考：为什么谁拿筷子头上缠有皮筋的筷子就可以获胜呢？从学生的思考而顺利地导入了新课。

（2）提出问题，引发学生主动探究

——教师提出问题；

——教师提出问题，由学生筛选和确定问题；

——学生提出问题。

还是上面的那个情境，当学生面对截然不同的两种结果时，自然而然地就会想到并提出自己的疑问：为什么总是缠有筷子的能获胜？皮筋在这里起到了什么作用？也就是让学生自己确定研究问题，为自主探究活动打好铺垫。

（3）生生互动，培养学生合作学习

——树立新型的课堂教学交往观；

——变革座位的排列方式；

——正确进行分组；

——采用多种形式进行合作学习；

——与其他教学形式有效地配合。

案例二：《校园生物大调查》中，学生们需要到校园中观察生物，记录生物的种类、分布、所处的环境等。教师考虑到六年级学生的自主探究意识较强，因此不是硬性规定四人一小组，而是将选择权利交给学生，由他们自愿结成四五人的学习小组，自己决定观察地点和观察的顺序，同时请班里动植物知识丰富的同学做助教，这样就解决了场地大难于控制及分身乏术的困难，一节课下来学生的收获极大。

案例三：在《奇妙的指纹》一课中，老师引导学生尝试提取自己的指纹，注重小组同学相互交流，帮助学生梳理提取过程中所产生的问题，改进方法并将其他四个手指的指纹提取下来。同时在小组交流中观察、比较自己和他人的指纹，从而发现指纹的特点。能力强的学生将自己的好方法展示出来，可以说是生生互助，就为那些动手能力较弱的学生提供帮助，使学生的学习更顺利地进行。学生在交流的过程中有了自己的发现，在潜意识中认识到自己是学习的主人，主动学习的能力和意识也得到了锻炼和提高。

（4）全员参与，组织学生亲历过程

——参与的广泛性；

——活动的指导性；

——组织的有效性；

——形式的多样性；

——过程的开放性。

案例三：还是在指纹案例中，老师设计了引导学生做小侦探，用指纹破案的方式侦破出玻璃杯上的指纹是谁留下的这样一个大的情境，在这个神秘情境下开展教学活动，因此学生的兴趣浓厚，他们知道要想破案就得先搞清这是谁的指纹，因此需要取指纹，取了指纹就要对比指纹，最后找到“罪犯”，所以整个教学环节就围绕这个情境开展起来。而每一个学生都为了要破案而积极参与到探究过程中。

（5）启发思维，指导学生得出结论

——到位不越位；

——指导不指定；

——参谋不代谋。

《串联和并联电路》一课中，串并联电路的特点是本课的一个重点，尤其是并联电路的连接是教学难点。课堂中学生连接两个灯泡时一般都是采用串联的方式，教师这时并没有包办代替，而是鼓励学生在连接成功的基础上再试试有没有其他的方法。当学生尝试成功了并联电路后，引导学生对比这两种方法的相同与不同。在学生回答出连接的方式、灯光的亮度不同后，提出：假设我使用一段时间后，在这两个电路中各有一个灯泡坏了，你们猜测一下会有什么现象发生？……这就使教学活动浑然一体，学生的思维更连贯，探究活动进行得更完整。中间没有太多的指导，让学生自己通过观察、思考、讨论等方式去学习新知识，充分发挥自主探究的学习特点。

（6）展示成果，多元评价体验成功

——多元评价；

——主体评价；

——描述评价；

——发展评价。

为了记载学生科学学习情况，更好地激励学生学习探究，针对学科特点，我们设计了“科学平时素养评价表”。评价表由学生保存，每人一份，每单元学习完后由学生、教师、家长共同反馈“结算”一次。正面设有情感与态度、知识、操作、应用与实践等项目，由学生和教师共同填写；背面设计为“自己的话”、“伙伴的话”、“教师的话”、“家长的话”四个专栏，用简短的语言评价学生的学习表现。

自己的话	在这单元的学习中，我了解了身边动物的生活习性，我还知道了它们的本领
伙伴的话	我们认为××进步了，在和××合作的过程中他表现得不错，他能主动完成小组布置的探究任务了
教师的话	学以致用，他保护小动物的宣传画画得非常好
家长的话	变得懂事了，知道关心我家养的小猫了

（7）拓展生成，诱导学生课后探究

——没有预设的生成往往是盲目的；

——没有生成的预设又往往是低效的。

案例五：《骨骼》一课需要学生初步认识人体骨骼的知识和作用，教师设计了在新授部分请学生们凭借平时的生活经验，独立完成骨骼拼图的环节。这个预设环节起到了试错的作用。当学生们看到自己和他人的错误连接时，马上意识到自己凭生活经验获得的结论不合理。教师这时候给每个小组提供一张人体骨骼的图片，让学生根据正确图片修改自己的拼图。让学生通过动手亲历，自己发现并修正连接的错误，加深了他们对于人体骨骼连接状态的认识，有助于学生头脑中建立正确的骨骼概念。更重要的是，在认识错误和改正错误的基础上，让学生模仿图片中骨骼的姿态，启发学生体会人体骨骼的特点、作用，以及与人体运动之间的关系，这种生成是高效的。

（8）尊重差异，促进学生个性发展

——亲近学生，了解学生，从学生的视角看待问题和解决问题；

——多一些鼓励，少一些批评；

——因不同学生而异的指导是促进学生个体发展的有效策略；

——营造和谐的心理氛围，创设宽松和谐的教学环境。

6. 自主探究学习的驱动力

（1）兴趣驱动

爱因斯坦说过"兴趣是最好的老师"，因此，我们将培养学生对科学学习的兴趣作为"自主探究"学习的第一驱动力，通过学习材料、学习内容、学习过程等多个层面培养学生的学习兴趣，进而对探究产生兴趣，形成对科学学科的情感。

（2）知识驱动

构建主义理论认为学生的学习不是从空白开始的，已有的知识和经验会影响以后的学习过程。要使学生学习更有效，必须了解学生已有的知识和经验。在探究式学习中，特别要重视从学生已有的知识和生活实际出发，安排学习过程。如在探究“食物的作用”时，可让学生根据食物成分表和小学生每天应当摄入的各类营养物质的量，查找自己每天所吃的食物的各种成分，然后分析自己的膳食是否合理，是否能保证身体健康等。让学生从自己的亲身经历中获得知识。

（3）问题驱动

如在教学《使沉在水里的物体浮起来》这一内容时，我们可以准备很多材料和水，问学生看了这些材料最想做什么，学生的回答是最想把这些材料放入水中。由于这些材料在水中的现象各不相同，所以学生产生了许多问题，然后学生尝试探究自己提出的“怎样使沉在水里的物体浮起来?”这一问题。整个教学过程，学生都处在探究的热情之中。

7. 自主探究的形式

（1）定向探究

指学生的各种自主探究活动，是在教师提供大量的指导和帮助下完成的探究过程，既包含了教师提供的教学情景，创设的研究主题和研究程序，也包括了教师应提供的概念或原理。教师起到的作用是指导而不是替代。要充分尊重学生的主体作用，尊重他们的问题创设、方案设计、观察实验、判断推理等。

一般来说，学生在刚刚开始从事自主探究活动时，由于缺乏必要的知识、探究的经验，需要教师的指导和辅导，宜采用定向探究。至于开展探究学习到底要给学生提供多少帮助和指导，这要看教材内容、教材难度、学生情况等具体情形而定，没有一定的统一标准。应该说明的是，教师的指导和帮助要有利于学生的自主探究活动，以免他们受到太大的挫折和失败，而不能简单地告诉他们做什么，不做什么，怎样做等，那样会限制学生的思维发展。

如在教学《地球内部的运动》一课时，要研究火山和地震对地球表面的影响，教材本身就有难度，不适宜学生自主探究，则教师宜采用直接切入的方法，将事先准备好的实验材料呈现给学生，学生在教师的实验指导下观察现象，即能达到教学效果的最优化。

（2）自由探究

指学生开展探究学习时，自己独立完成的探究活动。在自由探究活动中，教师的主要任务是给学生创设恰当的探究情景，提供必要的材料和资料，起到活动的组织者和辅导者作用。

（3）归纳探究

归纳探究是指在教学过程中学生从个别的某类事物出发经过探索得出一般结论的探究。学生只有在观察、实验、分析、归纳具体的资料后才能掌握有关抽象的科学知识、科学概念、科学原理等。

这种探究形式主要适用于物理知识方面的活动，如《简单机械》《声音的产生》等课，在《斜面》一课中，学生借助于木板、重物、测力计，通过几组实验发现使用斜面较垂直提起重物更省力，与坡度的大小有密切的关系，在此基础上得以归纳出斜面的作用。

（4）演绎探究

演绎探究就是教师给出概念或原理以后，由学生自己探索出他们的具体事例及其实质性联系的探究。概念先于经验。如《星空》等课，学生们对此已经有了许多正确的词汇和知识，但是他们并不理解其中的内涵或是关联，这样教师就可以请学生从书籍、音像资料、网络等方式中搜集资料来充分交流，教师适时地加以引导，使这些抽象的、枯燥的科学知识变得具体化、形象化。

8. 自主探究学习的课堂呈现方式

（1）观察探究方式

是指学生在教师有目的指导下，通过对实物、模型、实验等事物或现象的直观观察，在观察中发现、解决问题的一种探究学习方式：

——创设情境，激发学生观察探究兴趣；

——点拨指导，引导学生深入观察；

——观察记录，形成良好的科学习惯；

——选择时机，避免无关因素的干扰；

——交流质疑，形成统一的认识。

（2）实验探索方式

——提问—实验方式。

——发现—实验方式。

（3）合作学习方式

——选择最恰当的小组成员，开始合作学习。

——加强生生间、组组间的相互交流研讨，深化学生知识的发展。

——多元评价，建立合理的评价机制。

（4）信息搜集方式

——培养和训练学生搜集信息资料的意识和能力。

——通过筛选、整理、处理得到有效信息。

——结合教学内容，合理的使用信息。

（5）作品制作方式

——在建立模型、制作作品的过程中，培养学生的自主探究能力。

——制作作品展示活动，评价学生的自主探究。

（6）考查调查方式

——结合教学确定考查调查的内容。

——通过考查调查活动，指导学生撰写报告或论文。

9. 自主探究学习中的教师指导策略

（1）积极介入策略

自主探究学习更注重学生的主体作用，强调给予学生开展自主性、探索性活动的时空。对于小学生而言他们缺乏从事“研究”的经验，这就需要教师适时适度地提供指导。因此，问题的关键在于教师必须把握好介入的分寸，不能以教师的介入来替代学生的自主探究，而要采用适当的方式给予学生多方面的支持和援助。教师应减少对学生学习活动的不必要的干涉，学会扮演顾问、领路人和学习伙伴的角色，用有效的指导为学生自主探究学习的成功开展铺平道路。

（2）步进辅导策略

所谓步进辅导策略，是指教师要根据自主探究学习的实施流程，在不同的阶段给予学生有针对性的辅导，使之能够最终完成研究专题。

自主探究学习不是可以一次性完成的活动，它通常要经历一个过程，教师的辅导必须贯穿于自主探究学习的全过程。

教师的辅导应是分步骤实施的。也就是说，教师的辅导不能采用一步到位的办法，必须伴随自主探究学习的进度分段展开，并且在不同时间段里教师所承担的任务是在变化的。只有这样，教师给予学生的辅导才会是及时的、具体的、有针对性的，学生才能明了下一步要做什么、应该怎么去做。

（3）适度指导策略

在自主探究学习中教师必须改变策略，学会“点到为止”，给学生留出发挥其主体作用的空间。

（4）全面关注策略

学生需要的指导是多方面的，教师不仅要在知识上帮助学生弥补欠缺，更要在能力与情感方面让学生得到充实与提高。

10. 自主探究的评价

（1）充分发挥学生的主体地位让评价更客观全面

把学生引导到评价中去，把评价的权利交还给学生，让学生在探究活动中交流互动，在交流互动中自主评价，在自主评价中和谐发展。

——学习主体　评价主体

引导学生参与评价，是给学生提供了发现、研究、探索的空间，为学生有所发展、有所创造创设条件。

当学生在成为了主人后，学生人人都有机会参与评价，都可以畅所欲言，都可以自由地说出自己的看法和想法，在这样一个和谐民主的氛围里，学生学习的主观能动性被充分调动起来。

——平等和谐　民主氛围

科学探究活动是在合作中发展科学素养的过程，合作中必然涉及人与人之间的关系。在合作中减少矛盾提高凝聚力是我们的评价方式所希望达成的重要目标之一。

——全盘把握　评价到位

我们的评价内容不能局限于探究活动的某一部分，而涉及科学素养的各方面。科学探究涉及提出问题、猜想结果、制订计划、观察、实验、制作、搜集证据、进行解释、表达与交流等活动，还涉及对科学探究的认识。同样应该涉及的内容还有：在科学探究活动中反映出来的学生的情感态度与价值观、学生在探究中应用的科学知识和收获的科学知识。我们认为只有全面化的评价内容，才能引领学生科学素养的全面发展。

——组织方法　合理有效

任何的探究活动和评价活动都有一定的组织形式，我们的评价承载体是“学生自我评价”和“学生互相评价”。“学生自我评价”在于反思个人科学素养的成就和缺陷，激起自我发展的源动力；“学生互相评价”主要运用在合作学习中，能引起学生强烈的学习兴趣，调动他们的学习积极性，也能促进学生的自我教育。

（2）充分发挥教师的主导地位，以评价促进学生的自主发展

——确定培养目标和评价内容

教师在课堂上根据教学内容确定了本课的知识、能力、情感态度价值观目标后，也要确立相应的评价内容——表达能力、观察能力、设计实验和方法创新的能力、团结协作与科学探究的能力等，教师在课堂上要把评价的重点放在评价内容上，评价过程中不必要面面俱到，但一定要及时评价，同时注意评价的真实性、情景性，不能夸大其词。这对于学生一些好的行为、习惯、能力的养成有着举足轻重的作用，也必将潜移默化的影响着学生。

——教会互相欣赏

学生在进行互相评价时，往往习惯挑对方的毛病、缺点，这时教师就要充分发挥主导作用，引导他们学会用欣赏的眼光去看待别人，能发现别人的不足，更能发现他的优点，营造一种互帮互学、轻松愉快、和睦相处的课堂氛围，培养学生与人相处的能力。

（3）巧用评价促学生自主发展

——对照标准规范评价细则

依据标准要求，制定好各项测评要求，有利于教师及学生开展评价活动，提高评价质量。教师引导学生了解各项的评价要求，指导学生根据专项内容，依据评价细则开展评价活动。同时在对科学课程的评价中，教师更侧重于形成性评价与终结性评价的有机结合，使评价更具全程性。

——设计表格确立评价内容

为了记载学生科学学习情况，更好地激励学生学习探究，针对学科特点，我们设计了“科学平时素养评价表”。评价表由学生保存，每人一份，每单元学习完后由学生、教师、家长共同反馈“结算”一次。正面设有情感与态度、知识、操作、应用与实践等项目，由学生和教师共同填写；背面设计为“自己的话”、“伙伴的话”、“教师的话”、“家长的话”四个专栏，用简短的语言评价学生的学习表现。

自己的话	在这单元的学习中，我了解了身边动物的生活习性，我还知道了它们的本领
伙伴的话	我们认为李扬进步了，在和小许合作的过程中他表现得不错，他能主动完成小组布置的探究任务了
教师的话	学以致用，你画的保护小动物的宣传画非常好
家长的话	孩子懂事了，知道挂念我家养的小猫了

——以优促学增强学习信心

在实施自主评价中，让学生善于发现自己及同学的优点，只要有点滴进步就可以给予肯定，同时还允许自己有放弃不足、再次争优的机会，甚至对自己不满意的还可以不评定等级，这都较好地尊重了学生的个性差异，引入平等的竞争机制，有利于激发各类学生学习的积极性。

五、收获自主课堂，实现师生共同发展

“自主教学”改变了中关村第一小学的课堂，使课堂教学更加具有

生命力；改变了我们的学生，提高了学生学习的自主性，使学生学会了思考；改变了我们的教师，使教师更加科学看待自己的教育教学行为，更加艺术地处理自己在教育教学中出现的问题。

（一）学生的思维品质得以改善

学生发展是教学活动的最终目标，而学生发展的重要标志就是能够提出有价值的问题。对于小学生而言，善于提出问题恰恰是自身未来发展的动力源泉。“自主教学”使我们的学生从学习课本知识变成了去解决现实中的问题；从人云亦云变成了有自己的思想敢发出自己的声音；从没问题变成了有问题、敢提问、会质疑、善思考、能实践。在问题的解决过程中，提升了学生合作意识与合作精神，培养了学生的创新精神和实践能力，改善了学生的思维品质。

“自主教学”的课堂强调的不是教师预设下的被动接受，而是激发学生自主提出问题，组织学生通过多种方式讨论问题，互动后达成共识解决问题的过程。在此过程中，学生不仅掌握正确的学习方法和学习策略，更重要的是学会思考、学会主动寻求问题解决的办法。对比 2006 年 8 月对学生进行的问卷调查统计数据，明显看出学生的学习方式发生了积极改变。“学生主动学习，积极向老师提问”一项由原来的 57.1% 提高到现在的 83.6%；“自学基础上与同学和老师讨论”一项由原来的 23.8% 提高到现在的 51.6%。

下面是范汀郁①和王天豪②两位同学自己的研究成果。

解决计算错误的分析与方法

范汀郁

摘要：在数学学习中，我和小朋友常出现计算错误，在老师和家长

① 范汀郁同学在写这篇文章时是四年级。

② 王天豪同学在写这篇文章时是五年级。

的帮助下我对我和小朋友的计算错误进行了分类、分析，找出了原因，提出了纠正计算错误的一些方法。

关键词：小学生；计算错误；类型；原因；纠正方法

在数学实际学习中，我和小朋友经常出现计算差错的错误，家长和老师责怪我们“粗心”、“马虎”等，可我们每次考试都很认真，想考满分得到老师和家长的表扬。到底为什么经常出现计算差错呢？“粗心”、“马虎”是唯一的罪魁祸首么？

在老师和家长的帮助下，我对常出现的计算错误进行了分类，认真分析了它们出错的原因，并提出一些纠正的方法。

一、计算错误的类型分析（举例略）

1. 误认——误认是由于我们小学生审题时经常看错或认错而出现的错误。分为：

（1）看错或抄错符号，如2 + 8 =10，把 + 看成 ×，80 ÷ 4 = 76，把÷看成 －；

（2）抄错数，如22－4 = 18，实际上应该为22－14 = 8；

（3）抄错题目，如42 × 4，实际上是42 × 5（下题为38 × 4）；

（4）横式写对，竖式写错，如横式42 +56，竖式却成了24 + 56，结果自然就错了。

2. 误写——我和小朋友老出现笔误，就是本来计算正确，但在写答案时出现了笔误而产生的错误。

3. 误算——我和小朋友在计算过程中也常出现误算的错误，主要有以下几种情形：

（1）算理不清。（2）口算有误。（3）法则有误。

二、计算错误的原因分析（举例略）

尽管我和小朋友出现的计算错误原因是不同的，但总体归纳起来主要有以下原因：

1. 知识方面的原因

（1）数的概念不明确，运算算理法则理解不够透彻。

（2）缺乏扎实的基础知识和熟练的基本口算技能。

2. 心理因素方面的原因

(1) 受旧的数学知识的影响。

(2) 受小学生注意力不够集中习惯的影响。

3. 非智力因素方面的原因

(1) 学习习惯不良，态度不够端正。

我们在计算的过程中，书写潦草，字迹连自己都看不清楚；计算时粗心、马虎，把题目抄错，数据漏抄，移项时少抄数据，分数、小数加减时忽略了整数部分等，从而出现错误。

(2) 信心不足，意志不够坚定。

有些学生受经常计算错误失败的影响，每当遇到大数目的计算问题时，就缺乏了计算的信心和继续坚持计算的意志，在心理上产生了烦躁、不耐烦、厌倦、畏难等情绪，致使计算的错误大大增加。

三、纠正小学生计算错误的方法分析

1. 加强基础知识和基本技能的训练。

2. 补好口算基本功训练。

3. 树立信心、培养良好习惯。

4. 追求灵活，形成技能。

5. 要养成检查的好习惯。

我相信，只要我们认真分析计算中出现的错误，分析其原因，我们就一定能防止和纠正计算中出现的错误，提高计算的正确率，取得好成绩！

指导教师：石钦珍

通过上面的论述，我们可以清晰地看出范汀郁同学从自己和同学学习中的问题入手，理性地进行分析，并提出了合理化的建议，具有了良好的学习反思能力。

泡泡式肺活量呼吸测试器

王天豪

摘要：我发明的泡泡式肺活量测试器制作原理是利用肥皂泡泡的张

力和圆的半径测出人的肺活量。医学界已将肺活量作为检测人体衰老的首选项目。一台精密的肺活量器（电子型、筒型）的价值从几百元到几千元不等，十分昂贵，一般学校或家庭均未能配备。我发明的这种测试器测试数据准确、操作简易、测试时卫生而且成本低廉，能够弥补教学、家庭仪器的不足。

一、发明目标及前期的调查

医学界已将肺活量作为检测人体衰老的首选项目。

我想设计出一种比正规厂家生产的电子型经济实惠，而且能比目前其他简易肺活量测量方法数据更准确，操作更简易的肺活量器以弥补教学、家庭仪器的不足。

二、设计方案（具体内容略）

第一步：制作平面图。

第二步：准备容器。

第三步：配制肥皂泡泡液。

只需三步，一个泡泡式肺活量测试器就制作完成了。

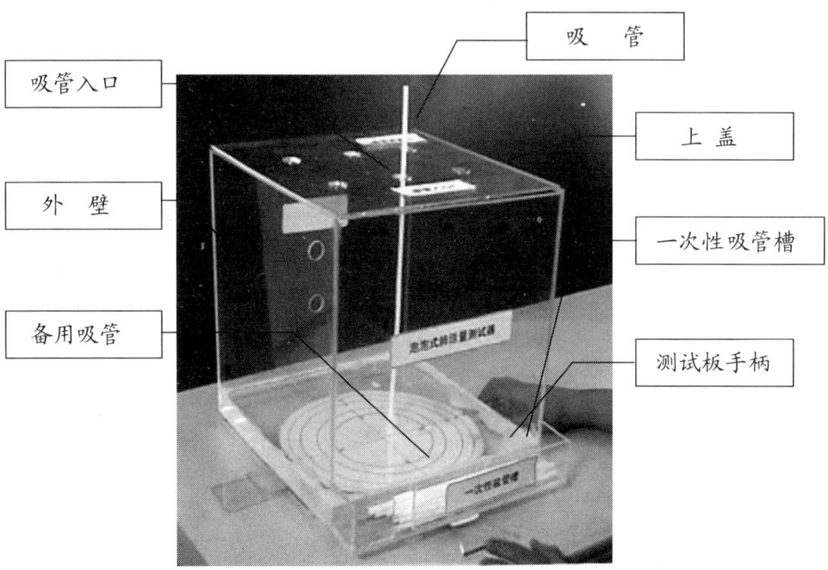

结构图1（取自小作者演示泡泡式肺活量测试器3分钟DVD视频附件片段）

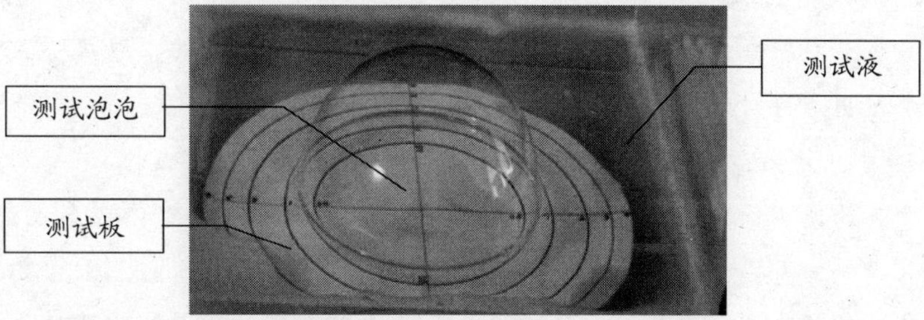

结构图 2（取自小作者演示泡泡式肺活量测试器 3 分钟 DVD 视频附件片段）

三、设计中需要注意的问题

1. 需要购买洗涤灵一瓶，成本 2.5 元。

2. 需要购买一次性吸管一袋，成本 2.5 元。

3. 准备清水 2 升左右、白糖少许（约 1 克）。

4. 需要配备长宽高 35cm 至 40cm 透明容器一个（备有底足），约 50 元。

5. 需要配备带有手柄的圆形硬制平板一个，直径在 30cm 至 35cm 之间。

6. 需要配备圆规、直尺及计算器、不干胶条、白纸、黑色油性笔 1 支。

7. 常规条件下都可以进行制作与操作。

四、研究方案的测试

（一）测试结果

制作出模具和数据后，我要通过试验来验证我的发明是否可行。以下就是我做的测试报表。每个人连续做了三次，最后取了一个平均值作为肺活量值。（略）

从测试中可以得出下面的结论：

（1）健康老年男女肺活量范围：3.5—2.5 升

（2）健康成年男子肺活量范围：4.5—3.5 升

（3）健康成年女子肺活量范围：3.8— 2.5 升

(4) 健康未成年(14岁以下)男女肺活量范围:3升以下

我上网也查询了相关信息，和我的测试结论是一致的，这说明我的这个发明是可行的。

(二) 泡泡式肺活量测试器的优点

我的发明操作简便，使用一次性吸管很卫生，并且整体成本低廉。只需“一口气”就能轻松知道自己的肺活量是多少。目前，医学界已将肺活量作为检测人体衰老的首选项目，以往由于肺活量测试器的成本高，中老年人没有条件随时关注自己的衰老迹象，有了我发明的这种制作简便卫生的测试器就能做到随时关注健康状况，所以肯定能广受欢迎。

指导教师：李实

不断发现问题和澄清问题的过程就是学习的过程。能够发现和澄清问题的能力正是“自主教学”课堂创造出的持久性的影响力。这种影响力能够伴随着学生们走进生活，走进社会，走进人生的不同阶段，使他们从被动的学习者成为主动的探究者，最终成长为21世纪所需要的会学习、会交流、会工作、会思考的创新人才。

(二) 研究成为教师的行走方式

研究型教师与教学型教师最大的区别就在于前者是会思考的实践者，后者是习惯了简单重复的教书匠。在“自主教学”的实践和研究中，教师们的思维在一点一点被唤醒。大家在学习、实践、比较中渐渐意识到：不思考就没有改变，不改变就没有出路。

“自主教学”的实践研究，对教师有以下帮助和促进：

第一，逐步树立并形成教师自主教学课堂教学价值观：促使学生成人、成才、成功，让课堂教学洋溢生命活力；

第二，逐步改变了教师设计教学过程的心智模式：教学设计一定要以学生发展为本，教学目标要围绕促进学生整体和谐发展制定，教学流程及策略要符合学生的认知规律；

第三，课堂成为教师研究实践的基地：越来越多的教师能够根据自己的教育教学工作，根据学生的问题确立研究专题，带着要研究的问题走近学生、走进课堂；

第四，教师的教育智慧被唤醒：借助学校教学故事交流的平台，教师主动整理自己教学中的点滴得失，凝练教学策略与同伴进行分享；

第五，学生成为教师研究的伙伴：从教师的案例中我们发现课堂因学生的灵动而精彩，教学相长得到淋漓尽致的体现。我们认为，教师应先成为行动者，在行动的过程中，教师增长智慧，形成自己的教学特色或风格，成为有思想的行动者。

对比2006年8月对学生进行的问卷调查统计数据，明显看出教师的教学方式发生了很大变化。“教师讲授为主，穿插自主探究、合作学习”一项由原来的59.4%提高到现在的65.8%；“教师组织学生自主探究学习”一项由原来的25%提高到现在的53.2%。

遇到问题想办法解决，这个想办法的过程就是研究的过程。研究的过程就是发现问题、分析问题、解决问题的过程。自主研究的教师首先要具有发现问题的意识和能力。教师们的问题从教学实践中来，从课堂观察中来，从学习交流中来。今天，越来越多的教师能够根据自己的教育教学工作，根据学生的问题确立研究专题，带着问题走近学生、走进课堂。课堂越来越多地成为教师实践的舞台，学生越来越多地成为教师研究的伙伴。在研究中，教师们组成研究团队，“研究团队”以教师研究的课题为主线，将有着相同或相近研究方向的教师组合在一起，共同进行教学研究，他们围绕一个专题组成“研究团队”，推举课题老板，确立研究途径，展示墙、板报记录他们的活动过程，“每周一得”记录他们的反思成果。

下面是几则教师们记录下来的生动的教学研究案例，从中我们可以感受到教师们在“自主教学”研究中的成长和思考。

可爱的面包渣

今天，我在课上讲了分数的初步认识。学生对具体的实物的认识永远要大于对抽象知识的思考。因此，为了帮助学生们对分数越分越小、越分越接近零的知识点体会得更加深刻，临下课时，我拿出了一个大面包。

我问：把它平均分给两个同学，每个同学得到多少？把它平均分给3个同学，每个同学得到多少？……

把它平均分给我们全班45个同学，每个同学得到多少？同学们对答如流，我继续提问：如果把它平均分给全校同学，每个同学得到的面包应该是什么样的？

全班同学沸腾起来，调皮的学生压不住内心的喜悦，大声嚷道：老师，每人分到一个面包渣！于是，其他同学便也应声叫着：对！就是一个面包渣。这时候，我便趁热打铁地问：如果用分数表示，这个分数最接近几？“零！”学生们异口同声的答道。

对数学知识的掌握，不能用死记硬背，也不一定要绞尽脑汁的思考。关键是给学生们提供一个主动发现的切入点。

可爱的面包渣，陪我们在数学天地中度过了生动的一刻。

作者：何静

一则小故事，让我们看到的是一个智慧的老师，一群活泼的学生，一个快乐自主的数学课堂！

珍视课堂教学中的再生资源

很高兴能在这里与大家分享我的教学故事。作为一名教师，能够和学生们一起去描摹绚烂的天空，去畅想美妙的未来，去踏上求知的征程，这是一种幸福！把这种幸福倾泻于笔端，诉诸朋友，那是一种快乐。很荣幸刘校长给了我这样一个机会，让我和大家一起分享我的幸福，我的快乐。

一年一度的中心评优课已经落下了帷幕，作为这场赛事的亲历者，我有很多的故事想和大家交流。每一个设计的完美展现，每一次试讲的点滴收获，每一堂课的精彩亮点，让我有了做一名好语文老师的自信。王主任的悉心指导，马敬老师的热情帮助，同组老师的鼎力支持，让我感到作为中关村第一小学教师的幸福。静下心来细细品味我这堂评优课，我收获到了另一种财富。

这次评优课我讲的是二年级上册《上天的蚂蚁》一课，在体会巨人面对通天树退缩时，我转变了自己的角色，我扮成白胡子爷爷鼓励巨人，请一名学生当巨人，通过我们表演使学生知道巨人爬不到天上去不仅仅是因为树高，还因为他不自信，怕困难。

课堂上我走到一名看起来身体健壮的学生（巨人）面前，学着老爷爷的口气鼓励他说："巨人，试一试吧，你身强力壮，也许能爬上去！"学生愣了一会儿，不知如何作答，我又一次鼓励："试试吧，你那么强壮，也许能爬上去！"学生看了看书，终于回答："我爬不上去。"按照之前的设计应该进入下一个问题，可我转念一想，这个学生表演得还不顺畅，对解决下一个问题也会有影响，于是我又请了一位"巨人"，没想到在我的鼓励下，这位"巨人"居然爽快地说："那就试试吧！"丝毫没有巨人的畏缩。一听学生这样回答，我顿时紧张起来，这个回答偏离了我的教学预设，怎么办？我灵机一动，对全班学生说："你们觉得他们俩谁表演得更像书中的巨人？"学生纷纷把小手指了过来，我顺势摸摸第一个学生的头，说："他表演得最像。"就这样，一场难免的尴尬竟然被我巧妙地化解了，我心中不免窃喜。

在撰写每周一心得时，我又想起了此事，心中若有所感。虽然全班学生对两个同学的表演作了评判，但学生未必理解为什么说第一个"巨人"表演得好。他们的小脑袋可能在想："第二个'巨人'不怕树高，多了不起啊！"思来想去，我总觉得当时的处理方式还不够完美，该怎么办？怎样将课堂生成的问题转化为有利的教学资源呢？

我想了很久，如果当时我这样说：“多美好的心愿啊！多勇敢的巨人啊！可是面对白胡子爷爷的鼓励，书中的巨人却是怎么说的？”这样一来，学生在对比中岂不是更能体会巨人的不自信、畏缩，同时与蚂蚁的自信、坚定形成了鲜明的对比？

当课堂上出现类似的场景，教师不能只是简单地去回答或者所谓的机智去化解，更应该思考这个学生为什么会有这样的问题？教师应该试着走进这个学生的思维，去还原文本的情境，并能引领学生进入这样的情境。思索之后我发现，很多情况下学生出现这样的问题是因为身在“境外”，而并非处于“境内”。面对始料不及的情况教师都想有机智的表现，那么最机智的表现就是引导学生回到自己的思维“场”里作一次充分的“漫游”。

课堂上再生的教育资源如何运用？这对教师的教学技能提出了更高的要求。我们要善于抓住学生的“出错”，来调整自己的课堂教学，实现教学资源的优化与重组，如此，课堂中的师生都将是受益者、发展者。

作者：杨雪飞

（三）构建自主教学的课堂文化

通过“自主教学”实效课堂的实践与梳理，我们总结了“自主教学”课堂的五个特点，即：真实、积极、开放、学术、压力。

1. “自主教学”的课堂是真实的。这种真实体现在很多方面：首先，课堂讨论的素材和问题都是真的。只有真实的素材和问题才能够带来课堂上学生真实的思考和讨论，学生才能够获得直面真实问题的那份从容和自信。其次，主体的反映要真实。我们这里所强调的真实反映既体现在教师感受的真实表达，也体现在学生感受的真实流露。只有主体的真实才能建立真实自然和谐的师生关系，才能实现课堂教学的真实。

2. “自主教学”的课堂是积极的。学习者的参与是否积极是一种观察和评价课堂教学过程的新的视角。习惯了从教授者的角度审视我们的课堂，我们常常忽略了一个最基本的问题，就是这个课堂是谁的课堂？自主的课堂，我们要让学生们积极主动地去思考自己身边的事，要让学生们有自己的想法，要让学生们学会对自己的言行负责并努力做出改善。

3. “自主教学”的课堂是开放的。这种开放是一种心态。我们所倡导的课堂教学的开放主要包括两个方面的开放，首先是学会敞开自己，向他人和外界开放自己的想法，能够用正确的方式表达自己，争取支持和理解。其次是学会接纳他人，能够坦然地吸纳不同的观点，丰富和矫正自己的思考。不论是哪一种开放，都是实现自主课堂的关键。

4. “自主教学”的课堂是学术的。这种学术体现着课堂的核心本质。每一门课都承载着自己独特的学科价值。挖掘学科知识本身的价值，传递人文的社会价值，这正是“自主教学”的核心力量。当一堂课能够富有学术的气息和力量，这时的教学才是能够感动我们自己和学生的。

5. “自主教学”的课堂是有压力的。轻松自由是一种探讨的氛围，但真正有效的课堂教学一定是能够给学生带来一种上进的压力的。真正的学术活动就应当是百家争鸣，百家争鸣的前提就是实力，实力的前提就是积蓄，积蓄的前提就是努力，努力的动机就是压力。俗话说，人无压力轻飘飘，当我们要学生们自主前行、自主发展，我们首先要给予他们成长的压力。而压力的大小，压力施加的途径就是自主教学的艺术。

“自主教学”的五个特点已经成为中关村第一小学课堂教学文化的重要组成部分，成为中关村第一小学“新”实效课堂的文化追求。

希腊哲学家苏格拉底说：“人类最大的乐趣莫过于学习了。”但是学习的快乐只有当学习变成学习者自身的需求，当学习过程变成学习者主动的探索，当学习成果成为一种学习者享受成长快乐的过程时才真正能够实现。中关村第一小学的“自主教学”就是为了实现学生在这一过程中的幸福体验，到如今，教师已经逐渐学会了课前走在学生前面，从学生们的视角看待问题，用教师的广博融合资源；课上走在学生后面，以学论教，适时辅助；课后走在学生身边，成为学生们的大朋友。“自主教学”的课堂是快乐的。当这种快乐变得越来越多，越来越持久，学生们的学习过程也就越来越多地成为一种幸福愉悦的体验。

第五章 创新自主德育模式，鼓励学生人人『做最好的我』

德育创新要基于学校文化传承和发展定位、基于学生问题解决、基于区域资源优势，遵循道德教育的内在规律和学生身心发展的规律。在“自主发展、主动适应、自我超越”的办学思想的指导下，我们不断求索着学校德育创新发展之路径。

一、现实的诉求：自主德育的提出

1. 分析学生现状，直面德育问题

新中国成立以来，尤其是改革开放以来，我国的学校德育已进行了较多的改革和加强，并把德育放到了教育工作首位：我们有专门的德育研究机构，学校有专门的组织职能，有严谨、系列的德育活动过程，有不断完善的德育评价，有种类众多的德育基地，……但透视现状，有这样不少现象值得深思。

其一，德育在智育面前显得冷清低迷。我校独特的地理位置决定了家长及社会对学校教育的认同普遍建立在学校的教学质量上，因此导致了在德育与智育面前，不少教师更重视分数，语文、数学、外语学得好，就是好学生，就能得到各种表扬。相反，品德好的学生可能因考试成绩稍差而不被认可。还有部分教师认为德育是学校德育处和班主任的事，与自己无关。与此同时，由于家长、社会的关注程度基本集中在学习、课外辅导中，而学生的思想现状、行为规范、道德细节并不被关注。我们很容易看到：在学校生活中，学生经常大声喊叫，旁若无人地说话，从不考虑这样做是否影响他人；面对到校的客人无动于衷，很少展示出作为小主人的热情与礼貌；上完厕所后不冲厕，无所顾忌地扬长而去，而不理会厕所内异味冲天。这些现象令人感到震惊。

其二，德育工作被动地处于指向任务目标的运作体系。社会转型时期的浮躁吞噬了道德成长所需要的那种心平气和。我们常常没有时间去等待、去玩味、去感受、去理解，我们天天都在忙着评估、追求外显效果，天天都在急于求成、要求开花结果，这恰恰违反了道德教育的内在

规律，其实，道德的成长、精神的成长需要一个长期、渐进、不断积累的过程。在现实的学校德育实践中，围绕工作任务而展开的接受、实施、检查、反馈的德育流程，很大程度上无法顾及教育对象的感受，即使是德育实施者，也经常被动地处于指向任务目标的运作体系。

其三，教师的“不放心”使学生缺乏道德体验与感悟的时空。由于小学生的年龄较小，部分教师不放心放手让学生独立开展活动，因此教师包办代替的现象还是存在，由此导致很多教师精心设计的德育活动不够儿童化、不能被大多数学生接受。因为安全问题，教师普遍不放心组织学生开展各种实践、体验活动，但这些实践活动恰恰是德育最有效的形式和途径。因此，我们的德育就会偏重于形式而忽略了实效。

其四，“听话”被作为一种道德和道德教育方式。从小到大，孩子听得最多的词就是“听话”。在家里要听家长的话，去串门要听叔叔阿姨的话，在学校要听老师的话。闯了祸，顶了嘴之后，大人最爱说的一句就是：“这孩子怎么这么不听话！”因此，大多数孩子趋利避害地选择“听话”而放弃主动思考。

其五，我国特有的独生子女问题凸显。我们的学生基本上是独生子女，由于独特的的生活环境和成长氛围，父母的过分溺爱和教育方式的不当，导致他们身上不同程度地存在着以自我为中心的通病：娇生惯养，吃不起苦，经不起挫折；不会关心他人；不会感恩，对他人的帮助，尤其是对父母的帮助认为是理所当然；缺乏集体主义精神和合作、宽容的品质。与此同时，大多家长望子成龙心切，期望值过高，受传统的教育方式的影响，训斥多于鼓励，教训多于理解，压制强于疏导，导致学生产生情绪和人格障碍。近年来，随着父母离婚、分居、再婚现象的增多，也使学生的心理蒙上阴影。随着“新型症状”问题学生的不断涌现，德育方面出现了“老办法不灵，新办法不明，蛮办法不行”的尴尬局面。

整个社会大背景下的德育现状不可避免地对中关村第一小学的学生德育工作产生影响和冲击。但我校学生实际生活中存在的最突出的德育问题是什么？针对学生管理中不断出现的新情况和新问题，我校决定把问题当课题。2002年底，我从美国学习归来重新投入紧张而繁忙的工作，对比国外教育教学现状，学生现状，我们进行了深入的调查研究。

下面，是通过对学生的问卷分析得到的一些数据。

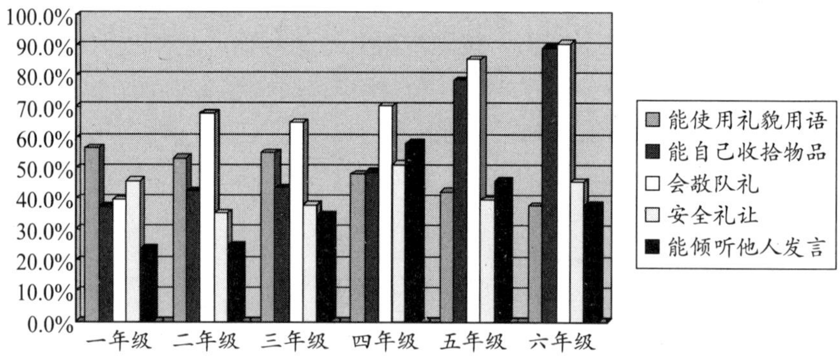

图15　文明礼仪方面，各年级学生的反馈

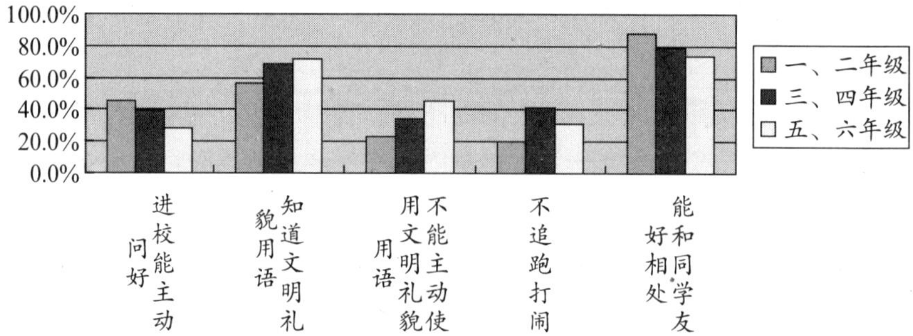

图16　语言文明和行为文明方面，各年级学生的反馈

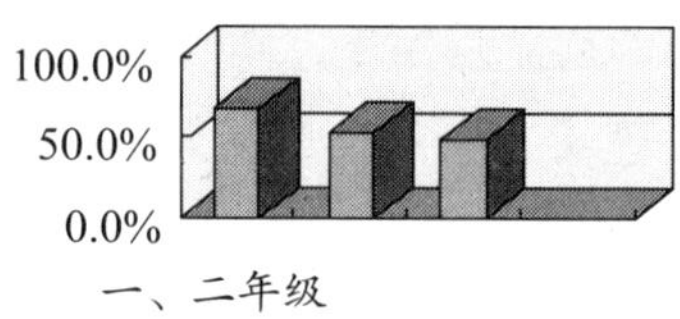

图17　学生就餐时能保持安静的反馈

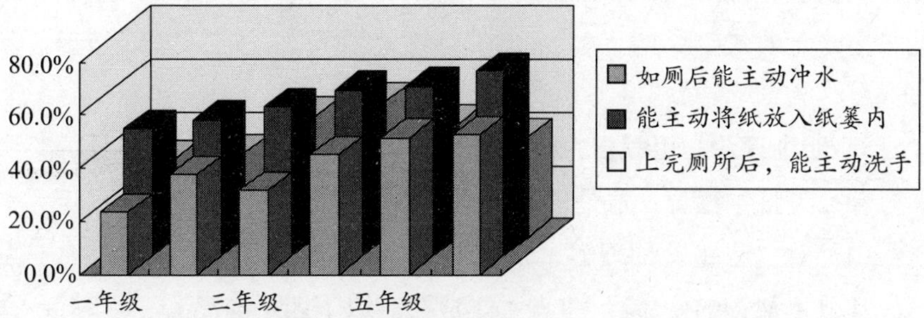

图18　在卫生文明方面，各年级学生的反馈

我们发现，学生的行为问题主要集中在说话、走路、冲厕三个文明习惯方面。影响学生行为习惯的因素来自于三个大的方面：第一，家庭对学生的溺爱，只重视学生的学习成绩和特长的培养，而忽略学生行为规范的养成，认为行为习惯无关紧要；第二，社会上的一些负面影响直接或间接地影响学生，致使学生养成了不好的行为习惯；第三，部分教师在教育引导中的一些疏忽，也导致了学生不良行为得不到及时纠正。

2. 德育转型，提出自主德育

基于对学生德育问题的剖析，我们认为学校道德教育需要调整。调整的重心不在于实现工艺学上的某种技术转型，而是把唤醒道德成长主体的内在自觉作为学校道德教育变革的核心。小学阶段的孩子大都在6—12岁，正处于自律道德阶段，对他们既需要重视社会规范价值的引导，更要重视其道德精神的自主建构。这就要求学校德育要从传统型向创新型发展，实现德育内容与手段方式的创新，使之适应教育现代化和新课程改革的需要。我们认为，学校的德育工作重要任务之一就是“把教育的对象变成自己教育自己的主体”。教育的核心是“自育”，学校德育的最终目标就是使学生通过自育达到明辨是非、培养良好行为习惯的目的，使每个学生在原来基础上获得真正成长。加强和改进学校德育工作，就必须变“要求德育”为“需求德育”，变“任务德育”为“自主德育”。在创办优质教育的探索与实践中，我校以提升每一位学生自主性素养为核心，为每一位学生可持续发展服务，提出了独具特色的自主德育模式。

3. 明晰理念，引领自主德育实践

什么是自主德育，这是研究自主德育首先要回答的问题。

(1) 对“自主”的理解

从自主德育的使命看，“自主”应具有以下四个内涵。

其一，“自主”的“主”是“主人”。这个“主人”有三层意思，一是做自己道德养成的主人。二是在集体中的主人意识。三是对社会、国家的主人意识。

其二，“自主”的“主”是“主动”。教师对学生提出要求，学生就做到了，这是“主动”，但这还不够，只有把如何培养学生把“主动”体现在行使“主动权”的层次上，才能显示出自主德育的价值。

其三，“自主”的“主”是“主见”。学生对问题能提出自己的看法和主张，选择适合自己的德育活动等就是“主见”的表现。

其四，“自主”的“主”是“主体”。从师生关系来说，在德育工作中确立学生的主体地位，是上述“主人”、“主动”、“主见”三个方面得以落实的保证。

自主是以自主为手段，培养自主发展的人，是个体从自我出发作出决定的权利、意志和行为。但自主并不是说学生就可以任意所为，如果是这样，那不是自主德育，而是放任自流，学生自主，有三根底线不能够任意跨越：一是做一个好公民，不违法；二是做一个好人，不损人利己；三是做一个好学生，不违纪。同时，自主不排斥合作。自主是合作的前提与基础，合作是自主的发展。自主一定是在团队交流与同伴分享中的自主，脱离了团队和同伴，个体的自主发展很难实现，而合作则必须是在有主观愿望的前提下才有可能实现成长，合作的目的是为了更高水平的自主发展。

(2) 自主德育的含义

教育现代化的本质是人的现代化，而人的现代化的核心就是人的主体意识的形成、主体精神的培养。为人的发展服务的主体性、发展性的现代德育成为时代和人的发展之必然要求。自主德育理念的确立也是现代道德教育目标的内在要求。我校提出的自主德育与主体性德育理念紧密相连，但在主体性德育理念的依托下，有它自身独特的内涵。表现在三个层面。

学生：对于学生，自主指的是：能够自行判断、选择、安排。让学生依据自己的行为方式、性格特点、道德标准，自己决定“做什么”、“怎么做”、“做到什么程度”，并在这个过程中形成自主、自觉与自愿地作出道德选择与道德行为的素质与能力。

教师：教师以自身的自主专业发展带动学生的自主发展。教师尊重儿童的主体地位，以“研究、引导、管理、服务和协调”为职能，主动激发学生的内在道德需求，充分授权、放权，给学生多提供自主判断、自主选择、自主体验的机会，促使学生达到知、情、意、行的统一，促进学生道德的自我发展。

学校：树立“教育就是服务，管理就是服务”的理念，立足于学生的可持续发展，遵循教育自身的规律和儿童作为人成长的身心发展规律，充分尊重学生，决策权充分下移，将教育看做一个开放的系统，把握“计划、组织、指挥、协调”和“调控”五大关键词，系统建构自主德育的理论体系与实践体系。

我们将自主德育的概念界定为：学校整合、优化各学科、各部门、各团体等不同要素的功能，创设价值选择的环境，在教师的价值引领下，以学生“自主”为手段，将一系列符合社会要求的思想意识和道德规范内化为学生自身需求，并在这个过程中自主导向、自主教育、自主发展，最终使学生成为知行合一、和谐发展的人。“人人都有想法，人人都能创造，人人都会成功”以及“我对自己负责，我和同伴进步，我为学校增光”等行动理念都是自主德育内涵的集中体现。

(3) 自主德育的特征

自主德育是相对于工具性、驯服性、物化和奴化德育而提出的，自主德育强调对学生主体性的尊重和自主能力的挖掘，它着眼于发展性和以人为本，其主要特点表现在以下四个方面。

选择性 赋予学生选择的权利和机会就意味着从真正意义上对儿童之自主、自觉、自由之主体性本质的认可，是自主德育在生活实践中的具体体现。现代社会的发展给人们制造了越来越多的自主选择的空间、可供选择的生活和工作方式，以及给人提供了越来越多的自主选择的权利。在道德教育中，教师不去硬性灌输和强制性的命令并不意味着学生就自然而然地有了选择的能力。开发和培养儿童选择能力，其中最重要的莫过于要给学生提供切实的选择机会、选择的空间和选择的条件，让学生在亲自选择中学会选择。

参与性 传统的德育强调强制灌输的教学方法和教师的权威性，学生只能被动接受，其结果是对道德环境缺少体验，无法收到真正的道德教育的效果。而自主德育强调让学生主动参与德育过程，充分了解德育内容和问题，在既有的社会规范基础上，经过自己的理性思维，独立地做出道德判断和价值选择，自主地调节自己的道德行为，完善自己的道德品质，丰富自己的道德情感，培养学生的道德自律能力和社会责任感。

生活性 自主德育强调要在真实的、生活化的德育环境中引导学生进行德育体验，在生活实践中完善自身的品质，丰富和发展社会的道德规范，从而实现价值观的自主塑造、人格的升华。

差异性 高质量的教育是满足每个孩子的发展。“每一个”说明孩子之间有差异，“为了每一个”则是学校的使命，它要求我们面向全体学生，尊重他们在成长过程中表现出来的才能和品德的差异，承认学生发展应当依据自己的特点，选择适合自己的发展方式。

自主德育理念的确立，是时代发展的必然要求，是学生自身品德形成的需求，是学校德育增效之基，是学校道德教育的至高之境，也是我校以“做最好的我”为核心目标的自主发展整体构架的有机部分。

4. 自主德育的理论支持

当代美国著名道德教育理论家劳伦斯·柯尔伯格曾经说过：“道德哲学和道德心理学是探讨道德教育的两个基本领域。对于道德教育的理论和实践来说，哲学的沉思和心理学的阐释不可或缺。”在当代教育领域，从哲学和心理学的视角考察道德教育问题的理论家很多，但我们认为，以下几种理论更有助于我们正确理解和把握自主德育的内涵和其蕴涵的教育哲学思想。

（1）主体性德育理论

主体性德育是当前德育改革的关键，它促使德育目标、内容、方法的理论层面和实践层面都趋向于从传统的规范性向主体性方向发展。主体性是人性的核心，是人所具有的本质特性，它一方面表现为人对客观世界规律自觉能动的掌握，另一方面表现为人的自觉能动的创造。德育的实质是育“德”，培养人的思想品德，而主体性德育是以人的主体性为出发点的。主体性德育是以社会发展的要求和人自身的需要为出发点，教育者通过引导启发受教育者内在的德育要求，以培养创设相应的德育环境，调动和激发人的自觉性、自主性和创造性以促进人的品德发展，培养主体性人格的教育活动。①

自主德育正是在唤醒学生主体意识的基础上开展的，自主德育倡导发挥人的主体能力，引导学生在认识和实践的过程中受到教育，获得成长。这与主体性德育是一脉相承的。当学生的主体意识被唤醒，产生主动成长、主动发展的强烈愿望时，德育工作就会变得简单而富有实效。

（2）杜威的生活教育理论

杜威的生活教育论也带给了我们很多启示和实践的指导。主要体现为以下几点。

第一，道德教育应回归“以人为本”。审视杜威关于道德本质的论述，给我们的启示是：人创造道德绝不仅仅是为了给自己制定一种必须

---

① 刘海珍，主体性德育是当代德育发展的趋势［J］．教育与职业，2006（36）．

服从的清规戒律以接受道德的奴役，而是为了使人性更加丰富和完善，使人的生活更加美好，因为道德是人进行自我认识、自我发展、自我完善的一种特殊形式。因此，在进行道德教育时，要从人本身、人的需要和发展出发考虑道德的本质、存在价值及其形式，让道德教育回归到从人出发，按照人的方式，以“成人”为目的的活动这一本真状态中去。道德教育的目标也不应是教给学生一套固定的道德知识或训练一套机械的行为，而是为学生创设一种有道德的生活情境，让学生通过亲身体悟和自主选择，养成一种向善嫉恶的行为方式，成为一个有德性的好公民。

第二，道德教育应回归生活。道德不仅是生活的内在组成部分，而且道德之为道德的种种要素也只有在人的生活实践中才能得到完善的结合和统一。因此，要培养一个人健全的德性，就必须通过主体的实际道德生活来实现。而目前，我国学校德育仍主要被“知性德育”范式所统摄。这种道德教育把道德和生活中其他因素分割开来，使道德教育疏离了人的生活世界，从而使本应极具生命活力的道德教育活动蜕变为对规则的盲从和机械的行为操练，这非但不能促成学生德性的生成和生长，甚至还可能导致学生精神、人格的分裂。让道德教育回归生活应是走出这一困境的唯一选择，也是杜威德育思想给我们的又一启示。一方面要从学生的生活现实、生活需要、生活中的问题和困惑出发，按照生活的逻辑而不是学科的逻辑来构建课程结构、课程内容；另一方面，要让学生通过“过道德的生活”来生成道德。在“过道德的生活”中，体验和感悟社会的道德要求，反思自己的行为，追求自己的道德理想，进而生成自己的德性品质。

第三，构建全员参与的德育机制。长期以来，我国的学校习惯于把德育当成一项工作来抓，并建立了与这项工作相配套的机构和制度，如设立德育处，安排专兼职结合的德育工作者。学校把德育作为一项工作来抓，其本意是要加强德育，但这种好意却改变了德育是学校教育最终目的的性质，无形中贬低了德育在学校工作中的地位。一方面，德育是学校众多工作中的一项，因此哪怕是最重要的，也有可能随着学校工作重心的转移而出现顾此失彼的现象；另一方面，设立专门机构、安排专门人员从事德育工作，会使其他人认为德育不是自己的工作，与自己无关，由此便妨碍了学校全体教育工作者参与德育的积极性。这也是目前越加强德育工作，德育实效性越差的重要原因之一。杜威德育思想给我们的启示是：德育必须渗透到学生生活的各个方面，不仅包括校内生活，也包括校外生活。学校生活的各个层面，包括学校的教学方法、学科的组织形式、学校的管理以及教职工有意无意的言行，都会对学生的道德成长产生重要影响。因此，在道德教育中，要尽可能地淡化德育的“工作意识”，强化德育是学校教育根本目标的“目的意识”。唯有如此，才能赋予学校其他教育工作者以及其他课程共同承担培育德性的重任，构建处处育德、人人为师的全员参与的德育机制来促进学生道德的生成和发展。

第四，重塑师生关系。道德既不是固有“道德种子”的自然成熟，也不是单纯外部环境影响的结果，而是主客体相互作用的产物，“道德、理智发展的过程，在实践和理论上乃是自由、独立的人从事探究的合作的相互作用的过程”。杜威的这一思想以及人的思想品德的形成和发展规律，要求我们在进行道德教育时，必须使师生关系由传统的主客体二分关系走向主体间“我与你”的关系。在道德教育过程中，教师不应把学生当做物看待，而应把学生当做一个和自己具有某些相似或相近的、活生生的人看待，把学生当做“具有潜在性与现实性的特定人格，……把他视作伙伴而与之相遇。”唯有建立在这种关系上的道德教育，才能使学生以语言、符号为媒介，通过与教师和同伴互动，交流经验，扩大、改造、推进各自经验向更高层次发展，并最终促进师生双方德性的生长。

(3) 马斯洛、罗杰斯的人本主义心理学理论

人本主义理论认为自我实现是人类最基本的动机。人类都有一种自我实现的需要，即最大限度地实现自身的各种潜能的趋向。因此，他们认为人都是“积极主动的、自我实现和自我指导的”。这是人本主义心理学理论的核心。马斯洛认为人有一种“似本能”的基本需要，这是

一种内在潜能和趋势。他把人的基本需要由低到高分为五个层次，即：生理需要、安全需要、归属需要与爱的需要、尊重需要以及自我实现的需要。他还指出，驱使人类的还是这些始终不变的、遗传和本能的基本需要，它们不仅是生理的，也是心理的。马斯洛认为，心理健康者就是那些“自我实现者”，这些人获得了最大限度的发展和能力的充分利用，以及潜力的全部完成。

人本主义心理学的另一位代表人物罗杰斯，提出了“自我概念”，认为“自我概念”是在人自我发展过程中，在与环境和别人的接触和相互作用中逐渐形成的。自我概念包括人对自己的认识以及对他人价值标准的认识。罗杰斯认为，在人际交往中，人总是愿意自己的行为受到别人的尊重。当一个人的行为产生了积极的自我体验，同时又得到他人的肯定时，他的自我概念是准确的，他的人格就能正常发展。但如果他的个人体验与他对自己的要求评价相抵触时（这时，他可能得不到他人的尊重），他就有了能采取歪曲和回避真实情感的办法，以缓和受尊重和自尊的需要与个体体验之间的矛盾冲突。也就是说，一个人如果只知道按照别人的看法和评价去做，为此不惜改变自身的标准，其结果是使自己失去标准，这样就会使自我概念发生歪曲，从而也就可能导致心理上的混乱。罗杰斯人本主义心理学理论的核心是强调对人的尊重、人的价值、情感、自我实现、接受别人和被别人接受、人在现实生活中产生的真实感受、体验和经验等。他认为“每个人都具有自身的尊严和价值，因而是值得尊重的；每个人都有通过自己的努力达到自我实现的能力和权利，并且只要给其机会，都能做出明智的判断；每个人都能够选择他们自己的社会准则；每个人都能够学会建设性地承担社会责任；每个人都有能力处理他们自己的感情、思想和行为；每个人都有潜能发生建设性的变化和推进个人发展直到自我实现”。他认为，如果教师能设法创造一种真诚、尊重和理解的气氛，就会产生令人鼓舞的教育效果。

人本主义心理学强调人的价值意义，独立自主的人格，强调人所具有的现实潜在能力，帮助人们认识到自身价值，发现真正的自我，对自己的成长负责，使他们向着自我实现的目标前进。

透过纷繁复杂的观点和论证，我们可以看到，无论是主体性德育理论、杜威的“生活教育理论”，还是马斯洛、罗杰斯的人本主义心理学理论，都是以反对传统道德灌输作为理论基础和出发点，希望把低效的学校德育从注重具体美德传授中解脱出来，牵引到解决道德问题能力的培养上去。高扬作为人的个体价值存在，强调人都是“积极主动的、自我实现和自我指导的”，反对德育“目中无人”，重视学生在德育过程中的主动地位，反对把活生生的人简单化、机械化和客体化，体现了人类主体性的觉醒。我们的自主德育理念吸纳了这些理论流派的思想精华，强调以人为本，尊重学生、信任学生、依靠学生、发展学生，把学生作为一个真正的人来教育，让学生在民主化和制度化的生活中学会民主，学会用制度看护心灵，相信他们能够管理好自己、发展好自己。我们老师要做的，就是给学生一个良好的生存和发展环境，实现学生素质的全面提高和发展，为未来社会培养合格的公民。我们的自主德育理念是对主体性德育理论、杜威的“生活教育理论”和马斯洛、罗杰斯的人本主义心理学理论的再发展。

二、做最好的我：自主德育的核心目标

我们希望中关村第一小学的学生能够“品德成人，学习成才，做事成功”，我们鼓励学生人人“做最好的我”，力求点燃每个学生的心灵之灯。“做最好的我”需要人人努力，人人不同，人人都好。《论语·里仁》中讲：“见贤思齐焉，见不贤而内自省也。”在追求“最好”的过程中，更应该强调内心的自省和反思。我们相信每个学生都是重要的，每个学生都是独特的，每个学生都是变化的。每个学生的教育起点不同，作为教育者，在学生培养过程中我们要尊重每一个生命，把学生当成真正的人，承认并尊重人的差异，真正做到因材施教、扬长避短，尊重并激发学生自主发展的动力，让学生在多元的评价和自主活动中体验成功的自信，看到自己的成长，形成新的发展动力，追求自我的“最好”，为学生的幸福人生奠基。

“做最好的我”是我校自主德育的核心目标，是整个自主德育工作的出发点和归宿。要想使自主德育的目的落到实处，真正得以实现，就必须对道德教育目标作层层的分离解析，使之“具体化”，成为一个多层次、多方面的道德教育目标体系，变成具体的教育教学目标，这样才能使道德教育目的顺利实现。

1. 构建自主德育实施框架

“自主发展，主动适应，自我超越”是我校的办学思想，在办学思想的指导下，学校从机制与管理系统、教学系统、课程与资源系统、领导力建设系统等方面构建了独特的自主发展办学目标体系，自主德育也成为目标体系中的一个核心要素，在此基础上，学校进一步构建了自主德育的实施框架。

确立一个核心	强调两个尊重	落实四个关注	倡导五个学会
立足学生未来，培养主动成长的人	尊重学生个体发展差异	关注营造和谐的师生关系与同伴关系	学会自理
			学会自信
		关注创设有利于学生主动成长的德育设计	学会自尊
	尊重学生表达的自由	关注德育过程中学生的情感体验与感悟	学会自律
		关注德育过程中对学生的多元评价	学会自立

2. 确立以培养自主能力为中心的德育目标体系

基于自主德育的育人理念，学校首先确立了以培养学生自主能力为中心的目标体系。

	道德认知	道德行为	道德信念	道德目标
低年级	充满爱心、尊重他人、学会合作、遵守纪律	牢固掌握各学科的基础知识及基本技能、敢于质疑	健康、快乐、自信	具备生活自理能力
中年级	自尊心、法制观念	具有获取信息的能力、较强的运用知识解决实际问题的能力	积极向上、具有一定抗挫的能力	积极的参与意识、一定的自我心理调节的能力
高年级	社会责任感、义务感、自律精神、遵纪守法	组织、筛选信息能力、创新意识、自我反省、自我调控能力	敢于创新，迎接挑战的勇气、意志品质坚强	具有较好的自我管理能力

3. 小处着手，细化自主德育行为目标

为了使我们的自主德育行为目标既从充分思考培养和造就具有创新意识和能力的优秀人才的大处着眼，又从言谈举止的小处着手，贴近生活、贴近情感，我们分层次提出了“三个学会”、“四个多一点”和“五个一个样”的行为目标。

三个学会：学会说话、学会走路、学会冲厕。

四个多一点：多一个微笑，多一声问好，多捡起一片垃圾，多伸出一次援助他人的手。

五个一个样：守纪律老师在与不在一个样，做值日有人检查与无人检查一个样，做作业家长管与不管一个样，环保节能周围有人与没人一个样，做好事被夸奖与没被夸奖一个样。

三、在自主中成长：自主德育的实施路径

在实施自主德育的过程中，我们一直在思考：如果把孩子们比喻成一个圆，那么教师应该站在哪里呢？是站在圆心上，还是成为圆周长里

的一个点？现在我们已经找到了答案，老师应该站在圆圈之外，给予学生及时的支持和帮助，真正把世界还给孩子，让孩子成为主人。在明确角色定位的基础上，学校不断探索促进学生主动成长的实施策略。

（一）三个学会，明确学生道德行为规范

良好的行为是道德品质的外在体现，心理学的研究发现，小学阶段是培养道德行为习惯的最佳时期。对于小学生来说，有许多道德品质可以从培养行为习惯开始。德育就是生活本身，德育教育应该从书本走向生活。这就需要我们的德育无论内容还是形式，都要贴近学生的生活。“少成若天性，习惯成自然”，培养学生具有良好的道德文明礼仪，既要从大处着眼，更要从言谈举止的小处着手，贴近生活、贴近情感，让他们从细节和点滴做起，养成良好的文明习惯，力争做到最好。

“天下大事必作于细，天下难事必做于易”，基于对我校学生具体问题的前期调查和深入分析，我们提出“三个学会”，即“学会说话，学会走路，学会冲厕”，确立各年级“三个学会”养成训练点，从大处着眼，从小处入手，通过切实可行、丰富多彩的教育实践活动，培养学生出言有训、行之有范的意识和习惯，使学生确实感觉到德育就在我们的身边，就在坐立行走、言谈举止之中，为学生奠定做人的基础。

礼仪文明——学会说话

通过观察我们发现，有的学生在日常交谈中，不注意控制音量和情绪，经常会出现的现象；有的学生在公共场合不懂得尊重他人，无视公共道德，大声喧哗，甚至以故意发出刺耳尖声为乐；有的学生在课堂发言时表达效果不佳；有的学生在与他人讲话时眼看他处，目光游移，缺乏自信……针对以上情况，经过讨论和研究，大家一致认为对学生进行文明语言训练及公共场所礼仪教育实有必要。因此提出了我们第一个德育目标——教学生们“学会说话”。

行为文明——学会走路

走路是人的基本技能，但在校小学生日常身体受伤事故调查结果反映，学生受伤事件的70%与行走不当有关。在校园里，在课间休息时，

我们随处可以看到学生在教室、楼道、操场上追、跑、打、闹，横冲直撞，如入无人之境，这种无序的环境既非学校应有的秩序也必定造成安全隐患。为了保护学生在校安全，营造良好的、有序的校园环境，我们给学生提出的第二个德育的具体目标就是“学会走路”。行为习惯从抬腿举步开始，日复一日，由他律到自觉，由偶尔为之到长期习惯养成，在不知不觉中，学生的外在行为与内化道德紧密相连，由同质的行为训练、情感体验铸成自身的道德力量和心灵秩序。学校开展的“我来制作提示牌”的活动中，有的学生这样写道：在跑道上，越快越好；在楼道内，适中为好。

卫生文明——学会冲厕

经过观察，我们发现：多数学生上厕所后没有冲厕的习惯。冲厕的行为看似简单，但这举手之劳的行为却能给别人带来舒适的用厕环境，只有每个学生都注重日常生活中小事上的修养，才能给校园带来清新的气味。因此，我们提出“洗手间的文明”，把洗手间作为一面镜子，让每一位入厕的学生照一照自己的行为——你是不是一个讲卫生，心中有他人，尊重他人的文明人。这也正是我们把“学会冲厕”这看来很基本的生活要求列为学生德育第三个具体目标的原因。

基于以上认知，提出“三个学会”道德行为规范后，教师们集思广益，结合学生情况，进一步将“三个学会”的目标具体化，根据学生年龄特点，制定低中高年级养成教育训练点，按照“积极引导—故事寓理—勇于体验—及时反馈—巩固绩效”的方法，引导学生自愿地参与道德实践，建立了学校—家庭—社会的教育宣传链，形成了年级、班级互动，师生、生生互动，人人知晓、处处落实的全员德育氛围。

各年级养成训练内容如下。

年　级	学会说话	学会走路	学会冲厕
一、二年级	1. 进校前整理好自己的衣服，不吵闹	1. 进出校门精神好，不追、不跑、不拥挤	1. 用厕后学会冲厕，并将厕纸放进纸篓
	2. 进校门主动面向师长，停下脚步，行鞠躬礼	2. 校园内守秩序、不猛跑、不打闹	2. 提醒同伴冲厕，不往便池里扔废弃物
	3. 课堂上回答问题声音洪亮，小组讨论不影响他人。不打断他人的话	3. 出入教室、上下楼梯右行礼让、不拥挤、不抢行	3. 互相帮助冲厕，注意节约用水
	4. 会使用文明礼貌用语：请、您、您好、谢谢、再见、对不起、没关系	4. 教学区内学会轻声慢步	4. 爱护洗手间里的公物
	5. 在公共场合学会轻声说话，保持教学区内安静	5. 教室内脚步轻、安全礼让、避免磕碰	5. 不在厕所内嬉戏
	6. 用餐时学会不说话		
三、四年级	1. 进校门主动面向师长问好，并行队礼	1. 进出校门精神好，不追、不跑、不拥挤	1. 如厕后主动冲厕，并将厕纸放进纸篓
	2. 课堂上回答问题声音洪亮，小组讨论不影响他人	2. 校园内守秩序、不猛跑、不打闹	2. 互相提醒、主动帮助低年级同学冲厕
	3. 和老师、同学说话时，不打断他人交流	3. 出入教室、上下楼梯不拥挤，按秩序走	3. 注意保护厕所环境卫生
	4. 使用文明用语，见到客人，大方回答客人提问	4. 礼让客人、老师及低年级同学，男同学学会礼让 女同学	4. 节约用水、保护公物
	5. 在公共场合学会轻声说话，保持教学区内安静	5. 进入教学区轻声慢步行	5. 不在厕所内嬉戏
	6. 用餐和集会时不说话	6. 走路时挺胸、抬头、鞋不拖地	

续表

年 级	学会说话	学会走路	学会冲厕
五、六年级	1. 进校门主动面向师长问好，并行队礼	1. 进出校门精神好，不追、不跑、不拥挤	1. 如厕后养成冲厕习惯
	2. 学会适时适度地与他人交流，不随意打断他人谈话	2. 出入教室、上下楼梯不拥挤，按秩序走	2. 保持厕所环境卫生，尊重他人劳动成果
	3. 与人交谈时，谈吐文雅，仪态大方，有礼有节	3. 出入教学区，轻声慢步靠右行	3. 相互督促、检查，主动提醒他人合理、节约用水
	4. 在公共场合学会轻声说话，保持教学区内安静	4. 礼让客人、老师及低年级同学，男同学学会礼让女同学	4. 主动宣传如厕文明，给低年级同学树立榜样
	5. 集会时认真听，不随便议论	5. 走路时挺胸、抬头、自然大方、不松懈散漫	
	6. 用餐、集会时不说话		

知易行难，在明确各年级的养成训练目标之后，我们在全校展开了系列活动：利用学校的广播、班会和年级集会等形式，对学生进行“三个学会”的教育：向全校同学征集“文明小使者”的徽章设计，总结表彰“文明小使者”和“文明标兵班”；举办“‘三个学会伴我成长’——播撒习惯的种子，收获文明的果实”大型主题教育活动；开展主题为“我为自己喝彩”、“三个学会”学生论坛等活动。我们还编写了“三个学会”童谣，深受学生喜爱并广为传唱：

“三个学会”童谣

道德规范谱新篇，三个学会记心间；

一小少年齐动员，文明使者在身边。

一学说话有礼貌，谈吐得体轻声调；
眼望对方面带笑，主动行礼问声好。
课上发言声洪亮，小组讨论轻商量；
课间活动不叫嚷，安静用餐要提倡。
二学走路秩序好，避免拥挤不追跑；
上下楼梯右边靠，轻声慢步不打闹。
教室内，脚步轻，相互礼让免磕碰；
坐如钟，站如松，走路抬头要挺胸。
三学冲厕讲卫生，便后厕所及时冲；
厕纸放入纸篓中，手中杂物不乱扔。
洗手间里不打闹，便后洗手要做到；
学会轻关轻拉门，卫生环境大家保。
文明使者你我他，道德规范靠大家；
三个学会做得好，一小少年人人夸！

这朗朗上口的童谣提醒着每一位同学要争做一名文明小使者，现在学习“三学会童谣”已被列为学生新生入学后的一门必修课程。“学会说话、学会走路、学会冲厕”这三个明确、具体要求的提出，意义在于帮助少年儿童从小做起，在获取知识的同时获得一种为人处世的根本。因为德育的内涵就是要把学生培养“成人”，一个“大写的人”，具备身心健康、符合社会规范的公民，只有把小事做到最好，才能谈得上将来做大事。当然，任何理念的实施都不是一蹴而就的，在这个过程中也必然会出现问题和反复，需要全员的努力和不断的坚持。

据此，学校将德育根植于每一个触手可及、触目可感的细节，从升旗礼仪、诚恳待人、作业习惯、同伴互助等方面进一步引导学生不断思考、实践与固化新的道德行为养成点，基于“三个学会”的日常行为规范，提出了“四个多一点”，即多问一声老师好、多提醒自己轻声慢步、多俯身捡起一片垃圾、多主动冲干净厕所，这一德育新主张来自于学生的实践与反思，有效规范了学生的日常行为习惯。同时，根据我校学生特点，确立了小学生十个文明好习惯：①升降国旗、奏唱国歌时自觉站立行礼；②过马路时要走人行横道，不闯红灯；③主动使用文明用语，不说脏话；④爱惜粮食，不偏食，不挑食；⑤公共场合轻声说话，不打闹；⑥不说谎话，有错就改；⑦不扔废弃物，爱护花草树木；⑧对他人的困难给予力所能及的帮助，并能参与学校及社区组织的公益劳动；⑨勤学好问，完成作业及时、准确、效率高；⑩不浏览不适合儿童的网站，合理使用网络。

就这样，学生们从最小的事情开始，理解了这些事情背后的美德。认真做好生活中的每件小事，力争做到最好，逐渐成了学生的一种价值追求。这一切也必将会对学生的将来产生极大影响。

（二）主动参与，做一个有责任感的人

责任心是人立足于社会的基本要求之一。责任心可以养德，更可以树德。责任心一旦成为一种群体行为，其含义就不仅仅是责任二字本身。它代表一种理性，一种精神。要让我们的学生有一种责任意识，就应该为他们创造实践的机会，让学生在主动参与的过程中感受责任，懂得责任，最终成为一个有责任感的人，并逐步做到最好。

1. 航天精神在心中涌动

在我们学校的荣誉室里，有一份特别珍藏的礼物，那是由航天英雄杨利伟先生申请的“公证书”，公证事项为“飞船搭载物保全证据公证”，飞船搭载的是我校宇航中队写给航天员叔叔的一封信：

我是中关村第一小学宇航中队的一名队员，“神五”发射成功后，中华民族终于圆了五千年的飞天之梦，我们的伟大祖国能跻身于世界航天大国之列，我感到无比骄傲……

那是在2003年那个金秋，当得知我校的学生家长——杨利伟将成为我国航天第一人时，我们就想：这是一个多么好的教育契机呀。充分

发挥在我校就读航天人员子女的优势，成立宇航中队，让全校学生以英雄为榜样，让航天精神常驻我校，常驻学生心中！于是我们筹备了载人航天成功的庆祝活动，向少工委报告申请成立“宇航中队”。

随着“神舟五号”飞船的发射成功，我校的三（4）中队光荣地被北京市少工委命名为“宇航中队”。在“宇航精神伴我成长”的主题队会活动中，同学们一起回顾了我国的航天历程，观看了航天资料，了解了航天精神。让学生们感动的是为了“神舟”五号载人飞船成功，14名航天员中仅可选出一人升空，但每个人都为升空刻苦训练。很多航天队员甘当人梯，紧密团结，形成一个令人振奋的集体。还有无数的航天人长年累月默默无闻、尽职尽责地战斗在各自岗位上，他们奉献了青春年华，奉献了聪明才智，奉献了热血汗水。在队会结束后学生们立下誓言：“我们同样生活在集体之中，应该互相帮助，共同进步；同学有困难时，我们伸出热心之手，与他共渡难关；集体有事大家都竭尽全力做好，为集体的优秀贡献力量！”

2005年4月20日，宇航中队的全体队员来到了盼望已久的航天城开展“我当小小航天员”的主题活动。从学生们专注的表情和渴望的眼神里，我们读出了他们内心对宇航员的敬意，因为他们真正懂得了航天精神“特别能吃苦、特别能战斗、特别能攻关、特别讲奉献”的真正含义。正是因为有了这种从中华民族宝贵精神财富中经“航天人”凝聚升华出来的精神，才有了扬国威震民气的“神舟”飞天。航天精神教育我们的学生不能为一次小小的失败而灰心丧气，要知难而进，踏踏实实、充满自信地攀登求学之峰——这就是教育的延展。

“宇航中队”这个集体，几年来由一个普普通通的中队发展成为了一个能吃苦、能战斗、讲奉献、品格过硬的中队，在方方面面都取得了显著的成绩，还评选出第一批获得“宇航章”的同学。在一次班会中，我们听到航天英雄杨利伟先生的儿子成长变化的过程。

“记得2006年的春天，我们中队接到了参加市红领巾读书科普剧比赛的通知，每天放学后我们开始排练节目，那段时间我们不仅要完成各科学业，还要抓紧时间背诵大量的台词。就在比赛的前三天，我突然发起了39.8度的高烧。老师知道我发烧心疼地劝我别来了，可是我觉得我是一号演员，我不到位别人都不能排练，所以最后咬牙来到学校排练。排练中我浑身发冷，没有一点儿力气，但是看到别的同学都那么投入，那么认真，我咬紧牙关坚持了下来，排练结束后我才去输液，我知道我是杨利伟的儿子，是宇航中队的一员，我要铭记宇航精神还把它发扬光大。最后我们的节目也取得了市级一等奖的好成绩，我很自豪也很骄傲，我做了最好的自己。”

听了这感人的独白，我们相信：离开母校，走向中学的宇航中队的学生无论今后走到哪里，都会发扬宇航精神。为了把这一精神继续传承下去，我校在其他年级相继成立了宇航中队，将宇航精神渗透给每一个学生，辐射到每一个家庭。人是要有一点精神的，一个国家、一座城市、一个学校都要有相应的精神，民族精神、城市精神和学校精神，任何人和事的发展都离不开精神的支撑。在宇航精神的感召下，我们又提出了中关村第一小学的学习精神，即：特别有恒心、特别有信心、特别有耐心、特别要专心。

2. 小储蓄，大收获

学生习惯的培养要从点滴小事抓起，利用契机引导学生在活动中养成习惯，并在活动中进一步巩固学生的良好习惯，逐步形成良性的循环。

2008年奥林匹克运动会在北京召开的前夕，中国沸腾了，北京沸腾了。我们校园也成了节日的海洋，全体师生欢欣鼓舞，无比振奋，强烈的民族自豪感油然而生。我们在欢喜的同时，也在思考学校教育能够为迎奥运做些什么？怎样以迎奥运为契机，促进德育工作？我们再一次地审视几年来我校的德育工作，我们以培养学生良好的行为习惯以及培养礼仪、礼貌、礼节为重点内容，号召学生做一个“文明人”，并鼓励他们养成良好的行为习惯。

文明素质的提高是一个系统工程。我们将奥林匹克精神的传播与未成年人思想道德建设和文明习惯养成教育有机结合起来，开展以“深化三个学会，为奥运北京添光彩”为主题的特色奥运教育活动，并根据不同年级的年龄特点，制定出年级的阶段性目标，在学生们中开展了“争当奥运文明礼仪小使者”的活动，学生们兴趣高涨，积极践行，通过学习奥运礼仪知识，与家长共同设计文明小使者胸卡，自编文明礼仪童谣，描画文明礼仪行为，开展国际礼仪知识竞赛，组织少年礼仪 DV 风采大赛等活动，涌现出大批文明小使者、文明标兵班。正像学生们在开学典礼上说的：“在新的学期里我们将继续开展‘三个学会’活动，为了迎接奥运会的到来，从身边一点一滴的小事做起，让‘人文奥运’不只是口号，在‘三个学会’的指引下共同唱响绿色奥运的主题曲，来营造我们和谐美丽的校园。”

2007 年寒假，结合学校的“节约意识”教育，学校给每个学生准备了一个存钱罐，让学生管理好自己的压岁钱。当存钱罐发到学生手里之后，五年级的王老师问了学生一个问题：“存钱罐能储存什么?”有的学生说：“能储存压岁钱!”有的说：“能储存零花钱!”还有的说：“能储存漂亮的小卡片!”“能储存文明习惯!”“文明习惯能放进来吗?”有的同学提出了疑问。“能，当然能！咱们每个人在假期的生活中都要开展各种各样的活动，我们在假期按照三个学会的要求去做，将文明习惯带入家庭，每次自己做得好，就写一张小卡片，把它放到存钱罐中，开学比一比谁存得多!”“那就不能叫存钱罐了，要叫储存罐!”我们感叹于学生们的灵活思维，赞叹学生们的不俗想法。所以在 2008 年 1 月 25 日寒假通知中，加入了一项自主完成的作业：为了激发少先队员参与奥运的热情，寒假期间，请同学们利用学校发给每个学生的奥运礼物——储存罐，开展“迎奥运 我储存 我行动”活动，以实际行动迎接 2008 年北京奥运。假期还没结束，我就接到了家长的电话：“刘校长，你们今年开展的‘迎奥运 我储存 我行动’活动很好，我儿子不但学会节俭，还每天都认真按照学校要求去做，文明行为有了很大的进步，谢谢学校!”

正如俄罗斯教育家乌申斯基所说：“如果你养成好的习惯，你一辈子都享受不尽它的利息；如果你养成了坏的习惯，你一辈子都偿还不尽它的债务；坏习惯能以它不断增长的利息让你最好的计划破产……”良好习惯是健康人生之基，习惯决定人的命运。一个小小的存钱罐当你赋予它责任时，也就能带动学生的自主行动，促进学生良好习惯的养成。

3. 让有限墙壁成为无限教育资源

苏霍姆林斯基说过：我们的教育应当使每一堵墙都说话。但我们思考的是墙壁说谁的话？与谁说话？怎么说话？

墙壁说谁的话？我们到学校参观，经常看到名人画像，小学生守则和小学生日常行为规范的条幅，试问：这些墙壁说的是谁的话？我们认为教室的每块墙壁都应该是学生的世界，说的应该是富含童真童趣的学生的话，虽然看似粗糙稚嫩，但表达的是孩子自己的心声，展示的是孩子自己的个性。学生们在学校门厅的柱子上张贴“个人秀场”，他们把自己的特长用文字、图片等形式展示出来，供全校欣赏。这样的展示既美化了校园，又给了学生充分的展示空间，学生们在默默地学习他人的长处，汲取进步的力量。“个人秀场”提升了学生自我认知的能力，同时，也进一步挖掘了学生的潜能，有利于学生形成不同的风格，做最好的我。在此基础上，学生们主动在楼道墙壁张贴自己的作业，张贴自己的绘画作品。那一幅幅五彩斑斓的绘画作品，那一篇篇整洁的作业，无不在默默地诉说着同学们的才华，表达着同学们那一份爱校如家的心情。教室在同学们的精心装点下，逐渐成了学生们最喜欢的地方。他们在教室的墙壁上设立了各种不同的专栏，有“留言版”，有“小作家园地”，还有“个人书画展”等。这样的栏目定期更换，学生们陶醉其中，爱校爱班之情自然流露。学生自主构建的墙壁文化，形成了健康向上的教育氛围，给学生一种积极向上的力量，对学生的心灵起到了熏陶升华的作用。

墙壁与谁说话？如果学校墙壁文化是静态的，那它只是形象工作，要充分挖掘它的育人功能，必须注重它的互动性和生成性。在我们的校园，还有一道独特的风景线——校园贴吧。在灿烂的葵花丛中，有一块白板，上面张贴着学生的自由发言，学生在这里可以畅谈自己的看法，可以对学校工作提出建议，也可以吐露心声，还可以发出倡议……目前，这个小小的空间，已经成为学生们最喜欢的地方之一。校园贴吧的设立给学生们提供了一个发表言论的空间，学生们发表言论的过程实际上也是一个自我管理的过程。他们在贴吧中经常会就学校发生的一些事情发表自己的言论，充分体现出了主人翁的责任感。同时，学生在校园贴吧中也会就一些问题展开辩论，在辩论的过程中他们不断梳理、修正自己的想法，也在不断悦纳别人、认同别人的观点，有时候，对别人观点的认同本身就是一种心灵成长的过程。小小的校园贴吧，为我们提供了一个倾听学生心声的空间，也为学生提供了一个思维碰撞的舞台，更为学生的自我管理、自我成长提供了一种可能。

墙壁怎么说话？如果在墙壁文化的建设中只是“给予”，学生就不可能养成主动参与的习惯，更不可能把自己当做学校的主人，学生作为学校主人的那种责任感的培养也就无从谈起。我校在校园墙壁文化的建设中，号召并引导每个学生参与其中，以主人翁的姿态装点校园的每个角落。鼓励学生个人或小组认领板块，放手让学生构思、讨论、书写、布置、装饰。学生参与的形式，调动了学生的积极性，发挥了他们的主观能动性，不但能充分培养他们的想象、实践、创新能力，使个人才能得到充分展现，而且也能培养他们团结合作的精神，增强班级凝聚力，增加集体荣誉感。

4．学生提案，让学生一同参与管理

自主德育理念注重学生的自主活动，强调学生的自主参与、自主体验、自主管理、自我教育，培养学生自主选择、自主评价、自主内化、自主控制的意识与能力，以实现学生的主动成长。随着三个学会系列道德行为规范的不断推进与深入，我们感受到学生自我成长的直接动力来自于自我服务意识与行为自律需要，促进学生主动成长应当贯穿于学生主动参与学校管理的整个过程中。学校始终坚持“以学生为本”的管理观，重视学生主动参与学校管理制度的落实，我校从2004年开始实施“学生提案”实践探索，学校每年定期进行学生提案的征集，鼓励学生结合自身学习生活情况，用自己的眼睛主动寻找、发现学校管理存在的问题，充分发挥学生民主参与学校管理的作用，尊重学生独立人格及其个性化思考，充分调动了学生积极参与的热情，逐步培养学生对个体自主成长氛围的认同感。

最初我们采用随机征集提案的方法，每学年进行一到两次学生提案的征集，鼓励学生对社会、家庭、学校、辅导员、班级管理、学校管理、少先队组织等各个方面提出意见与建议，从中发现并总结学生最关心的问题，由德育处整理成提案，提交给学校领导班子讨论，无论是否形成决议，对提案中切实存在的问题均要一一解决并落实。

这种随机征集提案的方式确实发现了一些问题，为学校管理与教育教学提供了借鉴，但是随着提案征集活动的逐步深入，我们发现许多学生，尤其是低年级学生对于提案征集活动本身缺乏正确认识，导致许多提案质量不高甚至无效。针对这种情况，我们印发了《学生提案征集活动学习指南》，从“什么是学生提案”、“征集学生提案的意义何在”、“提案征集过程中容易出现的问题”、“如何进一步提高学生提案的质量”、“优秀提案具备哪些要素”、“如何培养学生发现问题与解决问题的意识”六个方面，先对教师普及征集学生提案活动的相关知识，之后由各班教师带领学生进行学习，培养提高学生发现与解决问题的能力，并引导学生以小主人翁的角色积极参与到学校管理中来。

实践证明，这一举措行之有效，学生参与学校管理的热情明显地被调动起来，每学期举办提案征集时，学生提出的问题与建议更加具有针对性。除了手写提案表，学校的公共电子邮箱也开始陆续收到学生主动的投稿与建议，我们发现，定期征集提案的方式不能满足学生积极参与的需要，也不利于学校及时发现并吸纳学生的合理化建议。为此，学校专门搭建了一个独特的“中关村一小学生提案征集平台”，采取论坛发帖和电子邮件两种方式，学校每周进行汇总与提炼，月底统一答复，比较集中且重大的问题由德育处提出，学校进行统一协调管理。据此，学生能以最快捷的方式参与到学校管理与改革中来，受到了师生的广泛好评。

为了进一步激发学生参与学校管理的主人翁意识与责任感，保证提案的落实，学校编印了《优秀学生提案汇总》，每一到两个月，在众多学生提案中评选出两到三条优秀提案，并及时采取行之有效的措施予以落实。比如，五年级3班的小A同学针对课间操结束后学生来不及上厕所的问题，建议道：“我认为我们上操后应增加3分钟的上厕所时间，因为憋小便对人体有害。”对此，学校提醒教师们，课间操结束后的第三节课要给学生留出3—5分钟的机动时间；三年级6班的小G同学提出应该让尽可能多的同学上台主持升旗仪式。于是，2008年开始，我校开始尝试每班轮流主持升旗仪式，由每个年级自由申报，对于主持人、升旗手和音乐指挥的培训，则由一个班全权负责，辅导员适当指导。这一措施得到了全校学生的大力支持。提案征集让学生体会到了身为学校小主人的自豪感与责任感，让学生参与学校管理的实践，不但有利于学生独立人格的完善，更增强了学生的自我认同感。

校园的每个角落，都是育人的大课堂。要让学生视线所到的地方，都带有教育性，墙壁“说话”育人的功能才会真正得到加强。“近朱者赤”，一个幽雅健康的环境，无不影响着学生个性的培养、心理素质的锻炼，知识才能的增长及责任意识的强化，加强校园墙壁文化建设不仅是育人的需求，还直接影响和改善、调节校园和社会文化的大环境。因此，让学生亲自参与其中，努力创设和谐的校园文化，有利于陶冶学生情操，更有利于培养学生成为一名有责任感的人。

（三）自主组织，做一个有爱心的人

“感人心者，莫先乎情。”爱心教育不是干巴巴的说教，更不是冷冰冰的训话，而应是充满情感的体验和熏陶。给学生们机会，引导学生们自我组织主题活动，在活动中感受关爱，在活动中学会关爱。在这个过程中，学生收获的不仅仅是爱心，还有更多……

1. 送人玫瑰 手留余香

2008 年 5 月 30 日，春光明媚，微风拂面，花香阵阵，彩旗飘飘，学生们与往年一样举行了“送人玫瑰 手留余香 ”的中关村第一小学大型义卖活动。喧闹的会场上彩旗飘扬，大型的独特拱门矗立在会场源头，顺其进入，映入眼帘的便是 35 个不同主题而且个性鲜明的货柜，学生们自主设计的各具独特的装饰，使会场格外别致、壮观。义卖开始后，35 个卖场上，收银员、登记员忙得不可开交，呈现出一片热闹繁荣的景象。一个多小时的繁忙交易中，大家的情绪高涨，货柜前人头攒动，不仅有学生们的叫卖声、询价声，我们还时时看到老师和家长们积极参与的身影。由于时间有限，在活动快要结束时，居然有人喊出了“跳楼价”。两个小时后，35 个义卖捐款箱收获颇丰。

在别人眼里，也许只看到了一派喧哗热闹的景象，认为我们只是带着学生们在“六一”节前痛快地玩了一场。其实，正是在学生们积极参与、快乐享受的活动过程中，我校自主德育的教育理念得以充分的体现。它打破了传统的“说服式”教育的不足，把培养学生的道德情操落实到行动中来。学生在关心他人、关爱他人的行动当中，获得道德行为的愉悦体验，从而在实践当中形成对道德行为的认同。

小学生道德认知和道德判断的能力还不是很完善，但是他们的模仿能力很强。通过让学生亲身投入到爱心行动中来，让学生在模仿中形成对道德的感悟，这样的教育方式更容易被小学阶段的儿童所接受，德育的效度相对于纯粹的道德说教要高得多。学生们通过义卖玫瑰，在付出爱心的行动中，伙伴之间相互学习、相互提高，这也更有利于良好的德育氛围的形成。学生处在这样的环境当中，会不自觉地受到感染，学生的自主教育最终才能得以实现。此外，通过这样的活动，也能通过集体的力量来纠正个别的同学在日常生活中形成的不良习惯。“从众心理”也是小学生一个重要的心理特点。他们非常喜爱同学之间相互的比较，他们虽然有很强的个性，但也愿意和大多数的同学保持一致。所以，个别同学的良好示范将能起到很好的作用。

我们教育学生们常存关爱之心，以自己力所能及的力量给需要扶助的人以尽可能的帮助。2005 年，全校同学，历时两年，冒着严寒酷暑，用自己辛勤的双手，不厌其烦地捡拾一张张废纸、一个个易拉罐，并且把卖废品所得的钱款 11219.27 元，全部捐给希望工程北京捐助中心。

每次义卖活动前期，各班都要进行大量的前期准备工作。通过各种渠道了解那些需要帮助的学生的境况，在这个过程中，他们被同龄的学生们在极度艰苦的学习、生活环境中仍旧渴望读书的精神所打动，被受灾地区的小朋友们顽强不屈的精神所打动，于是纷纷从家里拿来平日最心爱的毛绒玩具、遥控汽车、装饰品、学具、图书……参与到义卖的活动中来。义卖活动所募得的款项不仅表达了中关村第一小学全体老师、同学的心愿，更表达了中关村第一小学家长们的心愿。每次活动的现场都会见到热情的家长慷慨解囊的身影，每当这个时候，我们都无比欣慰，无比自豪。因为我们精心设计的活动，也同样得到了家长的热情支持和肯定。

我们深知，学校是教育学生认知的学园，是启迪学生心智的乐园，更是让学生们幸福成长的家园，让学生们从小懂得“关心他人、帮助他人”的真正含义，在他们的生命中注入“关爱”的美德，是每一位教育工作者的责任，也是我们全社会的责任。在义卖玫瑰活动中，学生们收获着欢乐和爱心，老师们收获着满足和幸福，需要我们帮助的学生们则收获着关爱、温暖。活动不仅锻炼了学生自我协调和自我选择的能力，更使学生体验到帮助他人解除困难的幸福，从而构筑起一个高层次的人生境界。

2. 天使之爱，永驻人间

贡献一份力量，懂得一个道理，体现一份价值，使学生感受成功的自信，从而在内心形成良好的道德形象。

在 2008 年南方遭受特大雪灾后，我们向每位同学发出了“伸出关爱之手帮助受灾伙伴”的倡议书。信中深情地说：“同学们，当你在温暖的房间中玩耍时，当你与父母家人团聚时，当你尽情享受生活学习的美好时，面对这场巨大的灾害，我们不能忘记那些生活在贫困地区的人们，他们现在缺衣少食，生活痛苦不堪，多日来的大雪带给他们的无疑是生命中最大的一道坎，他们多么期待能有人帮他们一把，哪怕是一顿热饭、一杯热茶、一件暖衣、一句鼓励……我们不能允许肆虐的风雪对那些贫苦人群无情地折磨，我们不忍看到被长期贫瘠的生活打击的小伙伴们再次饱受灾害的摧残，我们不能无动于衷，我们要行动起来，伸出我们的双手，用我们的爱心构筑起一道坚实而温暖的洪流，点亮他们的生命，温暖他们的心。请同学们快快行动起来，给他们写一封鼓励的信，关注他们的需求，给予他们力所能及的帮助。有你，这个冬天不会冷。”

2008 年 5 月 12 日，四川省汶川县发生 8 级地震，这突如其来的自然灾害，牵动着亿万中国人的心，我们又在了解灾情发生后的第一时间，开展了支援四川灾区的系列活动，5 月 13 日全校师生为灾区捐款，其后又在全校开展“义卖玫瑰”活动，所得款项全部捐给灾区。当听说灾区的学生们学习条件和生活条件艰苦时，我校的少先队员们更是从家里带来了崭新的文具、图书，当在新闻中了解到灾区的学生们因地震的惊吓需要心理治疗时，少先队员们又自发为灾区的小朋友们制作爱心卡，与灾区的小伙伴通信交流，因为他们知道朋友的关心、鼓励会比医生的治疗更有效果。更令学生们兴奋不已的是信寄出后，居然收到来自都江堰太平街小学五年级 2 班朱志浩等小朋友的回信。在这来来往往的信件中让我们的少先队员看到了灾区学生们的坚强，更加深刻地认识到今天的生活是如此幸福。

在学校开展的援助灾区的系列活动中，学生们那实实在在的行动，让我们体会到了那幼小心灵中真挚的情感。灾难无情人有情，学生们在爱中成长，在爱中学会坚强，在爱中学会理解与奉献。正是这种贴近学生们的生活，并与时事紧密相连的教育活动使学生们深刻地感受到了自己在美德培养过程中的主动权，他们可以自主参与，发表意见，并自然而然生发出关心别人、扶助弱者的善良品质，同时获得成功的体验。与此同时，我们也成功地将德育融入学生最真切的生活，让学生们自觉地选择了对他人关怀，真正做到了“润物细无声”。

3. 志愿者在行动

一提起"志愿者"，大多数人首先会想到的是奥运会上那些仪态大方、热情周到的服务人员，他们以良好的形象展示在世界各国人民面前，给所有的人都留下了深刻的印象。

我校针对学生们的实际情况，开展了"我的校园我服务——志愿者招募"活动。在后奥运教育中，我们放手让学生们进行策划、组织。学生们根据平时的观察，提出他们的设想，参与到学校管理工作中，开发了各种志愿服务项目：礼貌志愿者、微笑天使志愿者、课间减音志愿者、楼道慢行志愿者、放学路队志愿者、早操服务志愿者、图书管理志愿者、班级卫生志愿者、校园美化志愿者、节能环保志愿者等。学生在十几项志愿项目中自主选取喜欢的小组，自行招聘组员，自主设计实施方案，落实具体计划。

在活动的过程中，同学们热情很高，图书管理志愿者为学校图书馆服务，管理书籍，打扫卫生，为大家营造良好的读书环境和氛围，让同学们更好地阅读书籍，爱护书籍，遨游在书的海洋中。同样，楼道慢行志愿者在课间牺牲自己的休息时间，在楼道中监督同学们不追跑打闹，大声喧哗，他们用自己的努力为学校添上了光彩，为学校创造了一份安静的环境，让同学们能心情舒畅地度过课间十分钟。在此基础上，学生们还主动开展了"学生小义工"活动，号召广大同学"人人都有小岗位"，学生们帮助学校大师傅码放饭盒，主动到操场捡拾落叶。学生们还开展了"啄木鸟行动"，他们主动到校园各处查找错别字、纠正错别字。同时，学生们开展了"我当校史讲解员"活动，主动承担校史讲解员的任务，为来访的客人讲解校史，受到了来宾们的交口称赞。

每天，当广大师生走进校门时，都会受到文明礼仪志愿者和微笑天使志愿者的热情迎接，他们那灿烂的笑容让每位进入校园的人都感到心情舒畅……自从有了这些志愿服务活动，学生们变得更加懂事了，他们更有爱心了，也更有责任感了，他们主动做着学校方方面面的小事。

学生志愿者传递给每个学生的不仅仅是一种帮助，一份关爱，更多的是一种力量，一种感动，一种情感。生活中总有一种力量，会震撼着我们的心灵；总有一种感动，会让我们泪流满面。当你不慎跌倒时，只要一抬头就可以看到关爱；当你走得疲倦时，只要一转身就可以找到依靠。你还奢求什么？学校所给予学生们的不就是这样的一种财富吗？

（四）自主管理，每个人都发挥作用

我们以“把班级还给学生，让班级充满成长气息”为指导思想，体现自主性，培养自主性，发挥积极性，提高学生个体和群体的自我教育能力，进行了一系列实践与探索，收效很好。

1. 拟订班规，自我约束

没有规矩，不成方圆，班规对学生是一种约束，一种引领，是学生发展的方向。我校各班以学校规章制度为依据，根据自己班级的实际情况在每一位同学直接、民主的参与下制定集体生活规则，让学生用自己制定的制度来约束自己，不断培养自我调控、自我管理的能力以达到自主管理的目的。具体做法是：首先，班主任通过事例让学生认识遵守班级制度的重要性，对良好班级制度的迫切需要。其次，把制定班规制度的权利交给学生，尊重学生的需求，让学生自己来。班主任把学校纪律、班规章制度让学生学习、讨论，根据学生实际问题，制定了有班级特色的班规——《班级公约》。班级公约是全班共同信守的制度，包括文明礼仪、学习常规、考勤常规、基本规范、卫生值勤、奖惩等多个方面，是班级学生活动的行动指南。班级公约具有权威性，是每一个人自我监督和规范的准则。班规的确定既规范学生的行为对学生起到了约束作用，又尊重了他们的个性，调动了学生参与班级管理的积极性，促进了良好的班风形成，收到良好的效果。班主任也不能游离于班级之外，必须服从规定。有的班级的学生就曾经将“老师上课不能使用手机”写进班规，而老师也曾经因为上课手机铃声响起而向学生诚恳道歉。

班规的用语倡导用描述性的、指导性的、富有亲和力和操作性的语言，如“连续一周准时出勤的同学可以获得一颗小星星”、“无意损坏公物的同学可以说明原因，根据实际情况或者负责修理，或者照价赔偿，或者正常报损”、“以上班级规章是我们共同制订的，相信我们也能够共同遵守”等。反对用传统禁令式的权威语言，如“不迟到、不早退、不旷课、上课不做小动作”，“不抄袭、不拖欠、不缺交，作业认真不潦草”等。

2. 定岗定责，班级自治

学生是班级的主角，班主任的责任就在于“千方百计使每个学生都有一个或大或小的受人重视（或尊重）的地位”，引导学生当好主角，使之具有自主意识、自治能力，使班级“事事有人做，人人有事管，人人有责任”。“五岗八长十员”责任制是我校学生自主管理班级的创新举措。

（1）“五岗”职责

文明礼仪岗——负责早晨、中午及小课间室前楼道秩序及地面卫生的维护；学生个人卫生、红领巾佩戴情况的检查。

秩序维护岗——室内秩序的维护和记录。

纪律督察岗——流动检查班级学生在校遵纪情况，并记录。

卫生督察岗——流动检查室内和卫生区卫生状况，并督促值日生及时清扫。

公物督察岗——负责班级公物管理情况的检查，并督促责任人及时整改。

（2）“八长”职责

花长：负责定期给教室的花草浇水、施肥、剪枝，保证教室四季如春。

帘长：根据采光需要拉窗帘，每月擦洗一次。

门长：负责教室门的保洁及装饰，每周擦洗一次。

桌长：每天负责检查桌子的摆放是否整齐；检查桌面及位洞的书包、学具摆放是否整齐；禁止同学在桌面上乱刻乱画。

椅长：每天负责检查桌子的摆放是否整齐；提醒督促同学放学时把

椅子扣在桌上。

灯长：负责照明灯具的开关及灯具维修的上报，提醒同学要有节能意识。

水长：负责水壶的摆放，保护饮水机，提醒同学安全用水、节约用水。

窗长：早来晚归，负责教室窗户的开关和保洁。

(3)“十员”职责

多媒体管理员——协助老师使用多媒体，做好保洁工作，保管好遥控和钥匙。

课间操领操员——组织带领同学做课间操，规范其动作。

眼睛保健员——组织带领同学做眼保健操，提醒同学安全用眼。

图书（阅读）管理员——负责班级图书角图书的登记整理、同学交换借阅的登记。

安全管理员——负责上下楼安全、监督学生有无登高临险现象。

墙面保洁员——负责教室墙壁和室前楼道墙壁的保洁、课间擦黑板、黑板槽的清扫。

地面保洁员——负责室内和室前楼道地面卫生的维护。

路队管理员——负责督促路对小组成员遵守纪律和交通规则。

卫生工具管理员——负责班级卫生工具的摆放整理。

校训、班训领读员——负责每天校训、班训及有关规则的领读学习。

“五岗”负责检查督促，“八长”、“十员”负责具体实施。

“五岗八长十员”可根据具体岗位工作的多少由一人或多人组成。

这样，班内初步形成了“人人有事做，事事有人做”的班级管理格局，层层落实职责，赋予相关权限，互不交叉，充分发挥每个学生的主体性和积极性。

3. 在自主管理中内化服务意识

我们坚持“自己的班级自己管”的思路，将班委会的职能由“管理评价”转向“激励服务”，班级评价检查的功能转变为为学生服务，将“干部是为群众服务的”意识植入孩子的心田。

结合家长提供的信息：魏巍想参加竞选，爸爸问他：“你为什么要竞选班干部?”魏巍说：“当班干部可以管人呀”，班主任召开班级圆桌会议，请学生就“怎样做一个被大家认可的班干部?”谈一谈自己的感悟。以下是同学们提炼的六点。

（1）好的班干部，不是老师喜欢的就行，能够得到所有同学的认可才是好的班干部。

（2）首先要以身作则，如果你连你自己都做不好，那么你就没有资格说别人了。

（3）要认识到：为同学服务，才是班干部的职责。

（4）当班干部最重要的是不能偏心，该管的就要管，不能因为是自己的朋友就讲私情，而且要以理服人。

（5）要懂得听取别人对自己的建议，努力改进工作。不要在老师面前一个样，在同学面前一个样，这样的班干部最不受欢迎。

（6）如果同学违纪了，事情要是不大，就不要告诉老师，给违纪的同学一个机会。如果同学犯的错误你解决不了，就要告诉老师，但你要去说他，提醒他。如果别人有误会你的地方，你要努力得到大家的理解，不可以灰心，也不要有报复心理。

（五）在自我反思与监督中自我完善

自主德育是在教师的指导下学生的自我教育，是学生循序渐进地从“他主”发展到“半自主”、“小自主”，最终过渡到“全自主”、“大自主”。在这个过程中，教师要将培养学生的自我教育能力贯穿始终。

1. 在自我认识、自我反思中自我调节

怎样让学生在成长的过程中，不断提高自我认识，保持积极向上的心态，保持昂扬向上的斗志，这是提高学生自我教育能力的关键，我们通过实验探讨发现以下几个方面的做法比较有效。

（1）坚持写日记、周记

要求学生及时把自己所看、所思、所感写出来，不断深化对自己的认识，以利于逐步提高自己。

（2）每天九问

我校某年级建议学生每天九问以提醒自己：

1）今天，充分利用时间了吗？

2）今天，上课积极动脑了吗？

3）今天，作业独立完成了吗？

4）今天，中队的任务认真完成了吗？

5）今天，主动帮助同学了吗？

6）今天，不懂的问题解决了吗？

7）今天，做了无效劳动了吗？

8）今天，爸妈正在干什么？

9）明天，我怎样去改变自己？

（3）建立自我档案

开学初，每个学生准备一个档案袋交给班上的档案管理员（一般五个学生一个档案员）。学生把自己学习、生活中的大事，如获奖、受罚、参赛等情况及时记录下来交档案员管理。每过一段时间，管理员要将存档的材料按正、反归类，并列成提纲交给学生本人，激励他们主动上进。期末，档案全部归还学生，让他们在寒暑假整理加工，写成小小自传，用于下学期交流。

（4）引发“优点爆炸”

针对部分学生在紧张激烈的学习竞争与自主管理中信心不足、畏难情绪严重的情况，班主任可以引导学生组织“优点大爆炸”活动。活动过程是：学生本人在书面准备基础上，寻找自己的优点进行演说；全班同学和老师帮忙找优点，并进行声情并茂的讲述，让一个个优点呈放射状爆炸开去，激励学生个体增强信心，进一步加强自我教育。

（5）开展“医疗”活动

各种缺点、错误是伴随着学生成长的“疾病”，对此，学生可以自主开展“医疗”活动，通过写病因、病状、发病时间、治疗方法、疗程安排等方式进行落实。

（6）学生给家长写信

给家长写信。根据学校要求召开部分学生家长联系会，在准备家长会的过程中，要求每个学生给自己的爸爸妈妈写一封信，谈自己在学校的学习生活情况，取得哪些成绩，存在哪些问题，都要如实给家长汇报，还要写今后的打算。这样做的目的有二：其一，促使学生对自己有清醒的认识；其二，让家长对孩子的状况及心里想法有一个认识，以取得家长的配合和支持。

学生写给家长的信，班主任老师不一定要审阅，学生可用信封密封，班主任只需检查学生是否写了，要给学生一定的空间。

2. 在自我监督、自我控制中自主导向

培养学生自控能力的关键是使学生内心建立起“道德法庭”，自己能对自己的思想、行为进行公正评判，正确辨别善恶美丑。这就要求教育者在尊重学生、相信学生的基础上，采用科学方法进行适当的监督帮助，坚持教育者他控和学生自控的辩证统一，努力实现由教育者他控向学生自控的转化。培养学生自我监督、自我控制的途径和方法主要有以下几点。

（1）写自勉牌

写自勉牌是一种较好的方式，要求每个学生的课桌上都贴上“自勉牌”。自勉牌可一学期调整一次，也可每一个月调整一次，主要是对近期目标和竞争对手作出调整。

（2）每天格言

名言警句既可以激励学生，也可以鞭策学生，就像一座灯塔，始终照耀着学生前进；就像树起的路标，指引着学生前进的方向。我们的做法是：每天有值日生在黑板的左侧写出一条名言警句，并在早自习前对学生做适当的讲解，学生将这条名言警句记录在日记本上，并思考这条名言警句对自己的启示作用。

（3）学生量化记分

根据学校量化管理评分的统一要求对学生实行了量化管理，将其作为学生自我管理、自主管理的辅助措施，通过量化记分，提醒学生时刻反省自己的所作所为。

（4）警示

在学生暴露自己常犯的错误、缺点、弱点时，事先提醒注意，防止学生犯错，例如对屡犯某些错误的同学在主要的课本上或学习用具最显眼的地方写上“三思而后行”等。参照学生自己开学前的计划，督促学生经常性定期检查总结执行计划的情况，让学生按自己拟订的计划或打算去做。这样长期坚持下来，能防止学生过失性犯错，鞭策学生自己鼓足干劲，认真学习，少犯错误。

（5）班会交流

班集体通过个别交流、小组交流、班级活动，对每个成员的思想品德与习惯作出正面评价（肯定或表扬）或负面评价（否定与批评），引导个人作出正确自我归因，由班集体的控制点向自我控制方向发展。在每周的班会课上，组织开展各种主题班会活动。目的就是让学生自己唱主角，自我交流心理活动及反映班上的方方面面情况，强烈谴责某些不良行为，同时也批评了自己的坏行为，活动纠正了不健康的思想行为。这样，班级唤回了正义感、道德感、责任感，激发了上进心。

（6）干部述职

为了培养学生干部的公仆意识、参与意识和自主约束的能力，定期组织他们在书面准备的基础上进行一定范围内的述职，主要请他们说明自己工作的成绩、问题和改进措施。

（六）同伴教育，实现助人自助

学生的教育是一个永恒的话题，在长期的探索过程中，我们常常以成人的目光去看待孩子与孩子之间的关系，太多地介入到他们的生活之中，对他们的一切事情说长道短指手画脚，而忘了同伴教育方式易被学生接受，因为同伴教育是教师无法代替的。

1. 德育学堂

学校鉴于德育工作的需要，运用与被辅导对象年龄层接近或稍长、有相似经验的学生，经挑选并予以短期的培训，成为“德育学堂”的小讲师，为其他学生提供帮助，协助其他同学探索自我、适应环境、养成习惯、促进成长，借以提升全校学生的良好行为习惯的养成。

在开展同伴教育的过程中，我们主动寻求专业人士的智囊参谋作用和引领作用。学校邀请专家与我校合作，由专家们直接地对我校同伴教育“德育学堂”工作尽心谋划、精心指导。在活动中我们首先对全体教师员工进行“同伴教育”理念、特点及作用的宣讲，然后对德育干部进行培养，使其成为具有一定指导力的“德育学堂”辅导教师，同时对班主任进行“同伴教育”重要性的专题培训。

在此基础上，我们开展了德育学堂小讲师的队伍建设。首先在五六年级选拔德育学堂小讲师，自愿报名，名额不限。然后积极发挥德育学堂小讲师的作用，在班级中开展各种的同伴教育活动，例如，关注和了解本班同学的情绪、生活和学习情况等，多与同学沟通、倾听同学心声，力所能及为同学提供帮助；组织成立各种志愿服务小队并开展活动；等等。利用每周班会课，我们把所有班级一拆为二，并两两组合成新的班级，陌生又熟悉的同龄人坐在一起，讨论关于“感恩”、“合作”、“自信”等德育话题，学堂小讲师们在其中扮演着组织者的角色，他们对同伴的影响必将深远而弥新。

2. 大手牵小手

每年的9月1日，学校都会迎来一年级的新同学。孩子们从一名幼儿园的小朋友“换位”成一名背着书包的小学生，这是儿童发展的重要转折，社会、学校及家庭的新要求，智力活动骤增与文体活动的骤增，生活环境作息时间改变，这时如何使儿童发展系统中的阶段性和连续性正确地结合起来，是学生发展的整体教育系统中的主要矛盾。为了帮助孩子尽快适应学校生活，学校开展“大手牵小手”活动，每个高年级的同学会与一年级的两至三名小朋友建立联系，特别是刚开学的前两周，会每天去看望这些小朋友，提醒他们下课多喝水、上厕所、做好课前准备等，还有就是与他们交流、谈天，让一年级新生感受到生活在学校，就像生活在家里一样，感到无比的自豪和欢乐，和谐、快乐、蓬勃向上地发展。

高年级学生的表达能力、组织能力都要明显强于小学生，我们鼓励五、六年级的班级与一、二年级的班级结对，定期组织同伴教育活动。小到给低年级同学讲富有哲理，培养良好习惯的故事，大到组织辅导他们做一些团队辅导游戏。活动中小讲师们采取了多种多样的形式：相声、小品、图片展示、动画讲解、诗歌朗诵、问题抢答……为了调动小听众的积极性，有的小组还自发准备了小奖品。大大小小的学生沉浸其中，寓教于乐。这种学生辅导学生的做法受到低年级学生的欢迎。一、二年级的孩子们说：“高年级的大哥哥大姐姐在讲故事时很自信。谢谢他们给我们讲了那么多好听的故事。我们非常喜欢这样的活动，希望以后经常有这样的活动。”

通过德育学堂与大手牵小手活动，我们的学生变得更加自信、大方，也懂得了在生活中要积极帮助他人，当遇到困难时要主动向别人求助，同时感悟到：只有共好才能更好！

（七）自主多元评价，感受成长的喜悦

“多一把衡量的尺子，多角度衡量学生，就会多出一批好学生”。我们相信，每个学生都有其独特性，而且这种独特性应该得到尊重。承认每个人的独特性、充分展示每个人的独特性、促进每个人的独特性的发展，应该成为教育以及教育评价的新取向。从根本上说，多元评价强调的是一种宽容理解和平等对话的精神。从教师来说，要“承认和关注学生的个体差异，避免用划一的标准评价不同的学生”，要“以发展的眼光看待学生”，以“不是让人抬不起头，而是让人知道怎样抬头”为原则，不按一个标准、一个模式单一地对学生进行评价。为每个学生创造个人化的发展空间；从学生来说，也要理解和接受同伴之间的差异，

在发展自主评价能力的同时，学会接纳不同的声音，从而营造一种合作学习，共同成长的氛围，使学生获得适性、适时、适度的发展。

1. 日常功劳墙

专设管理员进行管理和登记。功劳墙上是每个同学自己的日常功劳单，上面有每个同学的自我评价。功劳单上登记的“功劳”很小、很杂：小到俯身捡起一张纸、对别人的一个微笑，杂到从帮助同学、为集体做好事、拾到东西交公、获得荣誉、被口头表扬，考试明显进步、作业书写认真……事无巨细，一一登记在册。管理员每天都认真记载。孩子自己觉得今天有哪些需要记载的同学、老师没发现的好事，也会主动找管理员去登记，老师则每天查看，及时表彰。这些功劳单除了帮孩子及时积累总结，让孩子在实践中明白：“不积跬步，无以至江河”的道理外，值得一提的是，当孩子犯错时，这些功劳记录就更能起作用了。它能抵消一些惩罚，感觉到平时积极向善的重要性。孩子们都戏称其为“赦免”，说平时积累了这些“小赦免”，让自己心里更有底。如果孩子都没有犯错，那么将累积转化成评先进时的分值。日常功劳墙其实就是一种及时激励的机制，它将孩子的点滴进步记录在案，这就等于将这些闪光点定格、放大，成为一种良善的符号，时时鼓舞着孩子，发掘出他们真、善、美的本性。

2. 每月十星

学校除每学期末评选新“三好学生”、优秀学生干部外，班级每月评选表彰一次文明礼仪星、遵规守纪星、勤奋学习星、卫生清洁星、特色活动星、文明就餐星、知错就改星等，使学校“星光灿烂”，并将班级明星照片张贴在走廊展板上，以此激励更多学生争优创先。每月十星的多元评价标准有效地促进了学生自己教育自己、主动规范自己行为的意识。

3. 推迟判断（二次评价）

由于学生所处的文化环境、家庭背景和自身思维方式的不同，学生之间必然存在着差异，应允许一部分学生经过一段时间的努力逐步达到应达到的目标。对此，教师可以选择推迟作出判断的方法。如果学生自己对某次评价觉得不满意，教师可以鼓励学生提出申请延期评价。这种“推迟判断”淡化了评价的甄别功能，突出反映了学生的纵向发展。特别是对于有特殊问题的学生而言，这种“推迟判断”能让他们看到自己的进步，感受到获得成功的喜悦，从而激发进步的动力。

4. 累积评价

学生坚持性、意志力的缺失表现在课外作业上，就会出现不经深层思考的应付式地做作业、遇到困难就放弃的选择性地做作业，甚至会出现自暴自弃般的长期不做作业。有的班级让学生选择一个比自己略强的竞争对手，每天的课外作业批改或核对好之后，大家都去与竞争对手进行比较，如果课外作业情况比竞争对手好，可以获得对手的一个签名。每天，总有学生在为得到了强者的签名而雀跃着，也有学生为没有得到强者的签名而遗憾着、自己埋怨着自己、然后自己鼓励着自己。当他们得到10个签名的时候，可以到老师这里来换一个小贴画，就贴在课本翻开来的第一页上。往往，这成为大家课后关注和炫耀的东西。当他们累积到三个贴画时，就可以换竞争对手了，因为他们已经基本上战胜了这个对手。

这样的评价方式不仅让爱玩的学生找到了认真完成课外作业的动力，而且照顾到了各个层次的学生。与只是比自己略强的竞争对手比，他们容易获得成就感，容易在比较的过程中慢慢地前进。长期的累积也给足了等待的时间，只要我们愿意等待，他们也同样能创造出奇迹。

5. 教师给学生的“即时卡”

在师生交往过程中，教师对学生的评价，哪怕一句不经意的话有时也会对学生产生深远的影响，所以，教师应尽量避免作任何不妥的评价。在促进学生发展，调动学生积极情感方面，教师制作了“即时卡”。课上、课下、课内、课外，教师对学生的行为作出积极的评价，并将一张张制作精美的卡片送到学生手中。卡片上是老师提写的描述性评语，寄托了教师对学生某一积极行为的肯定、赞扬或期待。例如：

（1）我在指导别人的时候，你一直在认真观察，真是一个会学习的孩子！

（2）老师看得出来你感冒还没好，但为了班级的荣誉你默默坚持到最后，老师很敬佩你！

（3）你笑得真好看，老师希望天天看到你的笑脸。

（4）你与同学们合作得很好，你是快乐的。

教师时刻用赏识的目光去看待学生，便会发现他们有着无数的闪光点，于是把内心的激动、高兴以及期待流泻于“即时卡”上，既有助于促进学生正确世界观和人生观的形成，也有助于教师进行针对性教育。

6. 期末评语评价主体多元化

期末评语内容包括“我对自己说”、“同伴对我说”、“家长对我说”、“老师对我说”四个内容。学期结束，班主任组织学生参与本人操行评语的写作，主要程序是：学生本人先写初稿；再进行小组交流，听取同学意见；而后送家长审阅，请他们提出书面意见；最后，班主任综合各方面意见作出评定。

（八）阳光普照心灵，让每一个生命都绽放

明代王守仁曾说：“大抵童子之情，乐嬉游而惮拘检，如草木之始萌芽，舒畅之则条达，摧挠之则衰萎。”可见，要创造一种使“树木”们舒畅地成长并使之“条达”的心理环境至关重要。为此，我校以“帮助每一个孩子心灵成长”为心理教育的工作理念，全力打造“全员参与，共同关注学生心灵”的心理教育特色，积极营造激发学生主动成

长的良好心理氛围，开展了丰富多彩的心理健康教育活动。

1. 普及情感心理学知识，提高心理素质

中关村一小通过反复实践，不断探索出“品德成人，学习成才，做事成功”的学生文化，学校结合学生成长发展的需要和特点，通过多种途径，培养学生健全的人格和良好的个性心理品质，如开展心理咨询与指导，“学科心育渗透”、“心之桥”心理广播，“悄悄话”心理信箱，“心灵港湾”心理健康知识小报，主题沙盘游戏等形式的教育活动，使学生不断正确认识自我，增强自我调控能力，学会自我调节方法，形成积极健康的学习观和生活观。

对学生进行系统而有计划的心理知识教育是心理健康教育必不可少的一部分。在心理研究专项课题组和各学科骨干教师的积极探索参与下，在心理专家的精心指导下，我们针对不同年龄孩子在学习、生活、成长过程中的心理问题和心理障碍进行了梳理，为低年级设计了“你能坚持多久”、“聪明的我”等心理向导课程，为中年级开设了“了解兴趣”、“怎样看待他人”等课程，为高年级开设了“尊重他人”、“怎样寻找快乐”等，制定了不同年级不同内容的教学目标。

学校要求每一位班主任老师有针对性地选择教材内容，并将其纳入课表。在一节语文课中，我校的心理教育已经被融于一次次轻松自然的导入，一个个生动有趣的故事，一幅幅引人入胜的画面，一场场紧张激烈的竞赛和孩子们自主参与的小品表演、激烈讨论、形象练习之中，已经真正地融入到孩子们的日常生活之中。

除了普适性的教育，我们还关注到学生成长过程中特殊时期的教育。中国青少年教育问题研究专家孙云晓曾经提出：“孩子的成长不仅仅需要‘因材施教’，还要‘因性施教’，许多学校的教育性别意识模糊，因而采取差异化教育迫在眉睫。”为此，我校在开展心理健康教育的实践研究中，尤其关注男女生性别差异教育，并特别开展了“阳光下我们一起成长”，“男生行，女生棒，团结一心最重要”等一系列有针对性的主题活动。在活动中，男女生相互学习、相互激励、取长补短。

逐渐地，男生学会了遵守规则，而女生的思维也变得更加开放和灵活。在老师的帮助下，男女生懂得了成长的烦恼也是成长的契机，正确对待性别差异，通过努力，最终能够一一化解，从而使学生化危机为动力，获得成长的自信心。

此外，根据学生的心理发展特点和心理需求，我校通过“不倒森林”、“互赠糖弹”等十个主题的团体心理拓展训练课程使孩子们逐渐地学会了感恩、欣赏他人、与人合作、自我规划。

2. 用阳光心态，传递阳光心情

在学校核心价值观的引领下，中关村一小的每一名学生都努力成为最好的我，正是因为每一个孩子都有被尊重、被认可的心理愿望，所以在我们的教室里，每个班的墙上都贴着一张晴雨表，晴雨表为孩子们的负面情绪提供了一个输出的渠道，也为我们的心理教育工作提供了依据。

每天孩子们来到学校都会在晴雨表上勾出自己今天的心情，而班主任则要察其言、观其色。对于学生的烦恼、苦闷与焦虑，班主任与年级组同伴共同研讨，和学生一起商量，找到解决问题的办法；对于个别问题比较严重的学生，班主任会通过及时与家长或相关的科任老师沟通，并安排其预约心理辅导，从多个方面来改善学生的状态，最终使其恢复愉快的心情。如果发现班上有较多的同学心情不好，班主任会发挥教学团队的作用，同学科教师一起调整教学方式，同时在班级中辅助一些调动情绪的故事或活动，让学生在轻松愉快的学习气氛中自自然然地变得活泼开朗起来。

借助晴雨表，不仅能够帮助班主任老师直观把握每一学生的心理动态，更促进同学之间伙伴互助、关爱他人。我校发挥德育学堂的特色教育作用，引导学生们在每天填写晴雨表的过程中，不仅关注自己的情绪变化，而且也学会逐渐关心自己小伙伴的心情优劣。在德育学堂中，学生们打破班级、年级界限，高年级同学自由组成小先生讲团，在团队共同智慧下，以演讲、故事、校园事例、相声、小品等同学们喜爱的形式，传递健康快乐的心理品质。

班级也通过开展“感恩小伙伴”、“我来帮助你”等活动，使学生懂得把爱心献给他人，把阳光心情传递给每一个同伴，并在这种传递中感受到助人的快乐，也在班级形成了健康向上、互相关爱的良好氛围。

3. 德育导师制，关爱特殊学生

差异性在学生中是普遍存在的，正视这种差异，并通过我们的教育使这种差异尽量缩小，应是我们去努力做到的。“为每一个学生提供尽可能多的支持与帮助”是教师们的工作准则。在教育过程中，要强调教育的对话性和互动性，教师要尽可能把自己摆在与学生平等的位置上。针对在德育实践过程中行为问题比较突出的学生，学校建立了“德育导师制”，受助学生名单由各班主任提供，主要是特殊学生（如自闭症患者、单亲或重组家庭的孩子、学困生、有明显行为问题的学生等），为他们建立档案，内容包括学生家庭详细情况、学生道德品质、心理健康状况、学生跟踪档案，记录受助学生在成长过程中的闪光点及不足之处，对症下药，及时制定学生改进及发展目标，帮助学生由点滴进步直至完成目标。

德育导师要定期与自己负责的学生谈话，并持续追踪和研究他们的学业及道德品质状况，与任课教师、学生本人三方一起分析问题原因，一起制定短期、长期的成长目标和提高措施，同时与学生家长取得共识，学校、学生、教师、家长四方的共同配合，使转化效果有了切实的保证。同时教师也注重挖掘这些孩子身上的闪光点，以长板带动短板，因势利导，鼓励为主，帮助学生树立自信心，培养学习兴趣，强化学生自我反思、自我进步的意识，实现学生逐步成长的目的。

以小 D 为例，小 D 是一名自闭症儿童，刚到学校时无法和他人正常交流。为了小 D 能够更健康地成长，学校调动所有资源，从各个环节来促进小 D 的全面发展。首先，学校安排了有特教经验的资源教师，为他制订了个别教育辅导计划。对于那些在普通班有困难的科目，资源教师对他进行一对一的教学活动。而那些相对轻松愉快的科目，则安排他和普通班学生一起上课，为小 D 回归主流、融入班集体尽可能多地创造条件。

同时，学校还和小 D 家长密切配合，让家长充分了解小 D 在学校的学习和生活，定期对家长进行培训，让家长掌握教育、训练孩子的专业知识，为孩子的成长创造一个适宜的家庭环境。而且，学校每周定期安排小 D 到专业机构进行康复训练。当小 D 逐渐能与他人交流时，班主任老师鼓励班上的同学主动与他交往，安排手拉手小伙伴与他聊天、游戏，培养他的社会交往能力。

目前，小 D 在校就读已经三年了，学业水平完全符合相应年级的要求。虽然，他还不能完全融入集体，还不能完全走出自闭孤独，但是，在他红扑扑的小脸上也有了灿烂的微笑，在他的画里我们看到了太阳与花草，我们也看到了无限的希望。在这三年的时间里，老师们耐心地等待着、陪伴着。虽然花开有早晚，但我们相信每一朵花都能绽放自己的美丽。

（九）制度保障，成立学生成长服务中心

学校教育教学的对象是学生，如何定位学生角色，决定了学校整体工作的基本价值取向。我们在办学实践中逐渐形成了这样的学生观：学校教育教学的最终目的是促进每个学生的成长，学校教育教学的方式是尊重学生个性，促进学生自主成长，学校教育教学的原则是服务而非管理，我们的教育教学就要树立起学生的主体地位。为更好地服务学生，2007 年 10 月，学校成立了学生成长服务中心。

学生成长服务中心的成立，既是对长期以来实践、探索着的学生自主发展的继承，又是推进学生自主发展进一步深化的奠基工作。它使学生自主发展成为学校日常进行的规范化工作，从机制上给予了最基本的保证。学生成长服务中心将学校原有的后勤处、德育处、大队部、食堂整合在一起，为学生提供更加便利的成长条件。学生成长服务中心既对学生行为习惯、学习习惯的养成和学生人格的形成提供应有的帮助，又满足学生在物质、生活等方面的需求。当学生们在生活上、学习上、伙

伴交往上遇到实际困难，学生成长服务中心的教师通过他们的语言叙述、行为表现，给予他们个性化的帮助，以便最大限度、及时、快捷地为学生的成长服务。

“学生成长服务中心”的工作重点是：第一，指导学生通过自我教育、自我管理、自我服务，调动学生的主动性、积极性。第二，侧重对学生学习习惯、生活习惯的培养，关怀学生的思想品德、心理健康、文化素质等方面的养成，使德育工作更有人情味。第三，为学生成长服务，在学习和生活中给予学生尽可能的支持与帮助，关注每一位学生的需求。

四、师生美德相长：自主德育的归宿

成功的教育绝不是一方独立来完成的，它需要学生和教师共同来积极作用，但处于未成年的学生在此过程中处于弱势，需要教师适时地引导。基于此，作为教师的我们便应更科学、更合理、更投入地设计自己的教育轨迹，这样，我们的学生也许会在经历教育这个过程时轻松、快乐，我们也将会成为学生喜爱的老师。在学校的德育工作中，教师也要成为自主德育的反思者和引导者，在这个过程中我们收获的是师生的共同成长。无论何时，学生都应成为德育活动中最重要的部分，但不可缺少的是教师的引导。只有师生互动、生生互动，方可取得良好的效果，才能达到真正的目的——师生美德相长。

（一）教师——与学生共成长

教师专业道德建设是自主德育“沉睡的雄狮”。我们认为，加强德育并不需要另外增加时间、空间，它最主要的是要求全体教育工作者作为人格榜样，敬业、真诚、专业地完成其本职工作。一些教师由于教育专业水平有限，未能注意教学形式可能对学生产生的正面的或负面的价值影响，其结果是每天都在无心地从事反德育事业。从这个意义上来说，师德建设乃是最有效地改进学校德育乃至全部教育工作的捷径。

1. 吾日三省吾身，身正为范

学生在自主发展过程中自我意识和主体意识逐渐增强，在学生提案和“我喜欢的老师”问卷调查中可以看出，学生对教师拖堂与随意调课的现象十分不满。对此，我校组织部分教师进行了主题讨论，以下我们对教师的发言进行的梳理提炼。

（1）不严格执行作息时间的危害

①养成学生不诚信、不守纪的习惯；

②导致学生漠视规范；

③伤害学生的身体和心理；

④影响教学效率；

⑤影响师师、师生的关系；

⑥加大学校事故发生的可能。

（2）不严格执行课表的危害

①严重伤害学生情感；

②严重损害师生关系；

③严重影响教学效果；

④使学校规范丧失权威；

⑤养成不诚信、不守纪的习惯。

通过这次研讨，教师意识到在自主德育过程中，学生是师德的民主监督者。教师要做自我行为的反思者，要主动反思自己平时的一言一行，是否时时刻刻能做学生的示范、表率。学高为师，身正为范，只有高素质的教师，才能够培养出高素质的学生，因为“身教重于言教”，教师的言行是最好的课程资源。

2. 专业自觉，提高工作的“智慧含量”

自主德育实施以来，我校涌现出越来越多的学生自主管理比较成功的班级，也使我们感悟到以往工作中最主要的问题是学生缺乏自主教育的能力，是教师工作方法太简单，遇到学生问题，上来就管、就批，缺乏“科技含量”。随着学生自我意识与主体意识显著增强，教师的专业道德水平工作中的“智慧含量”也在不断提高。遇到问题，能够冷静思考，剖析原因，寻找解决问题的良方。

3. 了解学生需求，成为有儿童立场的教师

为什么要实施自主德育？首先我们要思考：德育是为了谁的，是依靠谁来展开和进行的，又是从哪里出发的？毋庸置疑，德育是为了儿童的，德育是依靠儿童来展开和进行的，德育应从儿童出发。通过对德育本质的追问，干部教师进一步明晰了自主德育的意义，感悟到没有学生对道德的需要，就不会有道德内化，更不会有学生自觉的道德行为，忽视学生道德需要的德育，实际上就是目中无人的德育。

结合海淀学区承担的全国教育科学“十一五”规划课题《不同学生的需求与教师的教育策略研究》，我们开展了“我是这样了解学生需求的”征文活动，旨在引导教师以“长大的儿童”的身份，和孩子一起想、一起玩、一起学，读懂学生的喜怒哀乐，真正走进儿童，不把“自以为是”的理解一相情愿地粘贴在学生身上，不对学生作浮泛的、不切实际的揣测。从孩子的生活感受、生命体验出发，发现和引领儿童。

4. 从“听话”到“对话”，在价值引领中实现专业发展

下面是一位班主任老师在“每周一得”中记下的一个案例：

是否自愿

大队部想请部分同学利用星期六的时间到社区搞一次环保宣传活动。当我在班上问谁自愿参加这一活动时，A 同学站起来说不想参加，因为他计划明天去游泳。B 同学反对说，既然是集体活动，大家都应该参与。结果，全班炸开了锅。孩子们就参不参加环保宣传活动辩论起来。

不参加的理由有：星期六休息是我的权利。已经计划好了做自己

的事。

参加的理由有：保护环境，人人有责。要积极参加集体活动。听老师的话，老师叫参加就参加。

在价值观多元化的今天，孩子们的想法与选择多样并不奇怪。赋予学生选择的权利和机会，就意味着从真正意义上对儿童的自主、自觉、自由的主体性本质的认可，是自主德育在生活实践中的具体体现。现代社会的发展给人们制造了越来越多的自主选择的空间、可供选择的生活和工作方式，以及给人提供了越来越多的自主选择的权利。在道德教育中，教师不去硬性灌输和强制性的命令并不意味着学生就自然而然地有了选择的能力。开发和培养儿童选择能力，其中最重要的莫过于要给学生提供切实的选择机会、选择的空间和条件，让学生在亲自选择中学会选择。我们应思考的是在孩子现有的基础上怎样对他们进行有益的帮助。

上述案例，如果孩子最终只会站在自我的角度看事情，那么德育是无效的；如果只要求孩子站在集体的角度看事情，那德育就成了“高尚”的束缚；如果鼓励孩子坚持自己看事情的唯一角度，并以为孩子有主见，则会令孩子形成偏见。因此，要提升孩子的认识，先要允许并指导学生以“对话”的方式，从多角度看事情。对有“老师叫干啥就干啥”这样想法的学生，我们应该追问：你为什么这么说？教师和学生面对不同的道德选择，作出抉择，引领孩子达到较高的道德境界。帮助孩子看到并认同“只有为他人，为社会作出贡献才算高尚”这样人类进步的共同价值观。

我校在“诚心诚意为学生服务，在成就学生的同时提升自己”这一理念的支持下，构建了“了解学生需求、回应学生需求、满足学生需求和促进学生需求”的教师专业道德建设体系。自主德育的实施对教师的专业素质提出了更高的要求，激发了教师对现代教育理念的学习与探究。教师自觉地将自己的专业发展与自主德育融合在一起，在成就学生发展的过程中，实现自我境界的提升，彰显自身的价值。

（二）学生——享受快乐与意义结合的幸福

我校的自主德育，遵循了“以学生发展为本”的教育理念，在这个过程中，作为“价值引领”的教师的责任体现在以弘扬人的主体精神，促进人的“自主建构”为根本目的，更多地从德育内容、德育方法、德育过程的创新上，为学生的自主建构创造条件。我们每一个活动的主角都是学生，他们或吟诗诵文，或展现能力，或张扬个性，总之是各种奇思妙想、尽展魅力，把中关村一小变成了名副其实的“主题乐园”。教育家陶行知说：“解放孩子们的手，让他们尽情去玩；解放孩子们的脚，让他们到处去跑；解放孩子们的脑，让他们自由去想；解放孩子们的嘴，让他们随意去唱去说。”当我们把选择和自主的权利还给孩子们时，他们获得的不仅仅是一种暂时的快乐，更多的是一种自主成长的长久幸福。

1. 自主节日活动，让校园充盈着成长的气息

我校特别重视节日文化氛围的熏陶感染作用，学校每年都会开展各种各样的节日活动，丰富多彩的表演节目、轻松愉快的随意活动、节日的休闲与自由总能令孩子们欢呼雀跃。但是，在节日的喧闹中，我常常陷入深思：这些节日在孩子生命的年轮上到底留下了什么？我们的孩子究竟得到了什么？仅仅是快乐就够了吗？我记得自己幼时过儿童节大都坐在学校里观看节目，或者表演节目，可是现在，孩子们可选择的机会太多了。我问过很多孩子，他们普遍表示不喜欢这样单调的方式，宁愿放假、游园、搞一些趣味性的比赛、看电影、郊游野餐、去科技馆、博物馆、逛书店、把手拉手小伙伴领回家、帮父母做家务等。

当我们的惯性思维与孩子们的自主要求发生碰撞时，该如何应对？德育干部讨论后达成共识：一个有价值的节日活动应当是日常教育活动中的一个阶段，我们不应拘泥于“六一”这一个节日，应该给孩子们提供更多的自主空间，让学生真正成为自主成长的主人翁。既然是孩子们的节日，那么我们设计活动方案时就一定要思考该怎样创设环境让儿童拥有自主的空间。很显然，让孩子在活动中“想自己所想，做自己爱

做”是关键所在，只有这样才能唤起每个孩子的积极性，让快乐真正走近每个孩子。

在这样的讨论和碰撞中，我们整合了学校各学科要开展的各项活动，总结出了极具中关村一小特色的五个节：“阳光体育，健康第一”的体育节、“永不落幕”的科技节、“让经典阅读点亮心灯”的读书节、“给每个孩子展示的舞台”的艺术节、“打开世界之窗”的英语节。

下面以英语节为例来看看学生的表现。

镜头一：

2006 年 12 月 25 日，我校第一届英语节开幕了。英语节结合圣诞节开展了一系列丰富多彩的英语活动。圣诞节前夕，各年级开展了不同主题的英语作品墙报展。一、二年级的学生把自己喜爱的老师画下来并用英语对老师表达节日的祝福。三、四年级的学生把自己圣诞节的愿望图文并茂地表现出来。五、六年级的学生通过资料的搜集和整理制作了以圣诞节的文化背景为主题的英文小报。孩子们的作品贴满了教室和楼道，校园里处处是英文、处处是图画，处处充溢着浓浓的英语气息。圣诞节当天，伴随着欢快的圣诞歌曲，以“English Day，English please.”为主题的英语日活动拉开了帷幕。全体校领导和英语组的全体老师在学校门口用英语迎候学生们入校。

此外，我们还开展了英语“三个一”活动。即全校共唱一首英语歌，每人制作一张送给老师的英文爱心卡，师生共看一场英文电影。所有的任课老师都参与了英语日的活动，在英语日当天与学生用英语问候和道别。同时，作为英语节系列活动之一，我们确定了英语日之后的一个月为课堂规范加强月，并开展了 Wonderful Class 评选活动。这项活动深受广大任课教师的欢迎，已经发展成为我校的一项常规化工作。

镜头二：

英语技能是要在运用中才能发展起来的，英语节是过去了，但如何让学科教学真正融入孩子们常态的校园生活呢？发动学生尝试来做英语的警示牌也是个不错的想法。几天后，校园英文提示语征集活动在全校范围内轰轰烈烈地开展起来，各班利用班会时间开展了全员参与式的英文提示语大讨论，孩子们借助字典、借助网络、借助家长的支持，写下了一条条虽不地道却饱含努力的英文，经过英语组教师的筛选最终确定了36条校园提示语。

2. 自主培育班级精神，“蓬生麻中，不扶而正”

对于一个学生来说，有两个主要生活的地方，一个是家，一个是学校里的班级。如果说学生在家中，主要的时间用来吃饭、休息，那么学生们更多地倾注了他们的活力的生活就是在班级中。班级是学校自主德育的主阵地，学生思想品德发展与进步是在班级文化背景下的活动和交往中实现的。而班级精神是一个班级的本质个性和精神面貌的集中反映。一个优秀的班集体，必须有较强的团队精神，有明确的班级目标，有优良的班风，有平等、友爱、和谐的师生关系，有仁和、互帮、互助的同学关系，有老师在与不在一个样的自律品格，有面对挫折能正确看待的挫折观，有个性充满活力，学生和谐发展的“美景”，更有班级充满凝聚力和战斗力的“场景”。集体离不开个体而存在，个体也只有紧紧依靠集体才能有无穷的力量。它使人无时不感觉它的存在，以及由其射透出来的那种独特的班级感染力、凝聚力和震撼力。以下是我校学生自主培育班级精神文化的策略。

自主命名班名，设计班徽

班主任和同学们一起设想一个名字，为自己的班级命个名。所命的班名要切合实际、充满活力。例如“大拇指班”、“向日葵班”、“雄鹰班”等。

2005年，学校各班面向全体学生广泛征集班徽，我被邀请参加四（3）班的班徽评比展示会。那天参与班徽设计的小家伙们一个个自豪地举起自己的得意之作，一一向大家宣讲构图和寓意。一个学生讲道：“我们班的同学都有一颗上进的心，我们团结起来像火箭一样勇不可当，因此，我就把班徽的形状设计成火箭，再用红花配上绿叶，这样就构成了我们班的班徽。”我细细观看，班徽的外观设计和形状多种多样：长条形、菱形、圆形、盾牌形等，看得出这里有爱画画的孩子在色彩的世界里尽情挥洒，有喜欢思考的孩子自由地在静思中的沉淀。评比结束了，大家情不自禁地用掌声祝贺得胜者。胜利的学生在大家的掌声中、笑声中、羡慕中，亲手张贴本班班徽。瞧，他一丝不苟，擦去灰尘，小心地把班徽贴在门上……丰富多彩的主题教育活动使学生能从主体角度思考自己的行动，真正成为了自主成长的主人翁。

自主拟定班训

班训是班级明确提出的价值追求，它往往用最简练的语言，近乎于"口号"的方式来表达。例如，结合学校核心价值观"做最好的我"，以"每天进步一点点"、"We'll be the best!"为自己的班训；再如，班级集体有了较大进步之后，可以"让我们超越梦想，创造奇迹"为自己的班训……可把班训写到班级黑板正上方，让它时时激励全体学生。

设计未来，自制名片

理想是指路的明灯，为了加强理想教育，班主任每学期都让同学们对自己未来想要从事的职业及职务进行一番设计，制成名片放到讲台上。比如李响同学第一学期设计的名片内容为——姓名：李响，性别：男，单位：向上实业开发总公司，职务：总经理，人生格言：只有想不到，没有做不到。老师讲课提问时便呼"李响总经理请回答"。名片每学期初更换一次，这样就能给同学们以持续的激励。

自主选择班级精神的榜样

一名班主任接手一个学习习惯、行为表现相对较差的班级是很有可能的，但再差的班级总有相对较好的学生。在班级精神的塑造中，我们就必须引导学生自主作出选择，自觉、自愿地以他们为榜样。依托这一部分好学生，充分发挥他们的才干，积极为他们搭建成长的舞台，让他们在学生中树立威信，通过他们的榜样带头作用，形成良好的班风、学风，让正气抬头，形成一种积极向上的班级文化。

建设"书香班级"，打造精神底色

"书香班级"的打造，为学生精神的成长提供了一个全新的平台，培育出一个个出色的、大写的"人"。阅读经典美文，可以增加底蕴，可以提升品位，让生命的旅程充满书香，每一个人会因为文字精灵的滋养而更加饱满充实。将一篇篇重在人性开发与启蒙的美文呈现于学生面前，采用班级读书会形式引领学生自主阅读中外名著，让学生在书籍中体味人生真味，激励学生追求真、善、美。还向学生推荐《智慧背囊》系列丛书，影响人一生的一百个母爱（父爱）的故事等，让学生在欣赏中思考，在思考中发现，在发现中感悟，在感悟中成长。此外，“好书推荐会”、“读书沙龙”等活动的开展，为班级营造了浓浓的读书氛围，为学生打造亮丽的精神底色。

自主德育的本质就是充分授权、放权，协调学生成长环境，让学生对自己的成长负责，充分发挥学生个人主动性、积极性和创造性的一种教育管理方式，更准确地说是一种化被动教育为主动成长的教育管理思想，一种解放学生、激励学生成长教育改革理念。我校学生在自主德育中生活自主、学习自主、管理自主、社交自主、文化建设自主、文娱活动自主、社团组织自主、成长发展自主，并让教师从以往繁重的日常管理中解脱出来，留更多的时间去研究学生，使自己的工作更专业、更纯粹。自主德育最大限度地解放了学生成长手脚，满足了现代学生受尊重、主宰自己的行为、自我实现的心理需求，为学生全面发展提供了舞台，让学生体验到了成长所带来的快乐。“被动教育管理老师太累，学生太苦。老师整天把自己拴在学生身上，还担惊受怕，唯恐出乱子。学生呢？对老师也不领情，干嘛老盯着我，我能做好。自主德育还学生一个自主成长的空间，给教师一条解放的途径，变被动教育管理为主动发展，从而达到教师专业而轻松、学生独立而自主的双赢境界”。这是我校教师真实的体悟。

尽管多年来，我们不断在用心，用我们的睿智创造性地追寻新时期德育教育的金钥匙，但是，社会生活的剧烈变革，迸发出太多的新问题考验着我们的耐心与智慧。为了让我们的学生能通过自己的创造性的活动使道德所具有的生命意义在现世生活中得以真实、生动的体现，并在尊重他人的选择中领会到自身生命与生活的意义和价值，我们深知还有很长的路要走。

第六章 创新管理文化，促进教师自主发展

教师专业发展是逐步演进的过程，同时也是内外部多因素共同作用的过程。在外部环境因素中，管理是其中重要的支持性因素。学校管理机制的革新、管理方式的形成、评价方式的改变和组织学习的管理等都对教师的专业发展产生影响，教师的专业成长与管理具有密切的关系。因此，我校以创新管理文化为切入点，实施提升教师专业发展的行动研究，构建教师生涯新境界，促进教师自主发展。

知识经济时代，社会向教育提出的人才要求已不再是知识接受或重复与模仿，而是创造与革新，教育必须考虑未来社会对人才的需要，为学生未来生活做准备。人的创新意识、创造精神和创造能力主要是后天培养和教育的结果，而不是与生俱来的。目前仍存在许多问题不利于培养创新型人才，如教材体系偏重知识结构，忽视创造性思维能力的培养；教法陈旧，管理过死；分数仍是衡量办学质量的重要标准等。素质教育的核心内涵就是要培养学生具有创新意识和创新能力。要实现这个目标，培养教师的创新精神和创新能力是关键因素。

在这一背景下，教师不再仅仅是传统意义上的教书匠，教师的位置不再是高高在上，拥有绝对的话语权威，教师的职责不再仅仅是照本宣科，教师的作用不再仅仅是传授知识。创新型教师要担负起“传道、授业、解惑”的职责，更重要的还是要成为学生全面发展的促进者、组织者和指导者。教师在关注本学科专业知识的同时，要注意了解相近学科的知识体系，要广泛涉猎经济、技术、文化等领域，关注自然环境和社会发展。在此基础上教师要成为专家型教师，能以研究的眼光看待教科书，创造性地使用教材。师生之间是共同学习的伙伴，是相互成长的促进者，教师要改进师生关系、教学方式，与学生共建课堂，与学生一起学习，一起快乐，一起分享，一起成长。教师作为教育过程的当事人，要对自己的教育行为不断总结、反思、改进，以建构自己的教育理想，创造独特的教育艺术，形成个人的实践知识。此外，教师不仅要成为学生的良师，更要成为学生的益友，在关注学生学到什么的同时还要关注学生是否会学，是否学得快乐，是否拥有积极向上的阳光的心态、坚忍不拔的品格等。

作为一所拥有60年办学历史的素质教育优质校，我校已经初步建成了一支高素质的教师团队，但是教师队伍建设仍然存在着这样那样的问题：师资队伍的整体水平有待提高，特别是缺少在社会上享有高知名度的教师，人才强校计划需进一步实施；学校用人机制有待深化，以激活教师队伍，激发教师的工作热情和进取精神，时代、社区、家长等外部因素对教师的专业素养和品性行为提出了更高的要求，教师不仅仅要成为知识的传授者更要成为学生成长的引导着，在关注学生学习的同时要更加关注于学生的成长，为每一个学生生命个体的成长提供个性化服务。在这种情况下，作为学校、教师，面对教育对象的特殊性就要变革自身的管理方式、教育方式，学校也必然面临着新的变革。

一、现状分析，探寻教师发展新起点

学校要发展，教师要提升就要找准其中的问题点。为了摸清影响学校、教师现阶段发展的症结，准确了解学校、教师队伍现状，我们进行了问卷与采访并进行了细致的分析。

2004年，我校针对教师需求、教师教育教学能力评估、教师困惑等方面进行了问卷调查。当时在全校320余名教师中有220名教师参加了教师队伍建设部分的问卷调查。数据显示如下。

1. 教师年龄结构呈现年轻化趋势

通过调查发现，教师结构年轻化是学校教师队伍的一个明显特征，在220名教师中，30岁以下教师占27.0%，30—40岁教师占52.3%，40—50岁教师占12.8%，50岁以上教师占7.6%，中青年教师占了绝大多数，他们年富力强，发展潜力较大，已经成为学校教育教学的骨干力量。但是，也正因为年轻，他们缺少经验，缺少对教育教学的深刻认识，容易在前进中产生偏差。如何正确引导他们成为影响学校发展的重要因素。

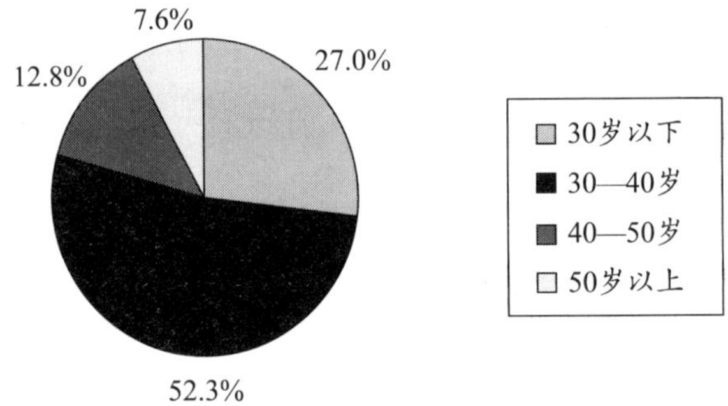

图 19　教师年龄结构

2. 教师学历普遍得到提高

图 6－2 和图 6－3 分别反映了教师的原始学历和现在学历。

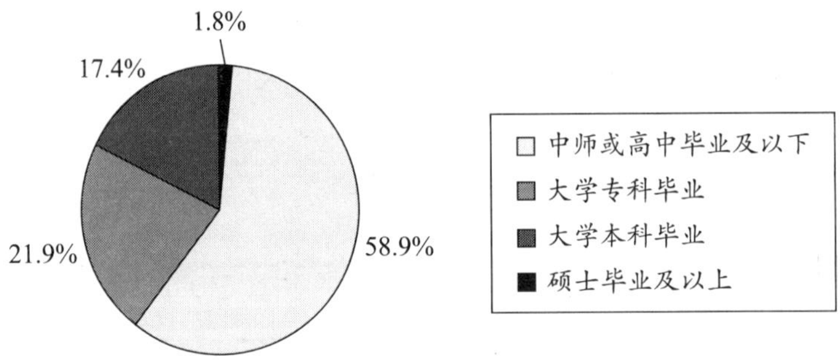

图 20　教师原始学历情况

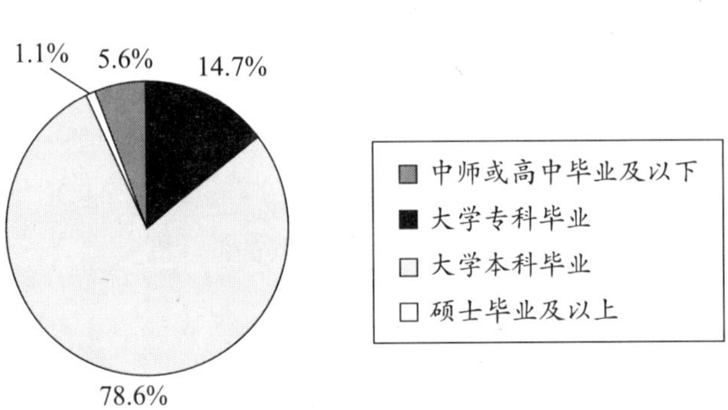

图 21　教师现在学历情况

从学历来看，现学历与原始学历不同的占到71.4%，大学本科毕业的学历由原来的17.4%提高到78.6%。另一方面，教师所学专业中的教育教学相关专业（包括管理、心理、文科、理科）的比例也从原来的68.8%上升为83.6%，这些数据说明大部分教师非常关注自身的专业学习与提高。教师注重学历进修，从一定程度上可以促进教师专业发展，但是，从另一个方面，我们也同样客观地看到，学历进修必然分散教师的时间与精力，容易造成教师学习、工作间的矛盾。

3. 教师职称有待提高

从教师专业技术职称方面来看，小教一级及以下职称的占41.5%，小教高级教师占54.4%，小学中学高级教师占3.2%。我校教师队伍的年轻化致使低职称教师的比例较高，中学高级教师所占比例较低。和我们这所60年历史的优质校品牌来比，具有影响力的专家型名师还显不足。名校要有名师，名师的成长需要学校的重点关注与准确的专业引领。

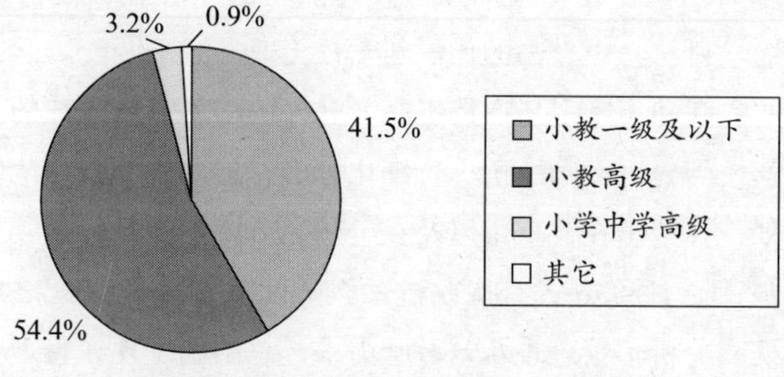

图22　教师专业技术职称比例示意图

通过问卷的数据分析和教师访谈，我们可以清晰地看到学校发展的优势，但问题也非常明显。

（1）部分教师内驱力不足：在人才济济的中关村一小，部分教师达到了小学高级水平，很难再有发展的机会，职称再发展有些困难，加之，学校拥有较高的社会地位，较丰裕的工资收入、福利待遇，使得一部分教师产生满足感、优越感，因此表现出奋斗目标的迷失，对待工作的态度以及热情不足。这种现象折射出学校用人机制不够完善，当时还未形成人才激励制度，没有形成人才的良性流动。如何继续拓宽教师的视野，加强同伴间的学习，创造条件使教师跳出“自己的井底”，如何给教师提供更多、更富有活力的成长通道，使教师树立自己明确的成才目标等问题摆在了学校面前。

（2）教师反思能力有待于进一步培养：教师只有经常自省自己的教育教学行为，不断总结利弊得失，才能不断在教育教学实践中塑造自我、发展自我和超越自我。在教师问卷调查中可以看出，有的教师出现职业倦怠趋势，每天面对一样的学生，一样的课堂，工作成为一种程序，变得麻木了，发现不了教育教学中的问题或火花；有的教师的反思中充斥着空泛的理论，缺少与实际工作的结合；有的反思内容很好，标题却缺少个性，抓不住要点；有的教师选择的事例具有代表性，但是对于事件的描述缺乏生动具体或理性的分析。这些现象，可以看出教师在为反思而反思，自我发展的内驱力稍显不足，这就羁绊了创新之路。

（3）名师队伍建设有待加强：教师队伍的年轻化，使区级学科带头人及市级学科、骨干教师的比例与学校飞速发展不匹配。学校在培养名师队伍的空间和力度上还有待提高，名师的培养需要特殊的支持与制度保证，学校需要对教师队伍进行细化分析，推出骨干教师队伍的培养目标与计划，打造出在北京市以及在全国极具影响的教师。

（4）管理、评价方式有待改进：教师问卷和随机访谈之后，我校行政班子认真分析了管理现状与教师需求，总结出了现在管理中存在的最突出的两个问题：学校要发展，管理要创新。但创新中忽略了传统优势的分析与继承；追求人本的管理理念，难以处理制度与人文的关系；在高水平教师相对集中的团队中，现在教师需要什么样的关怀？学校需要探寻评价教师的有效途径与方法。

（5）学习型共享团队有待构建：在教师专业化发展的进程中，团队的作用应成为教师自我完善的重要促进力量。教师在教学中遇到的问题渴望通过与专家和同伴的交流、研讨，互相切磋教育教学经验，共同研讨课程标准、教材、教学计划以及教学方法，以达到共享资源、共同提高、共同进步的目的；教师们希望通过组织组内教师听优质课、示范课、观摩课等教学研讨碰撞教学技能、教学方法，或者进行教师之间互相听课，然后再以交流、研讨的方式来提高教学效果；教师们还建议立足于教研组教学实际，开展专题式教研活动，探究和解决课堂教学中遇到的问题。可以看出，组织教师同伴互助，互相激励，激发教师自我学习、不断探索的欲望，进而构建学习型共享团队是学校发展的必然。

二、确立规划，明晰教师发展新思路

发现问题是解决问题的先决条件，在对学校现状、教师团队进行分析之后，学校针对教师中的问题，确立了学校发展的新规划，形成激发教师的新举措，搭设促进教师发展的新平台。

（一）明确《纲要》目标，自主设计个人职业生涯规划

怎样在学校发展的高原期上再发展，怎样给学校的发展注入新动力，怎样给教师的发展以新目标，2003 年学校在广泛争取教师建议的基础上制定《中关村第一小学 2010 发展纲要》（以下简称《纲要》）。《纲要》明确指出“名师工程”是“名校工程”的重要组成部分，学校要通过各种有效途径，实现教师知识结构的多元化，教学方法的科学化，教学手段的现代化，教育能力的复合化，促学校个性发展，促教师个性绽放，从而实现名校出名师、名师促名校的双向互动发展。为此，我们确立实施策略是：学校要在三年内培养一批在教育教学工作中起骨干、示范作用的优秀教师和一批教育教学名师。要在每一学科培养出区学科带头人 5—10 名，市级学科带头人 3—5 名，小中高教师 3—5 名和特级教师等，并以此带动和培养一大批青年骨干教师。我们确定培养途径是：坚持梯队培养，形成高素质的教师队伍。任何人才的形成最基本的因素都是内因与外因的最佳结合。我校名师的培养归结起来是：营造氛围，激发内能；学校搭台，名师导引；科研助推，理论支撑。学校鼓

励教师在教育教学中创特色，出成果，使各年龄层次、各学科都有一些区、市乃至全国享有盛誉的教师。

为保证《纲要》的实施，我们制定了《中关村第一小学2010行动纲领》，《行动纲领》确立了“两步走”战略，详细制定近期三年规划，粗略展望远期三年目标。学校的发展思路、近期与远期发展规划确定以后，为了使学校的办学目标成为教职员工的共同愿景，使学校的规划内化为教师的自觉行动，促进教师与学校共同发展，促进学科进步，各分部、各学科和每一位教师都围绕学校《中关村第一小学发展纲要》分别制定各自的规划，设计个人教学生涯，制定学年发展目标，建立个人发展档案。

在制定学校三年发展规划后，在学校领导班子会议上，我们就如何建设骨干教师队伍、促进教师专业化发展、构建教师成长梯队形成可持续发展的激励机制进行了研究。对比美国管理学家彼得提出的“木桶效应”理论，大家一致认为，学校的每一位教师都是有能力、有潜力的，他们具有显现的或者是隐性的继续发展的愿望，现在教师缺少的是自身未来发展的人生规划和明确的专业化发展目标，而我们的任务，就是要让教师成为自己发展的主人。因此，我们在全校教师中开展设计“个人发展规划方案”活动，引导教师结合学校发展规划自主确定一个明确的努力目标，包括自己的优势分析、实现目标的措施及需要学校提供哪些帮助等，学校组织专家帮助教师完善个人发展规划，并以“描绘个人蓝图，谱写发展新篇”为题，在全校交流，强化教师的理想信念和个体发展愿望，从而对自己的人生目标进行高质量的定位。

为了更有效地指导、调整教师的成长，我们还建议教师们每年制定个人发展目标，把长期规划与近期目标结合起来，有效地调整教师自主发展的轨迹。通过自我分析，让教师明白他们发展的起点及发展的主动权完全掌握在自己手中。“个人三年发展规划”的制定，激发了教师自主发展的欲望。个人发展目标确立的同时，我们又适时地推出并尝试建立了教师自主发展个人手册，让教师全程关注自己个体的纵向发展过程，并通过阶段性的反思、总结、积累，不断完善自我发展体系。自主发展参与机制的建立，对教师自主发展意识和能力的培养，激发自主发展的内在动机和成就感，增强主体责任意识和自主调控能力，发挥能动性和创造性，都起到了良好的预期效果。以下是本部数学学科唐老师的发展规划。

展望未来 创新发展

——个人三年发展规划

作为中关村一小的一名教师，学校有学校的五年十年的发展规划，我也有我的三年发展规划。我三年发展规划的核心是：提高教育教学水平，带好本班学生，做两节好课，写一篇科研报告及一篇论文。下面就是我近三年的个人发展规划。

一、提高自身知识水平、业务水平。在近三年再次参加成人高考，继续学习有关小学教育教学、心理学等各方面的知识。参加英语口语考试和计算机考试，并通过及取得较好成绩。通过多方面多渠道提高自己的知识水平。如通过订阅书籍、报刊，了解更多的学术知识，了解更多的当前教育教学的相关知识，并及时把这些知识应用于教育教学工作中。

二、认真学习、领会、应用新课标。考虑数学学科自身特点，遵循学生学习数学的心理规律，强调学生从学生已有生活经验出发，让学生将去亲身经历的实际问题抽象成数学模型并进行解释与应用的过程，使学生在思维能力、情感态度与价值等多方面取得进步和发展。

三、争取参加各级做课评课，并在教育教学科研及论文上有所突破。在近三年里争取参加校级、中级、区级及市级的做课工作，并有机会参与更多的听课、评课工作，从中吸收更多更好的教育教学经验。围绕学校的母课题，进行自己的子课题的研究，并通过几年的记录总结作出有价值的科研报告或论文。争取每年在报刊上发表一至两篇文章，参加各级论文评选。建立学生档案，并总结出结果。

四、做好本职工作，为学校工作献计献策。作为一名数学教师，我会更加认真地做好两个班的数学工作。做到不让任何全班任何一人掉队，让每一个学生都有自己的闪光点。做学生、家长的知心朋友。为学校的发展、规划献计献策，作出自己的贡献。

在这三年中我还有一些具体的计划：争取把这两个班带到六年级，争取做一节好课，争取发表一篇论文，较好地完成科研报告，通过计算机和英语的考试。

唐春璐

2004 年 9 月

这样，学校发展和教师发展形成一个有机整体，每位教师的未来成就出学校的未来，每位教师的奋斗，凝聚在一起，构成学校前进的阶梯，教师和学校的发展目标融为一体。

（二）建立标准，制定教师发展新思路

“传道、授业、解惑”一直是传统教育赋予教师的形象与标准。新的时代，在传承的基础上，社会、家长、学生到底需要怎样的教师？我校提出做最好教师的新标准：大气、学气、灵气——做最好的教师。教师必须用渊博的知识和独特气质影响学生，用鲜明的人格魅力感染学生，用渊博的知识储备吸引学生，形成独一无二的教师气质；教师要谈吐高雅，穿着举止高雅，为人处世真诚从容，形成真切淡定的教师形象；教师注重学习与反思，保持终身学习可持续发展的能力；教师要具有创造力、有灵动之气、有自由飞翔的心灵，对待新事物有自己的思考、有自己的想法，拥有向同伴、向学生、向家长学习的胸襟。我们希望每一位教师在自己的平凡的课堂中，成就学生的发展，促进自我的成长，在平凡的工作中寻求快乐，实现自身的价值。

在分析学校现状、了解老师的实际情况后，根据学校的办学目标，我们倡导教师成为阅读、研修为核心的个体生命，建立了论坛等形式的

伙伴对话方式的活动机制，形成以校本研修为主渠道的教师发展群体。对内形成教师学习、研修、对话的学习共同体，在外搭建以专家智囊团、管制制度、梯度培训、执行力建设为支撑的辅助力量，帮助每位教师成为最好的我。

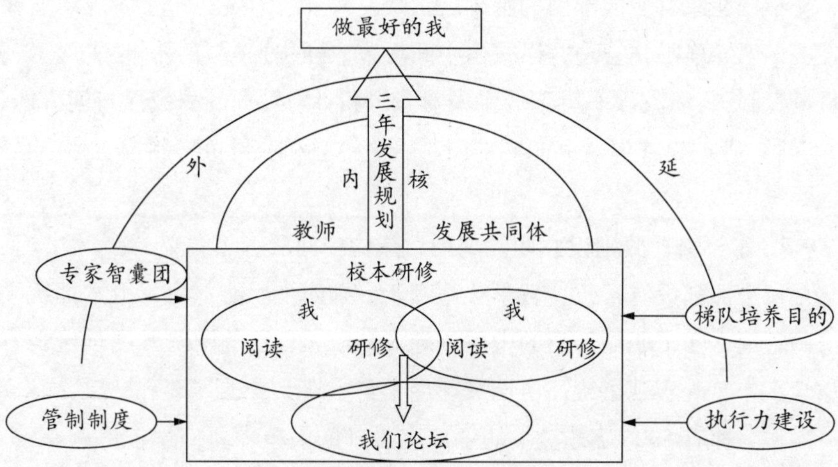

图 23　中关村一小校本研修体系图

三、管理变革，唤醒教师内心深处的创造性张力

通过反思、学习与探讨，学校认识到管理要在不断追求完善的目标下前行，我们认为学校管理成功的基本条件是：要建立一个认识一致、结构合理、协调合作的学校领导集体，而这种高素质的领导集体往往是以创新型校长为核心，致力于建设一套创新教育管理激励机制，有效地促进教师教学观念的转变，从而真正提高整个学校的教育质量。管理变革主要表现为深化“人本”管理，实施个性管理，因人而用，量才而用，调动教师潜能，促进教师可持续发展。

为此，学校从管理模式和管理机制两个方面进行改革和完善，形成了“三轨”管理模式、发展性管理机制和教师培养与评价体系，通过管理的变革调动教师发展的积极性，帮助教师树立自主发展的意识，形成促进教师自主发展的良性循环，唤醒教师内心深处的创造性张力。

（一）规范统筹与自主承担相结合——形成"三轨"管理模式

学校在原有职能部门的基础之上成立"三个中心"，整体规划学校发展，倡导扁平化管理，以减少中间环节，强化执行力，同时实行"项目负责制"，激发教职员工的主人翁意识和参与管理的积极性与创造性。"三轨"管理模式包括：职能部门、三个中心和项目负责制。

1. 第一轨，分别设立职能部门，重构中间层

每个部都设有行政、教学、德育、后勤四个职能部门，由本部统一协调管理，四个职能部门的中层领导各自带领自己的团队开展学校教育教学工作，既实现了统一协调又彰显了自主权。

作为拥有5000名学生、近300名教师的大校，要使学校协调一致、共同发展，中间层的建设尤为重要，因为学校每个年级的学生将近千人，每一个年级的教师近30人，相当于一所小学校。怎样管理能实现"人本"思想，怎样的服务能够深入到每位教师？我们认为：中间层不仅仅是上传下达的作用，他们还是凝聚学校力量的纽带，是使一个管理团队有很高的竞争力、很高的凝聚力的核心力量，所以，我们认为他们要具有以下特质：

特点一：具备较强的管理潜质。对学校管理有丰富的经验，是团队凝聚力的核心，有很好组织及人员协调能力。

特点二：具备知识及能力体系。每个人毕竟不能什么都会，但是一个优秀的团队应当能够容纳各方面的顶尖人才。就我们学校的管理团队而言，就具备语文、数学、英语等各个学科出色专业能力的管理人才。

特点三：保证目标明确、统一。团队目的与个人目的要统一。这也是管理组织学中团队效力及团队效率的问题。也只有这样才能保证团队有凝聚力，稳定、健康的发展。

特点四：有良好的沟通能力，乐于交流的习惯，具有融洽的团队

氛围。

特点五：有良好的团队组织及团队合作习惯，不搞小集团。

特点六：具有一个好的团队学习习惯，这是团队能力提高的阶梯。这里包括自身专业知识及能力的学习，使自己的专业水平保持在教师基础之上，能够实现对教师的引领作用，同时也包括同伴之间的学习，要善于吸纳同伴中管理的成功经验。

特点七：具有完美的执行力。执行不是简单的战术，而是一套通过提出问题、分析问题、采取行动的方式来实现目标的系统流程。执行力就是各类组织将战略付诸实施的能力。它要求个体成员的能力，又要求一个组织系统完善，充满活力，形成强有力的团队力量，同时要求实现目标的过程是一个系统的流程。因此，完美的执行力要求个人素质的提升和组织成员的团结一致。执行力的完美不是按照校长的要求不走样地完成工作，而是一种超越和超前。在理解了工作的目的之后，创造性地完成工作，追求效果的最大化。

学校里的中层领导是学校的中坚力量，是管理团队中的重要组成，在学校工作中起着示范、引领和榜样作用。他们的素质高低，直接影响着学校的发展，影响着教师的进步，影响着学生的成才。中层干部已成为学校管理链条中的关键一环，随着新课程改革的不断深入和推进，对中层干部的要求越来越高，近年来学校提拔了一些业务精湛、品德高尚、肯于奉献、在教师中有威望的中青年干部，形成以组长为行政基础层、教学干部为业务执行层、项目管理为融合重组层、招聘组合为自主实践层的四维交互管理体系。

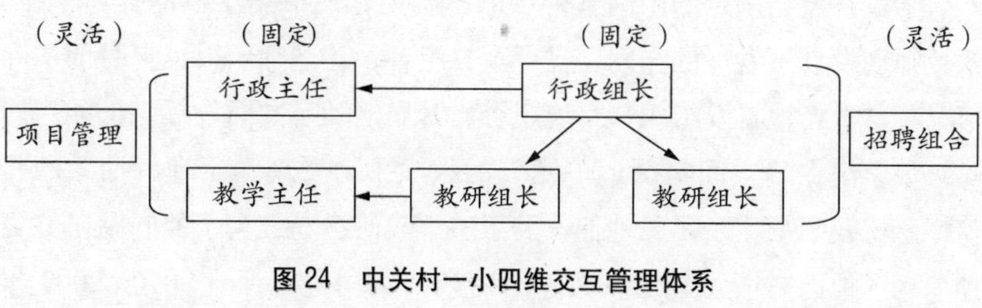

图24　中关村一小四维交互管理体系

此外，学校还注重管理重心下移，实施组长负责制，即让年级组长成为年级这个“中型学校”的“校长”。在一个年级中任命年级组长一名，教研组长一名，二人相互帮助和促进，全面负责年级的管理工作。年级组长是年级教育工作和班主任工作的组织者、指导者，拥有对教师工作进行协调的权力，以及对教师的师德素养、任务完成情况进行评价的权力；教研组长是各学科教学研究的带头人，负责本教研组的教学活动，拥有对教师专业能力的考核权，以及对教师教学任务完成质量的评价权力。同时，为了学校整体一盘棋，中关村第一小学每一个年级组都配备了一个固定的下组领导，每个领导每周有两天时间要“沉”到组里去，了解学生动态和教师的困难与需求，为组长和教师提供实实在在的帮助。

从组长的职责可以看出，组长们拥有很大的自主权力，有足够的舞台践行自己的教育理念，有足够的空间执行自己的管理理念，充分体现自我领导价值。大到活动组织小到学生作业要求，都可以由组内研究决定。比如学校的楼道布置，每个组可以自定主题，突出自己组的风格和特色，这样能够发挥年级组及年级内部每位教师的积极性、主动性、创造性，教师们的思想和视野也逐步开阔。组长负责制使学校拓展了倾听教师声音的渠道，使学校整体更具凝聚力，同时通过组长可以更真切地听到教师的声音，教师的主体作用能更好地得到发挥，从而在制度中彰显我校的管理理念：让生命共同体的每个成员充分发挥主体作用。每周一干部例会，下组干部都要将下到组里看到的重点工作进行交流，将各组的经验进行分享。通过例会，更好地协调了学校的各项工作，使各年级组的建设符合学校的统筹规划。

学校在建立固定的中间管理层的基础上，还根据学校的具体工作，给教师创设自主发展的空间，进行项目组合，让老师们根据自身的实际情况有所选择地自发组织、自愿组合、开展活动、共同发展。例如：四年级数学组在“空间与图形单元”的教学中，发现学生理解抽象的几何概念比较困难，于是，他们开展了组本教研活动，为了使问题研究更加深入，他们邀请了五年级数学组的教师共同进行课堂研究。2009 年 12 月 17 日上午“自主发展精彩绽放——四年级数学组空间与图形专题教学研究活动”在学校阶梯教室如期召开。为了使研究更加深入，项目组教师主动邀请商红领主任进行课堂行为和现象观察，本次课堂观察从教师教学和学生学习两个方面进行，设计了课堂反馈、提问等待时间、教师站位行走路线、个体参与情况等九个观察项目。本次研讨活动，由教研组长腾超老师主持，岳志刚、石永丰两名青年教师代表四年级数学组做了《角的测量》《图形的旋转》两节研究课，在课后的研讨中，张春萍和王学刚两位教师承担黑板记录和梳理工作，历时四个小时的研讨活动使每个参加者都感到受益匪浅。活动的结束并不意味着思考的止步，在后期的活动中，教师们还从数据出发进行课堂论证课堂行为，提出具体的举措和建议，并以简报的形式为全体教师呈现。“项目组合”这种灵活、主动发展的组织形式植根于教师、发展了教师，真正激发了教师的主体意识，使教师成为自我发展的主人。

2. 第二轨，成立三个中心，引领教师成长新走向

成立学生成长服务中心、教师专业发展研修中心、校本课程研究中心是我校管理的一大突破。三个中心，负责协调四个校址的各个处室，分别就学生发展、教师发展、课程研究进行统一规划和管理。

其中，教师专业发展研修中心的建立旨在使我校的教师培养更加系统化、科学化，锻造师德高尚、业务精湛、结构合理、具有创新精神和实践能力的新型教师队伍，该中心以促进教师专业知识、专业技能、研究能力的发展为目标，通过各种有效机制，激发教师专业自主发展的动力，建立富有活力的学习型教师团队。

“教师发展研修中心”努力做到坚持一个中心、三个结合、四个注重：以促进每一位教师的发展，为每一位教师的发展服务为中心；做到教师研修与教育教学相结合，教师研修与实际工作相结合，教师研修与课题研究相结合；重学历更注重学力，重理念更注重行动，重个人更注重团队，重眼前更注重未来。一个中心、三个结合、四个注重，反映的正是学校促进教师专业成长的目标、手段与原则。目标就是要促进每一位教师的发展，这种发展不单单是工作层面专业知识、技能的发展，同时也包括更广阔的人生层面的收获与发展；手段就是以教师研修促教师发展，教师研修既是教师解决教育教学问题、提升自己专业水平的重要途径，也是使教师体验研究快乐、收获成功喜悦的重要源泉；原则就是重能力，重实践，重合作，重持续发展，使研修真正利于教育教学的发展，真正利于教师的发展。

研修中心主要从以下方面着手提升学校教师队伍的专业素养：建立教师发展资料库，对教师发展现状作出分析，为教师发展及学校工作提供参考；完善已有的教师培训内容，如读书交流会、专家工作室、青年课题组、评优课、论文评选等，并建立相应制度，形成规范化管理；每学期组织名师课堂，为教师们补充更广泛的教育研究前沿的信息；组建中关村一小专家顾问团，聘请专家学者定期到学校为学校发展、教师发展出谋划策；请专家对教师的论文、教育叙事、教学反思等进行现场一对一地指导，逐步提高教师的写作水平；对教师的研究成果进行整理，推荐教师优秀文章发表或参赛，编制各种教师文集如个人专著等；请进来走出去，为教师学习交流提供机会；加强对教师培训、教师发展等方面的档案资料的整理。

所有这些活动都贯穿着我校一贯倡导的管理理念：发现和尊重教师的自身价值，在活动中促进教师的主动发展，在活动中帮助教师体验成功，在活动中焕发教师的教育生命激情，让教师们不但收获成功与快乐，更品味着人生成就与幸福。

3. 第三轨，推行项目负责制，做好工作的节点控制

项目负责制即就某一项具体工作招聘项目负责人，成立项目组，进行项目管理，由项目组协调各个职能部门，畅通、高效完成项目。

“凡事预则立，不预则废”，在工作中我们要求各部门要做到“岗位责任明确，流程行为规范”，做好工作的节点控制。以项目负责制为例，项目负责人带领项目工作小组负责该项目全面工作的开展，项目小组可以直接整合三个中心的相关资源，直接组织各部门的相关人员召开协调会，减少了工作环节，避免了由于部门局限造成的信息不畅或责任

推诿。对青年干部的全局意识与协调能力也是一次很好的锻炼。2009年12月，我校作为“教育部影子项目校长培训基地”迎来了16位影子校长，他们需要跟随我进行为期十天的研修学习。就此项工作，我们在三部校园张贴了“项目招募”海报，在主动申报的基础上组建了项目工作小组，还有部分教研组提出承办课堂研讨活动。在工作中，项目工作小组制订了详细的培训计划，吸取以前项目中“过程性资料后期不易整理”的教训，在计划中对过程性资料的收集和整理工作做出了详细具体的要求，项目结束后，一本厚厚的项目工作纪实性书籍初稿就整理成型，现在已经正式出版。在这本纪实性的书稿中，参与项目的每一位教师都成为这本书的主人公，体验着付出带来的快乐与幸福。

“职能部门”、“三个中心”与“项目负责制”相结合，改变了学校以往只强调纵向管理的做法，加强了对重点工作的横向管理，实现了由线条管理向网状管理的转变；实现了管理重心的下移，使管理更加贴近教师常态工作和实际需求，真正把管理落实到了学校的“微循环系统”，增强了组织的凝聚力。

（二）分层完善与重点创建相结合——完善发展性管理机制

发展性管理机制的建设主要体现在以下几个方面。

1. 分层完善校本教研管理制度

干部层面——“四个一”制度。即每天一次下组、每周一次干部例会、每学期规划分享和总结分享。

年级组层面——年级集会制度（每月第一周）；年级总结会制度（每月最后一周）；组长作业检查制度（每月第一周）；年级总结报告制度（每学期末）。

教师层面——周反思制度（“每周一得”，“故事分享”等）；周教研活动制度；周安全教育制度。

学校层面——团队学习制度；成果固化制度和九项校本机制。

团队学习制度：每月一次的“名师课堂”讲座、每学期一次的

“教师论坛”主题活动，每学期读书交流分享会等。

成果固化制度：每学期编辑出版两期“教科研杂志”。

九项校本机制：**日**：一日校长制；

周：集体听课制、下组蹲点制；

月：月工作汇报制；

学期：干部党员民主测评制、年级组工作交流制、教职工提案制；

年：教师岗位意向调查制、十件实事制度。

管理机制的完善为教师学习、研究、评价、反馈、发展提供了有效的支持和帮助，保证了学校各项工作的有效运行和不断更新完善。

2. 重点创建学校智囊团队

我校的另一支智囊团是由学校党政班子成员、中层干部、年级组长、教研组长、优秀班主任代表和学科骨干教师代表组成的“参议会”。为了聚焦内涵发展，统一思想认识，保持良好的发展态势，整合师生的聪明才智，发动全校集思广益，在学校决策层、管理层与执行层之间建立渠道畅通的沟通平台，扩大教师在学校发展战略和重大问题决策方面的知情权、参与权，凸显教师在推动学校发展进程中的主人翁地位，增强教师与学校同步发展的使命感和责任感，提高校长的领导力，加强决策的开放性、民主性和科学性，扫除学校大踏步前进、跨越式发展过程中的执行阻力和操作障碍。

学校参议会不是学校的常设业务部门，参议会成员平日分散在各个室和各门学科组中忙于自己的教育教学和管理工作，除了每年定期的工作例会外，参议会的活动是以工作项目为抓手。其主要职责是：参政议政、分享校长的决策权力；为校长科学决策提供咨询建议；参与讨论、制定学校发展战略规划；参加学校重要文件的制定、修改；宣传、解释学校的重要文件精神和重大决策意图；反馈、研讨学校管理中存在的、有待改进的问题；凝聚骨干力量，为促进学校的可持续发展献计献策。参议会智囊团，保证了学校的决议规划更加符合民心民意，工作的起点更加贴近教师的需求，符合学校的实际发展状况。

（三）研修评价和培养激励相结合——完善教师培养和评价体系

在“做最好的我”核心价值观感召下，学校的每个人都在追寻着最好的自己，在这样的群体中每位教师都有着自己较高的目标愿景。教师高标准的人生追求是中关村一小的重要财富，同时，我们也必须清楚地认识到其中隐藏着“情感张力”的忧患。解决情感张力最好的办法就是为教师实现自己的愿景提供有力的支持和帮助。为此，我们分析教师队伍的整体情况，构建了教师梯队培养系统。

教师按阶段分类	阶段培养方法	要　求	培养措施
新任教师（到校1年之内教师）	一对一指导	适应岗位，教学教育能适应学校发展的基本要求	入校培训；学期总结；学年组内、校级考核
合格教师（1—5年教师）	年级组培养	能独立完成教育教学工作，积极参与组内研究，年度考核“称职”以上	年级教研组长详尽了解教师的教育教学情况；为教师安排师傅，师徒明确培养目标，制订发展计划
持续发展期教师（6—10年教师）	成长档案管理	建立“准名师”成长档案，将每年的成长足迹记录在案	教育教学干部了解教师师德和教学成长情况，创造各种条件，并定期根据成长档案分析研究教师的发展需求及目标达成情况
创造性发展期教师（10年以上及骨干教师）	课题引领 名师指导	有自己的专项研究内容，确立明确的发展计划	由校级领导掌握教师的成长目标。定期对教师发展情况作出判断，分析其存在的问题，提出具有针对性和发展性的意见和建议，并研究改进措施

对于不同发展阶段的教师，成功应该有不同的标准，一刀切的奖励性评价系统是以少数人的成功掩盖了多数人的成长。为此，我们建立了一套教师认同的多元评价体系，形成了促进教师成长的长效培养机制。它是面向教师未来发展的期望性评价，强调教师在评价中的主体地位，注重管理者和教师的平等对话，倡导教师民主参与评价，使教师清晰地看到在发展过程中自己的欠缺所在。

针对不同层次、不同学科的教师，我们在整体上设定三个梯度的评价指标体系，即基础性发展指标——每位教师必须达到的基本要求，适用于对任教 1—5 年的教师的评价；持续性发展指标——在达到基本要求的基础上提出发展的要求，适用于对快速成长阶段的教师的评价(6—10 年)；创造性发展指标——适用于对成熟阶段的教师（骨干教师、学科带头人及名师）的评价。

基础性评价。基础性评价是对 1—5 年教师个体发展状况进行诊断并研究改进策略的评价，一般分为教师自我需要的评价和师傅对其整体素质的评价。教师自我需要的评价可在发展过程中随时进行，以教师自我评价为主，也可以结合教研组内的互评。自评主要根据每周的教学反思、阶段性工作总结、组内的日常工作经验交流、日常出现的问题诊断、年级组监控后对学科增量（学生在原有基础上提高）等分析方法，分析自己现在的工作状态和工作表现，并作出客观、准确的评价，进而调整和完善自我发展目标。师傅评价一般可应用教学个案分析和研讨、说课、听课与评课等交流方式。评价者与被评价者互动交流，探讨被评价者的优点和存在的问题，双方一起反省既定目标的适应性及达成度，寻求解决问题的方法，确定被评价者的未来发展目标。整个评价过程充分体现评价双方的对话和沟通，体现师徒之间的合作与交流，教师根据自己的愿望和特点，发挥出最大的潜在能力。

持续性评价。持续性评价是对工作 6—10 年的教师基本素质和工作成效进行评价。评价的一般方法是：教师自评，通过自我反思，每学年形成一份自评报告；学校综合评价，包括同事互评、学生评价、家长评价、领导评价、专家组评价等；同事互评，即通过教学个案分析、研讨、听课、成长记录、成果展示等交流方式，以年级组为单位进行，但着重于业务评价，不进行人际评价内容；学生和学生家长的评价，每学年进行一次抽样问卷，对任课教师的课堂教学、作业布置与批改、课外辅导、教书育人、师德表现等方面进行评价；领导评价，运用面谈、座谈会、评课等交流方式，关注教师个体差异和工作特点，注重发现教师的闪光点和进步，帮助教师树立自信心，实现自我发展；专家组评价，在上述评价基础上，进行课堂教学（随机抽查）、教育教学业绩评价（以学生在原有基础上提高幅度为依据）等综合评价并写出未来发展建议，建立成长档案。

创造性评价。创造性评价是针对区级以上的各级骨干教师进行的一种评价。这类教师定期向学校和社会公开展示自己的创新能力和创新成果，以获得社会认同并寻求同行和专家帮助。创造性评价是一种兼顾发展性和鉴定性的多元评价。这类评价可因教师本人需求提出申请，学校为教师寻求发展的机会；同时学校根据培养计划，每年为这样的教师主动搭建至少一次这样的展示平台，以保持和激活这类教师的创新能力。创造性评价结果以校长谈话和评语方式呈现给教师本人，评价结果作为帮助教师研究改进策略的重要参考，也作为评选和推荐各类名师的重要依据。

为了推进学校“名师工程”建设，学校还推出“学科首席教师”制度，并拟定评选标准和职责，从资格、资历、业务标准、业绩影响、作用等方面规定了选评标准及从指导教学、推广成果、培养新人等方面规定了职责，以保证这一制度的有序有效实施。

“学科首席教师”是“名师工程”的重要组成部分。学校设立“学科首席教师”制度，旨在培养一支具有高度自主发展意识的优秀教师队伍，激励优秀教师脱颖而出，倡导做最好的我，以这样优秀的骨干团队带动更多的教师自主发展。学校要通过这一有效途径，实现教师知识结构的多元化、教学方法的科学化、教学手段的现代化、教育能力的复合化，促进教师个性绽放，催生教师自主发展，从而实现名校出名师、名师促名校的双向互动发展。

"卓越团队"是"名师工程"的又一重要组成部分。2010年，学校有15位教师成为北京市学科带头人与骨干教师，骨干人数成为海淀区之最。为更好地发挥这一团队引领、示范、带头和指导培养青年教师的作用。连同特级教师在内的16位教师聚集在一起与校长共同商讨学校教师队伍发展大计，在充分研讨的基础上，老师们共同提炼出中关村第一小学的市级骨干教师应该具备的四个品质，即学习研究、思考创新、引领责任、合作开放分享，确立了学校骨干教师卓越团队成长计划，并在会后向全体教师发出了《从现在开始"起飞"》的倡议书。

同时，我们也清楚地意识到，在我们的学校里有一批深受学生喜爱，却不善于在评优课、论文评比等方面展示自己的教师。但是学生的发展需要一大批这样在岗位上兢兢业业、默默无闻工作的教师，这些教师没有"华美外衣"的包裹，但同样优秀，同样渴望得到学校的肯定。因此，在我们的评价体系中，也为这样的教师确定了评价标准。在每个学期，学校都会请学生评选最喜欢的课和最喜欢的教师并进行校级表彰。这样的引导使教师把更多的精力放在了学生身上，放在了日常的课堂教学之中，使更多的教师体验到了工作的幸福。

为保证团队学习的有效开展，几年来，我校还先后设立了"团结协作奖"、"优秀教研组"评选和"首席教师"推荐等奖励评价机制，建章立制激励了教师、激励了团队，形成人人争先、组组竞争的学习研究氛围。

四、搭设平台，促进教师专业发展

在我们这种规模较大的学校中，教师的知识积淀、执教水平、研究能力等各个方面都存在着明显的又十分正常的差异。我们正视人与人之间的差异，但希望每位教师都具备自我发展的需求，能真正地卷入创新性教师的自我塑造之中。因此，我校在教师的培养上遵循"因才培养，量体裁衣"的原则，只要在原有的基础上有提高，就给予充分的肯定，逐步引领教师从工作中的实际问题出发，渐渐形成研究的意识，最终达到发展自己的目的，使每位教师成为自己所期待的“最好的我”。

（一）构建阅读文化，涵养教师人格修养

为了增强教师主体意识，提升教师专业发展自主能力，帮助教师在教学中体现生命的意义与价值，帮助教师提高生命的宽度与厚度，让教师在教学中走得更宽一点、更远一点，我校从阅读入手，构建阅读文化，涵养教师性情。阅读，是丰富思想、陶冶情趣、增长知识、历练精神、提高人格品位的重要方式与途径。涵养教师人格修养，应该从丰富阅读开始。从 2005 年起，学校确立了教师专业成长的工作重点之一——阅读工程，以读书引导教师迈出自觉成长的脚步，使教师在读书中享受幸福。教师阅读工程的基本思路为：

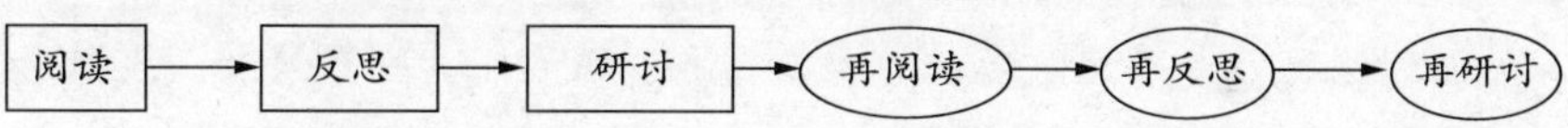

几年来，为了启动、推进、引领阅读工程，学校尝试了很多新方式：请知名教师，现身说法，唤起教师读书的热情；针对教师阅读种类单一、阅读心理浮躁等问题，学校每周为教师推荐好文章，每学期为教师推荐优秀书籍；提倡动笔读书，要求教师写读书笔记、书评，将阅读札记化；不断扩大图书馆服务范围，提高服务质量，做好阅读工程的硬件保证；学校购买优秀的教育理论书籍，如《陶行知教育名篇》《优秀是教出来的》《教育的理想与信念》《教育现象中的心理效应》《教学勇气》等并发给教师阅读；学校引领教师成立读书社，开展读书沙龙活动、阅读品悟、吟诗诵词等活动。

为促进教师的阅读，学校举办了以“共闻书香 同享书韵”、“共读共写共同生活”等为主题的读书分享会，使教师感悟阅读的魅力，体味教育的真谛。学校还将教师的读书笔记结集成册，发到每位教师手中，并向报刊推荐优秀文章。这些措施不但推进了阅读工程的实施，重要的

是在学校形成了阅读机制，促进了教师阅读习惯的形成，使阅读成为生活方式中的核心要素。以下是教师的读书心得和读书感言。

教育可以这样表达

——读陈晓华老师《追寻教育的诗意》有感（节选）

尚　炜

偶然的机会，我见到了这本《追寻教育的诗意》。那如诗如画又让你浮想联翩的题目促使我好奇地将它展开、翻阅。无意间，我看到："教育是个崇高的职业，触摸的是灵魂的心弦，谱写的是诗意的乐章。教育可以让心灵充满幻想和美好而变得诗意盎然，也可以让本是明丽的心灵变得困惑不堪而诗意全无。如果说，一个学生就是一首诗，与'诗'水乳交融并且良性互动，就是教育。"

看到这里，本来就爱激动的我差点流下眼泪来。一直以来，我所读到的教育篇章多是"学术性"的，晦涩难懂不说，看起来还真是有些枯燥。而此书对于"教育"的解释美轮美奂又如此诗意，获得愉悦的同时又品味出科学的道理。假期中，只要有时间，我就捧起它，专注地读上一阵子。

朴实、诗意、形象、激情——我追求这样的教育实践，也追求这样的教育表达。教育者胸有诗意，就会行走在诗意间！

读了陈老师的书，也仿佛读了他的人。"激情人生，追求卓越"这8个字可能是我对他的书以及他的人的粗浅认识。书中的每篇文章都着眼于对细节的敏锐的发现，却在他的描述下，都达到了使人们扪心自问，在反思中改进、成长的作用。那一篇篇美文也体现了他深厚的文化底蕴。而这由来于他对"书"的渴求与依赖。

人活着需要的便是激情。怎样让我们的激情永葆青春？只有读书！只有读书才能让我们拥有更宽广敏锐的心灵，我们才能常常感动，常常饱含进取的激情。

下面是部分教师的读书感言：

1. 读书就能更好地读生活。——秦妍

2. 读书就是生活，像不能没有呼吸一样的生活。它把我们带入了最高贵至美的人生境界。——尚炜

3. 孩子爱读书，我们才有未来；教师爱读书，教育之树才会常青。——王文新

4. 无论何时何地，打开一本喜欢的书。在接下来的时间里，或欣喜欢笑，或伤心落泪，或心潮起伏，或恬静淡然……读书永远是一件幸福的事。——宋杨

5. 最惬意的阅读，是饭后的一杯香茗，抑或一杯咖啡，找一个最舒适的姿势，抱一本最喜爱的书。任窗外大雨滂沱，暴风骤起，都浑然不觉，因为我——读书的人，已经潜进书中那个人的世界里。——闫春玲

6. 我愿在有限的生命里多读书、读好书，如沙里淘金般从书中汲取无限的营养和知识。——梁雪

7. 读书的乐趣在书内，读书的益处在书外。——吕梅

8. 读书，让教育充满智慧；读书，让心灵乘风远游。——张海宏

9. 在读书的时候，放下浮躁的心情，远离城市的喧嚣，宁静的时光中，一张椅，一本书，仿佛时间也放慢了脚步。作为教师，当如一泓取之不竭的清泉，随时都会从书中补充新鲜泉水，才能应对自如。让我们在文字的海洋中遨游，去体会难以满足的幸福和富有吧！——陈志红

10. 书是海岸，我是一叶扁舟，任我在无边的大海中遨游。——张宴

经过几年的反复实践，自主阅读形成机制，下面是我们对近几年教师阅读数量变化的统计：

表2 2004—2008年中关村一小教师阅读数量变化统计表 （本）

读书 年份	学校推荐	组内推荐	同伴推荐	私家书推荐	自由阅读	共计
2004	2	2	1	2	3	10
2005	3	2	2	3	5	15
2006	4	3	3	4	6	20
2007	4—5	3	3	5	6	21—22
2008	4—5	3—4	3—4	6	7	23—26

目前，阅读已经成为了学校教师的一种习惯，成为学校的一种风气、一种文化、一种制度。个体通过阅读完善自己，开发自我，丰富生命，提高人格品位，实现自我持续发展；团队通过阅读提升了群体的品位，形成学习型组织，成为开拓创新的生力军。阅读，成为中关村第一小学的特色文化，成为一道亮丽的风景线。

（二）实施“教、学、研、协”同期互动，创新校本研修机制

我们认为教师的专业发展主要依赖于四个方面：一是教学，这既是教师活动的场地，又是教师生活的内容；二是学习，即知识的扩展，这是通过教师阅读、反思等形式来实现的；三是研究，即教学研究，这是教师自主发展的运行过程；四是协作，“协”是从时空与运动方式两维的“存在”状态角度进行的描述：一是同时共存；二是在互为因果的辩证循环中共同实现。

教师的教学、研究、学习、协作四种行为不是孤立的，而是并行不悖的。四者之间具有相互促进的关系，教学和研究促进教师学习，学习又促进教学和研究。这之中的中心环节是课堂教学，教师的学习及研究必须实践于课堂教学，服务于课堂教学，改进于课堂教学。教师们在不断的教育实践中学习吸收先进理论、方法，尝试开展专题研究，并在不断地学习、研究中，改进教育教学工作，提升自身的专业素养。

而教师的校本教研与课堂教学分离的主要原因便是学不能致用，研不能致教。因此，学校在总结以往校本教研的经验的基础上，结合教育发展改革的需要及中关村第一小学教师自身的特点，开始尝试一种更加有效的促进教师自主发展的校本教研模式，即“教、学、研、协”同期互动，并开展了丰富多样的校本教研实践活动。

1. 自我反思——改进教学行为的前提

教师不仅是专业发展的对象，更是自身专业发展的主人，在教学实践中保持自我反思经常化、系统化十分重要。其实要求教师反思并不是一件很容易的事，因为反思是“对自身行动、经验或者态度的认真思考和自我质疑”。在倡导培养反思型教师的今天，提供对提升教师反思能力的指导，就非常重要了。在反思活动中，我们让教师明确反思的意义，创设宽松的研究氛围，并注重个人反思与集体交流相结合。在认真分析教师反思中存在问题的基础上，学校进行有针对性的指导，请专家讲教育叙事研究的方法、策略；一起座谈，引发教育教学中的研究话题；对教师撰写的优秀反思进行分享、推荐；请专家与教师进行面对面的指导、修改；鼓励教师建立成长博客，引导教师养成反思意识与反思能力。学校还阶段性地把教师的反思、随笔编辑成册，在呈现教师成长发展进程的同时，也使教师感受到研究中的自信与快乐。

2. 课例研讨——更加关注教学细节

课例式研讨是我们创新的一种教研模式，一般围绕一堂课的课前、课中、课后的实际问题展开。在选择研讨课例时，不一定是优质课、展示课，更多的是常态课，是带着实际需要解决的问题进行的教学设计，也就是课前有研究的设计意图，课中以探求解决问题的策略和方法进行教学，课后引发多方对话和自我反思，进行深度思考。课例研讨一般更关注教育细节，从一个个课堂细节的分析对比中，获得解决问题的方法与策略，我们陆续开展了“如何提高小组合作的实效性”、“什么是有效的课堂提问”、“如何运用评价语言”等研讨活动。课例研讨的生命力所在，就是直面课堂教学中的真实的困惑与需求，解决教师教育教学中的真实问题。在课例研讨中有时为了研究不同学生的学习需求或对原来设计进行改进，我们采用同课异构（一节课多人上，不同的人有不同的设计）或阶梯式（每次研讨改进后再由本人或者请另一位教师上相同的课）的研讨方法，进行对比改进，引发教师思维的碰撞，在浓厚研究氛围的集体研讨中迸发出教育敏感、提升教学理念。以下是五年级张老师的阶梯课例：

《生死攸关的烛光》——张征

在这一段时间中，我执教的《生死攸关的烛光》一课参加了中心的教学展评活动，并作为一节精品课送到了我们学校的手拉手学校——枣园小学进行教学交流。课文讲述的是第二次世界大战期间，法国一家母子三人机智、勇敢地保护装有情报的半截蜡烛的事迹，歌颂了法国人民崇高的爱国主义精神。全文共7个自然段，按记叙顺序分为两部分内容，作者首先概括地介绍了伯瑙德母子三人参加了秘密情报的传递工作，以及他们保护情报采用的方法；接着详细介绍了伯瑙德母子三人怎样想尽办法保护装有情报的半截蜡烛。

回忆一次次的备课、讲课过程，我深深地感受到了专家引领的重要作用，同时自己也有一些感悟，总结如下：

一、课堂的整体设计以学生的角度出发，满足学生学习的需求

改进前课堂呈现：

师：今天我们继续学习课文（指屏幕齐读课题）通过上节课的学习，我们对课文的内容有了一定的了解，哪位同学能用简练的语言概括故事的主要内容。

师：当伯瑙德夫人一家面对生死的时候，他们如何应对，又给你留下怎样的印象？能用一个词来概括吗？

师：伯瑙德夫人一家如何面对危机，怎样应对，从哪些语句中感受到他们的机智、勇敢、镇定？

改进后课堂呈现：

（一）质疑

1. 我们知道把情报藏在半截蜡烛中是伯瑙德夫人在长期的情报工作中想出的一个绝妙的办法，请同学们轻声读（改为浏览好一些）课文的3—7自然段，看一看你有什么疑问。

2. 生读，提问：

1）生死攸关？

2）雅克回来？

3）妈妈哥哥没成功而杰奎琳成功了？

4）其他。

3. 归纳问题：我们来看看这几个问题哪个是最关键的？

那么我们就带着这个问题来学习课文。

反思：

比较以上两段课堂实录不难发现，在应用第二个教学设计的课堂中，学生有了自己读书、思考的空间。"小疑则小进，大疑则大进"，教师没有不停地提出自己预设的问题，而是让学生提出自己最想解决的问题，然后带领学生进行问题的梳理，尊重学生的意见筛选出一个中心问题。接下来，孩子们在老师的引导下围绕这样一个中心问题进行全文的品读。这个过程同时培养了孩子们的质疑能力、总结和归纳问题的能力，对学生的学习方法进行了有效的指导。

二、对文章的理解注重深层心理变化的挖掘，避免带学生串讲情节

改进前课堂呈现（节选）：

1. 当伯瑙德夫人一家面对危机时，是谁首先挺身而出，你从哪部分读出她的机智与勇敢？

2. 教师过渡：危机似乎过去，（实际上危机并没有真正过去）万万没有想到，德国人又把蜡烛重新点燃（板书：点燃），此时房间里气氛会怎么样？（紧张，恐怖）。指名朗读有关句子。

3. 难道他们真的没有机会了，不！接着又是谁挺身而出，我们继续交流。从描写雅克的段落（5—6 自然段）中体会雅克的从容镇定与勇敢。

改进后课堂呈现：

（二）雅克

1. 生：“这时候，儿子雅克慢慢地站起来‘天真冷，我到柴房去搬些柴来生个火吧。’说着伸手端起烛台朝门口走去……一手把烛台夺回。”

板书：端起 夺回

课件：慢慢地

2. 生：慢慢地

①克制住内心的紧张。

②由苍白——慢慢站，母亲鼓励了他。

③要把蜡烛拿走，为了保住情报——方法不一样，但目的一样。

④分角色读。

⑤对比读。

成功了吗？方法又失败了。

3. 生：孩子是懂事的，他知道，厄运即将到来了……他从容地搬回一捆木柴，生了火，默默地坐待最后的时刻。

老师想问，如果你是雅克，你此时为什么回来？2 人讨论。

课件：面对凶残的德军

分角色读

小结：妈妈的努力失败了，儿子也在妈妈的鼓励下面对敌人如此坚定而勇敢，而他也只能选择默默地坐待最后的时刻。

反思：

学生通过反复品读才能体会人物心理 。课文描绘的是一场没有硝烟但又紧张激烈的战斗。这紧张激烈，主要通过人物的心理活动反映出来。修改前，老师带着学生一个一个人物看他的语言、动作、神态，学生对文章的理解浮于表面。修改后，学生确实能够体会到伯瑙德夫人一家和敌军进行了三次周旋，他们一家人随着蜡烛越来越短而表现出越来越紧张的心理，虽然情况越来越紧急，但他们依然从容镇定地想出方法来保护秘密情报，反映出他们那强烈的爱国之心。如：在处理雅克虽然有机会逃走但依然回来的情节，学生们自问：如果我是他，我会回来吗？生死之间我怎样选择？是什么力量支持着我？在这种对人物内心深处的体会之中，学生们真正做到了与文本对话，对语言文字的驾驭能力得到了提高，情感得到了升华。

三、随着情节的层层深入体会“生死攸关”的含义，而非先入为主

改进前课堂呈现：

师：（在学生概括完主要内容之后）

1. 谁来谈谈对课题的理解。

（板书：生 死）

2. 仿佛就在生死一线之间。

（板书：在生死之间画一条横线。）

改进后课堂呈现：

（三）总结：（分析课文之后）

1. 现在我们再来看看板书，看看课题，你又是如何理解“生死攸关的烛光”？

①关系到3人，更多人的安危。

②点燃没有生的希望，熄灭有生的希望。

2. 这是怎样的一家人？

3. 是什么力量支持他们？

板书：爱国

反思：

正是因为有千千万万个这样的家庭用自己的生命保卫国家，最后取得战斗的胜利，让我们永远记住这些英勇的人们。

第一次设计这个问题是放在课前，在学生理解课题的时候，学生对“生死攸关”的理解只停留在文字表面——“仿佛就在生死一线之间”；而改进后，学生是在与文本对话、理解、情感升华之后，对“生死攸关”的理解就有了进一步的升华：“关系到了整个一家人的安危、更多人的安危，一家人是为了国家、民族的命运，把自己的生命置之度外，在命悬一线的时候保护好情报。”同时，学生在此时就会自然而然地在情感上升华出“爱国、爱和平”。这时，学生对“生死攸关”的理解就成为水到渠成的了。

四、板书设计起伏曲折一目了然

改进前课堂呈现：

生死攸关的烛光

伯瑙德夫人：苍白 急忙 轻轻

雅克：端起 回来 默默等待

杰奎琳：娇声 婉拒

改进后课堂呈现：

生死攸关的烛光

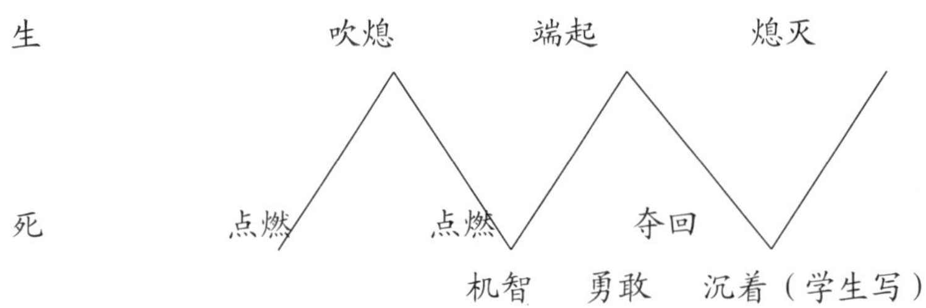

爱国　爱和平

3. 专题研讨——基于教学问题的解决

校本教研的途径与方法很多，而运用以问题为本的专题研讨，能使教师真正成为校本问题的发现者、研究者和解决者。问题研究是理论与实践相结合的良好方式，其重要的特征表现在“问题”成为学习的起点，是研究的依据，同时问题研究能够比较直接得到研究效果的验证，即弄清楚问题是否得到解决。我们指导教师开展专题研究，分析教材特点、分析学生特点、分析自己的课堂教学，确立以问题为出发点的研究专题，进行问题研究方法的指导，使教师的教育科研真正与自身的教育教学工作结合。例如科任教师针对课堂纪律比较难组织的问题，展开“如何让学生喜欢我的课”的专题研讨；针对青年教师课堂调控能力不够展开的“如何处理预设与生成”的专题研讨；针对新时期家校配合方面的“成立家长委员会的必要性与可行性”的专题研讨等。专题研讨的历程可分为以下步骤：发现问题—分析问题—针对问题学习相关知识—寻找解决问题的方法—实施干预—收集改进信息—总结反思问题解决的效果—调整解决方案—进一步的实施干预—进一步的反思、总结—引发新的研究问题。作为实践工作中的教师，随时随处都可能碰到问题情景，采用基于问题的专题研究，既解决了面临的实际问题，又提高了教师的研究水平，同时也渗透了与同事间的合作，在不断的推理、学习、实践、反思中获得解决真实问题的经验，在问题的解决过程中得到提升。

4. “漂流”故事——盘活教师教学智慧

为了促进教师随时反思自己的教学实践，实现教师群体的自我思考、自我行为矫正和自我观念更新，2008 年开始，我们结合学校“自主教学”的研究与实践开展了“每周一得”的撰写与“说出我的教学故事”集体交流活动。请老师们用自己的语言记录自己课堂上点滴的成功、点滴的困惑。全校“漂流”故事，使教学实践中的问题在教师中得到深入研讨，教师在续写故事的过程中，在同伴研究的基础上不断补充完善，生成教育智慧。学期末，教师把一学期的反思结集成册，让“我的故事”成为教师的共享。以下是一组教师间的故事漂流。

真情流露后的思考

程　坤

在我十五年的教学生涯中，有过太多关于课堂教学的回忆。但上学期执教《祖国在我心间》的那节课，却成为我最难忘的记忆。因为在这节课上，我竟然哭了……

回想那天的情景，我记忆犹新：

前半节课，孩子学习得很投入。我很欣慰，指着中国地图右下角的小岛问：“这座和福建隔海相望的小岛是什么地方？”

“是台湾！”孩子们异口同声地说。

“是呀，这座岛屿就是台湾。”我因势利导播放了台湾的图片。

略带哀伤的音乐响起，孩子们都认真地看着大屏幕上宝岛台湾的图片，我动情地说：“大家都知道台湾、香港和澳门自古以来就是中国的一部分，就像孩子是母亲的一部分。现在香港、澳门这两个孩子，已经回到了祖国母亲的怀抱，可台湾这个儿子因为种种原因至今还没能回来。”说到此处，我的声音有些颤抖了。不知是我伤感的语气还是低沉的音乐感染了孩子们，教室里鸦雀无声，所有的孩子都静静地看着我，小脸上带着一丝凝重。

我轻声问：“孩子们，如果一天不让你见妈妈，你是什么心情？”

班上的小姑娘李想说：“我很着急，我想见我妈妈。”

“一个月不让你见妈妈呢？”我又接着问。

林佳宁说：“我会哭，我会睡不着觉，我想我妈妈。”

“那一年呢？十年呢？”我又追问。

小伙子章辰霄站起来说：“我不想吃饭，也不想睡觉，我要天天找妈妈，见不着她，我会伤心死的。”说完他的眼圈红了，静静地坐下。

“可台湾这个儿子却离开祖国妈妈整整59年了……”说完这句话，我的眼睛一下子湿润了。备课时积压在脑海中关于台湾的所有辛酸屈辱的记忆，一下子涌了出来。我拼命想忍住，但它却夺眶而出，瞬间泪流满面。孩子们受到我的感染，小脸上也挂满了晶莹的泪珠，听课的老师们也发出了欷歔声。我竭力忍住泪水，接着说：“谁能把祖国母亲对台湾这个儿子的思念读出来？”孩子们纷纷举起了小手。一连三个孩子都十分认真地读起了课文，声情并茂，稚嫩声音里饱含了浓浓的真情。

同伴评析：

曹思美

梁实秋说梁启超先生“讲到精彩处，便成表演”，其实，我以为，在旁人看来，他是在表演，或赞其教艺之高超，实则乃情动于中，而形之于言，形之于形，形之于行。这是“入迷”。那一刻，天地万物都会聚到一方小小的三尺讲台，喜怒哀乐都肆意地在讲台上挥洒。那一刻，物我合一，物我两忘。试想，这是一种何等美妙的境界？对身处其间的我们、身在台下的学生，又该是怎样的一种陶醉与享受呢？我记得涂江老师在他的文章《青年教师语文课的八处通病和十种突围》中，谈过说：“老师，你课堂上还有情趣吗？你还会因兴奋而振臂，因情发而高歌，因激动而流泪，因悲痛而扼腕，因痛惜而欷歔吗？”

面对文本，教师自己首先得“入迷”。沉下来，钻进去，嚼出精髓，品出味道。首先要能被文章打动、感动得热泪盈眶。这种“入迷”，就是把精美的文章看作鲜活的生命，经典的字句看作鲜活的精灵；随作者喜而喜，随作者悲而悲；随作品中人物的命运而喜怒哀乐。就是要把自己完全融入作品世界中去，与作者交谈，与主人公聊天，与作品里的花草树木对话。最后，把自己的情感与作品情感合二为一，在语文课上，不是举着教材走向学生，而是你捧着自己的一颗心面对学生。当学生感受到他们的老师对文章的感动，那么，这样的课堂就是一种充满“真性情”的享受。

杨雪飞

面对讲台，我们要“入迷”。讲台就是我们天然的舞台。演员演戏讲“入戏”，“入戏”太深还可能久久无法回归现实。我们的语文教学不仅仅是认识活动，也是情感活动，教书也要讲“入戏”。一个优秀的语文教师应当能用高尚激越的感情，妙趣横生的语言，使学生达到情感上的共鸣和美感上的满足，进而形成在“传情”之中“传道”，在“解情”之中“解惑”的教学效果。语文教师富有感情的教学，不仅能丰富学生的精神世界，完善学生的人格，而且也能展示语文教学的艺术魅力。激情启迪激情，真诚激发智慧。在语文课上，教师捧着自己的一颗心面对学生，学生感受到他们的老师对文章的感动，学生在语文课堂中的学习必将渐入佳境，那样的语文课堂才会充满“真性情”的享受。

5.“授课海报”——打开教室的门窗

教师必须经过严格的持续不断的研究才能获取并维持专业知识和专业技能，课堂是教师研究的主渠道，而听课就像一面镜子，在这面镜子里，教师可以真实而清楚地看到自我，看到同伴，这面镜子就会成为教师再研究、再实践的基础，正是这样的轮回引导教师内化了专业知识和专业技能。伙伴学习是最直接、最有效的学习方式，从同事那里我们可以更多地了解我们自己和我们的教学。2008 年始，学校开展“听课授课排行榜”的评比，倡导教师打开自己的教室邀请本学科、外学科的教师走进自己的课堂，成为自己的研究伙伴。学校门口经常会有教研组、教师贴出的邀请听课的“授课海报”，各学科也可在学校“贴吧”内张贴“授课海报”，明确授课人员、内容，并诚挚邀请教师听课。教学干部、组内教师可以随时相互听课，教学干部可以有选择地进行连续听课，帮助教师树立总体规划的意识。每周二下午两节课后的时间作为专用的教研时间，努力促进教师间的对话和信息分享，帮助教师实现经验的积累、思路的拓展、理念的澄清和自我实践的修正。

6.“一单一表”——让课堂充满研究

教育的真正目的就是让人不断提出问题、思考问题、解决问题，进而获得个体的成熟与发展。在学校工作中，我们努力通过制度建设让研究成为教师的工作习惯和工作态度。

“问题记录单”自我反思制度：我们一直倡导教师要有问题意识，要善于发现问题并从问题着手确定研究专题，再带着专题回归实践，在实践中探索答案。为了将这一过程规范化、步骤化，我们把教学研究的起点确定为“问题记录单”的填写，要求教师依据“自主教学”理念和基本要素反思自己的课堂，随时记录问题，并以小组为单位开展“自主教学”的行动研究。

“课堂观察表”制度：为了帮助老师们更好地从不同角度与层面深度研究课堂，学校教导处讨论制定了“课堂观察表”。“课堂观察表”以“自主教学”理念为指导涵盖了教学设计观察、教师行为观察、学生学习活动观察、学生作业观察等课堂多个领域的观察细目。在实际使用的过程中，教师们可以根据自己研究的问题节选观察表中的某个方面进行持续性的观察和记录，继而开展数据统计和分析。

（三）开展伙伴互助计划，引领教师自我教育

同伴间的交流是最经常也是最容易实现的学习方式。2007 年年初，我校提出了“伙伴互助行动计划”，作为中关村第一小学校本教研机制的重要组成部分，该计划从四个层面展开了教师间的交流互助尝试。

1. 教研组内学科教学层面的研讨式互助

根据学科教学中教师们反映的普遍问题，学校开展了“今天我主讲”系列教研活动，活动主题由教师们自主选择，每个学期确定一个研究专题。先由一人主讲，大家讨论，根据讨论结果，第二次由另外一位教师主讲，大家再讨论，如此循环。一个学期结束，教研组内每一位教师都要有至少一次的主讲机会。这样，教研组内的教师一起讨论交流，一起查阅资料，进行思想碰撞，进而形成系列讲座。

为了避免活动开展的盲目性，每次的特色主题都是在上一学期期末确定，教师们利用假期搜集资料，思考归纳，制作演示文稿。近年来，语文教研组先后开展了“阅读与写作的有效互动”、“低年级识字教学的尝试”和“怎样在课堂中真正关注学生”等专题教研活动；数学教研组开展了“计算教学时效性的研究”、“通过数字扑克培养学生的逻辑推理能力”等主题教研活动；英语教研组针对学困生转化和课堂教学组织困难的问题开展了“如何帮助学习有困难的学生”和“让我的课堂更有序”主题教研活动；科任学科教研组开展了“我看我的教学”、“我的教学故事”等主题教研活动。可以说，每一次的教师讲座都渗透了主讲教师的辛勤付出和智慧结晶，而每一次的伙伴讲座都是一次思路的拓展与丰富。

2. 面向全体教师梯队的网络式互助

教育管理中，关键就是教师资源的开发和利用，学校能否建立一个可持续发展的优秀教师群体，关系到能否不断提高教育质量和教学效能，关系到学生能否得到全面健康的成长。所以，我们说，促进教师群体的可持续发展，是学校事业发展的根本。

基于这些认识，我校在教师队伍建设中，坚持以人为本，着眼于教师的可持续发展，以强化教师素养，提升教师执教能力为核心，以同伴互助为途径，充分发挥我校内部资源的优势，努力建设一支“事业型、研究型、创新型”的高素质教师队伍。

目前，我校已经形成了一支由特级教师、中学高级教师、北京市学科带头人及骨干教师组成的卓越教师团队。他们是我校教师的杰出代表，他们师德高尚、业务精湛、善于学习、肯于钻研、乐于实践，他们在教育教学中积累了丰富的教学经验，形成了自己的教学风格。为了充分发挥名、特、优教师的传帮带作用，使中、青年教师在其指导下迅速适应并卓有成效地开展教育教学工作，不断提高教育教学水平，我们努力构建金字塔型教师队伍结构，实现我校教师队伍素质的动态提升，构筑学校教师成长的共同体，推进名师工程。据此，我们提出并逐步推进中关村第一小学“4321”工程，即特级教师带徒 4 人，市级骨干带徒 3 人，区级骨干带徒 2 人，中心级骨干教师带徒 1 人，使每位教师都成为“互助网络”上的一个连接点，通过网状的连接，每位教师既能够获得伙伴的支持也能够为伙伴提供支持。

3. 教研组间打破学科界限的专业化互助

各教研组根据自己的专业优势，面向其他学科的教师开展专业性讲座。为此，教导处和各教研组长共同制订了详细的伙伴互助行动计划。目前，我们已经开展的专业讲座包括：由美术组教师主讲的简笔画基本技巧的讲座、由计算机组教师主讲的绘声绘影软件的应用、建立个人博客的基本方法的讲座、由英语组教师主持开展的英语口语培训以及一对一英语口语强化课程。不同学科的专业性讲座使中关村第一小学的优秀教师资源得以更充分的利用，而且讲座的内容来自于教学一线又在新的层面回归于一线，从很大程度上讲更贴近中关村第一小学的实际情况。

这项活动最重要的不仅仅是现场的讲座，更是在讲座准备的过程中，每一位教师都能够主动学习和整理相关的理论，主动审视和反思自己的教学实践，主动聆听和接纳他人的意见和建议，在参与的过程中真正实现自身的发展与提升，真正享受到成长的快乐，从而带来课堂的改进和学生的发展。这种利用教师自身的经历实现教师群体的自我教育能够真正激发起教师主动参与、主动改善的愿望。

4. “说出我的教学故事”，激发教师创新智慧

讲故事，特别是讲自己体验性故事不仅是把思维与智慧的语言化，也是一种研究方法、认知方式。在“自主教学”研究和实践中，每一位教师都有许多教学故事。每一个故事都是“自主教学”在教学工作中践行的一种形式。学校开展了“说出我的教学故事”的教研活动，我们引导教师从身边的小事入手，从自己的教育教学行为入手，撰写教学故事，引领教师有意识地发现和改进自己的日常教育教学行为，随时记录工作中的感想、体会，使教师经常与自我保持专业对话，保持对课程教材、先进教学理念的敏感，促使教师不断尝试将先进的教学理念付诸课堂教学实践，引领教师将日常教育教学行为往专业化方向发展，从而激发起教师不断自主更新与发展的原动力。下面是科学教师丁磊的小故事：

老师不如你

科学课讲蝙蝠的超声定位原理，一位学生正在复述科学家研究的结果：“蝙蝠一边飞一边从嘴里发出超声波，超声波遇到障碍物就反射回来，传到蝙蝠的耳朵里，蝙蝠就立刻改变飞行方向。”学生们被蝙蝠神奇的超声波所折服，个个入神地听着。这时，一位男生举手发问：“老师，您知道吗，什么东西能对付蝙蝠的超声波?”看着该生那得意的神情就知道是有备而来的。我被这突如其来的发问难住了。我为学生能主动获取课外知识而高兴，同时也为自己知识的浅陋而惭愧。此时，学生的表现欲是强烈的，他多么需要老师的肯定，需要老师的表扬。给他一个表现的机会，让他更积极地投入探求新知活动，这是对他最好的赏识。于是我给了他一个赞许的微笑，动情地说：“为了研究蝙蝠的超声定位原理你去课外查了资料，真是个有心人，老师不如你。请你向大家介绍介绍，让我们也开开眼界，行吗?”我的表扬是由衷的。学生得到了满足，喜形于色，随后滔滔不绝地讲开了，“那是夜蛾。夜蛾的听觉系统有两个特别灵敏的神经细胞，能侦察到蝙蝠发出的超声波，当蝙蝠袭来时，夜蛾就竖起全身的绒毛，这绒毛能吸收超声波，这样蝙蝠就捕捉不到足够的超声波，超声波就失灵了。科学家利用这制成了反雷达系统。”教室里异常安静，学生们向他投去羡慕的目光。此时正是激发学生探究意识，引导学生自主学习，多渠道获取知识的良好契机。我带头为这位学生鼓掌，更动情地说：“是啊，千奇百态的动物使人类学到不少东西，从鸟的飞翔到飞机的诞生，从鱼在水中游泳到潜水艇，人类无不受到动物启发，其间奥妙无穷，有待我们去研究，去开发。同学们有兴趣去课外搜集仿生学方面的资料吗?”学生的求知欲望被激发起来了，个个跃跃欲试，课堂教学进入了高潮。

教学中“师不如弟子”的现象时有发生，关键是坦诚、谦虚地面对。我的坦诚使我增长了一点知识；我的坦诚，我的谦虚，使我得到了一次“知困”而后“反省”的机会，体会到了“教学相长”、“学问无大小，能者为尊”的含义；我的坦诚，我发自内心的表扬，激发了学生更高的探究热情，使我的课堂教学充满活力。教学过程是一个动态过程，使我的课堂教学充满活力。教学过程是一个动态过程，在这个动态过程中，实现了期盼的教学效果，令我满意。充分地激活了学生的探究意识，这是教案目标以外的收获，它更使我值得欣慰。循循善诱地教者和孜孜以求的学子共同收获的是快乐。

“说出我的教学故事”基于工作实践的反思，重在引导教师发现问题，寻找方法，促进成长。通过讲述“教学故事”，促使教师形成反思性思维习惯，并不断强化教师表现自己、评价自己的积极意识。在反思过程中形成恰当的积极的自我意识将成为教师理解教学实践、提升教学理念的生长点。二年级语文老师丁艳青讲述了如何帮助班上一名患多动症学生培养良好学习习惯的故事，在点评时，我们建议丁老师坚持写关于这个学生的观察日记，学期结束，便会形成很有价值的研究案例。通过讲故事，许多教师明白了有效地研究就是从对小问题的探讨开始的。

（四）搭建专家资源网络，创新校本教研途径

抽象教育理论与实际教育教学之间的分离与无法融合是许多教师的困惑，为使学校校本教研走向深入，有效提升一线教师的教科研能力，近年来我校依托大专院校、科研院所的专业指导与研究优势，开展了一些卓有成效的合作互助活动，提高了校本研究、校本培训的质量，进一步提升了教师的专业素养，为实现教师自主发展奠定了深厚的理论基础。

1. 成立专家指导委员会，为学校发展提供专业支持

学校要发展需要借助一定的专业人士，包括社会上的家长资源，一起筹划学校发展蓝图，给予学校准确的定位及制定切实的策略与计划。我们紧紧依托北京师范大学、北京教育学院和北京市教科院的专家教授资源，成立了专家指导委员会，进行专门的座谈研讨，通过与专家的互动研讨，结合学校发展，在已确立了“立足北京，辐射全国，走向世界”的发展总目标的基础上，对学校三至五年的发展再做规划，使学校发展思路更加明晰，为学校的可持续发展提供了专业支持。

2. 聘请专家跟踪指导，使校本教研更规范有效

在学校的教育科研工作中，我们注意依托专家资源，对学校的科研

课题进行专项指导。学校在2006年9月申请立项的北京市“十一五”校本研究专项课题“促进教师自主发展的校本管理机制的研究”中，聘请了北师大王本陆教授为我校课题研究的指导专家，从课题开题论证的指导到课题中期各研究阶段检查，再到学校子课题的申报、教师研究过程的跟进指导，给予学校课题研究全方位的理论与技术层面的支持，使学校的科研工作更加规范、更具实效性。

除此之外，在引导教师开展教育叙事研究的过程中，学校请来了北师大的刘儒德、楚江亭、吴国珍等教授进行了系列讲座，指导教师开展叙事研究，撰写教育反思随笔。

3. 聘请专家参与校本教研互动，给予教师切实的指导

在与专家学者的交流中发现，作为院校里的研究人员，他们有深厚的理论修养及丰富的研究经验，但缺乏实际的、鲜活的教育案例，而与此相对应的是，作为一线教师拥有大量的来自教育教学实践的鲜活的研究资源，缺少的是理论的引领及方法的指导。学校寻找的正是这两者之间的结合点。为此，除了开展科研讲座之外，学校还聘请专家学者对教师案例、随笔、反思、论文进行一对一指导。教师在与专家零距离的接触中，在研讨互动交流中教育理念、思维方式都有了较大程度的提高。

（五）主题论坛，探究教育问题的本质

主题论坛是我校校本研修的一种方式。在开展教师论坛的过程中，我们首先注意论坛从教育需求的实际出发，选择大家关心的问题为一个主题。这一主题来源于教师、来源于实际，要选取真实的能够引发共鸣的问题，而不是像以前做研究是为了一个空想的结果做无意义的假研究，只有真实的问题才能唤醒教师研究的欲望。同时研修的主题还要能对教师的工作改进有帮助，在教师力所能及的领域范围内。选取真实、有建设意义的主题是有效开展同伴研修的关键。其次，论坛要让教师参与其中，尽情地互动、探究、研讨、体验，从而得到发展。教师作为相对独立的工作个体，习惯于做教室的中心，一个人的认识、理解开展工

作，不是很愿意打开教室大门，打开心灵之门，让他人洞察自己，品头论足，同时也不擅长去点评他人的工作得失。因为在大家心中，作为同行之间的微妙之处使大家不愿意谈论自己工作中的问题与困惑。因此，创设一个宽松、和谐、自由、平等或者非学术性的交流氛围就显得十分重要。只有大家彼此消除了攀比、评价优劣、患得患失的心态，才会使每一位教师真正放下包袱走进这个学习交流的共同体。最后，主题是教师们身边的问题，大家也都有各自的认识与理解，但是我们不希望这样的交流只是彼此在原有层面上的信息互换，或者是各执一词，我们希望的是一种个体经验上的凝练、提升，或者辩论出一个正确的结论、最佳的策略，因此在同伴交流中需要专家的参与及专业支持，需要专家的适时判定、点评、升华，以使研修获得的共识逐步地成为教师们新的思维和行动。专家的参与指导是保证研修效果的技术支持。

这是我校 2009 年寒假教师论坛中“课堂生成”专题小组的教师分组交流的发言节选：

有效地利用课堂生成性资源的“五谋略”

谋略之——“一变 N”丰富教学内容

也许我们在教学设计中只设计了到“一”，一种方法、一种策略，一点知识。但是，我们敏锐抓住孩子们可贵的课堂生成，促使“一”变“N”。让学生产生 N 种方法、N 种策略、N 点知识。孩子们自己解决自己生成的问题，不仅能够达到教师的教学目标，更能充分解放孩子的思想，使他们在轻松愉快的氛围中，感受到学习的无限乐趣，从而真正成为学习的主人。

案例一：牛亚娟老师讲授百以内混合运算复习课中的租车问题时曾有这样一个片段。中型车每辆限乘 8 人，小型车每辆限乘 3 人。全班 45 人去春游，怎样租车合理些呢？经过孩子们的独立思考，最终得出了预设的结果：租 3 辆中型车，7 辆小型车，正好能够坐满。在牛老师正准备结束这一练习题的时候，生 2 提出了质疑"那老师坐哪儿呢?"牛老师突然懵了，但转念一想，人家孩子考虑的也对啊，怎么可能只是学生春游，老师不去呢。于是，她顺势问道："看他多会考虑问题啊！是呀，加上老师，全班就有46人了，怎样租车合理呢?"孩子们兴趣大增，兴致勃勃地计算起来。很快，他们得出了新的建议。接下来，生 3 又进一步补充道："我们的东西很多，座位还可以放东西。"多么切合实际的想法，把数学与生活紧密地联系在一起。这时，生 4 又产生了一个新想法："我们和七班是友好班，我们一起去了。"孩子们你一言，我一语，说得都很有道理，算得也十分准确。不知不觉中，下课铃声响了……

在赵颖老师和学生学习老舍先生的《养花》第一自然段老舍先生因为爱花所以养了很多花。赵老师抛出了问题：从哪儿看出"爱花"、"爱养花"？同学们你一言我一语，这时，一个孩子快速站了起来："文章中写到院子里满是花草，小猫都只好到屋顶上去活动了。我知道老舍先生是特别喜欢猫的，可老舍先生宁愿委屈了小猫，也要种这么多花草，可见他对花的喜爱。"有些出乎我意料的精彩发言，一下子振奋了我的心："你怎么知道老舍先生喜欢猫的?""我看了他的一些其他文章，从课外资料里知道的！""对呀！"旁边的一个同学插嘴道，"咱们还做过一篇阅读练习，说小猫在他的稿纸上踩了梅花状的脚印他也不在意。"有的同学恍然大悟，"他的好多文章都写到过小猫呢。"随即，有的学生拿出了老舍的相关文章，看到学生兴趣盎然，赵老师让学生读一读相关句段。一堂课中，教学的分量增加了。

孩子们日常生活中敏锐的观察力和课堂中的教学有机结合，学生丰富的语文素养和教学相结合，使得他们对例题中的不完善之处产生了自己独到的想法，使得单一的教学内容并由此产生了新的问题、补充了新内容。这些由孩子们自己提出的新问题，使得单一化的例题、内容变成了联系生活实际的具体问题、关联内容。

谋略之——"小先生"走上讲台变换教学主角

当孩子们在课堂上提出问题的时候，老师的解答有时候不一定是最好的答案，孩子们的世界五花八门，孩子们的思维开阔敏捷，这个时候，我们不妨把课堂交给孩子，让他们成为小先生，课堂气氛一下就变了……

课例一：裴娟老师在一节京剧课上，问孩子如何传承民族文化，电影还是京剧？这个问题迅速引起了孩子们的争议，同时也激发了孩子们的灵感。有孩子提议开个辩论会。于是，裴老师迅速调整了教学内容，让孩子们自己推选出了主持人和正反双方代表，他们利用一周时间来准备，通过多种渠道来查资料，终于盼来了又一节京剧课。在这节课上，裴老师坐在了观众的位置上，把课堂交给了两位主持人。孩子们的发言此起彼伏：长江后浪推前浪，前浪死在沙滩上！如今电影非常流行，而京剧是我们的国粹。京剧返璞归真，电影推陈出新…… 辩论会上掌声、笑声和叫好声不断，大家兴致盎然，他们收获远比只有老师去讲多得多。

在新课程理念指导下的真实、自然的课堂，是动态化的。我们的课堂教学不能只是按着预先的设计“讲教案”，而不去关注学生的发展以及学生在课堂上的生命状态。让死板的教案支配和限制着活生生的学生，这样使原本鲜活灵动充满情趣的课堂变得机械、刻板僵硬与程式化。新课标下的课堂，应该是师生交往，积极互动，共同发展的过程；是活力四射，个性张扬，异彩纷呈的课堂，是师生共同生成的课堂。

案例二：在×××的语文课上，《黄河象》是一篇很有趣的含有科学的推理内容的文章。于是，X 老师改变了以往语文课的学习方式：熟读课文之后，由学生自己提出问题，自己来解决问题。孩子们兴奋地与前后座的同学一起读起课文来……X 老师看着他们兴味盎然的样子，心里在想，一会儿让他们以什么方式汇报呢？只是简单地你提出一个问题，他来解答一个问题吗？她一边想，一边快速扫视着课文，几个字映入眼帘：“北京自然博物馆、古生物大厅、陈列”，这里有点像导游员领着大家参观博物馆一样，“科学家假想了……来历”，这是科学家的推理，灵感有了！于是，她大声对孩子们说：“今天我们要开个新闻发布会，内容关于黄河象骨骼化石。届时会请一些科学家，记者到场，还有我会选一名本馆的新闻发言人。请大家做好准备，选好角色。”一次平常阅读分析课，竟然上得如此热闹，学生如此积极参与，是让老师始料未及的。

一节课，不在于老师讲得有多么好，而在于你给学生多大的发展空间，把课堂上的时间和空间还给学生，让他们变成主人。教师由传统的知识的传授者转变为学生学习的组织者。学生才会积极参与，有效参与，学生的思维才会活跃起来。

我校教师论坛一路走来已经开展了九届，从最初的个体参与到现在的全体共鸣，从单一的真知灼见到现在的集体智慧，从一次一题到后来的持续关注，我们实践着、改进着、收获着。

让我们共同回顾我们的历程：

时　间	届　数	主　题	参与讨论人员	子专题	参与形式
2005.1	1	我和我的课堂	6名教学骨干	无	报告
2005.7	2	经验分享会	12	无	教研组长汇报
2006.1	3	秋实杯论文成果	4	无	梳理、回顾研究历程
2006.7	4	了解学生内在需求 做学生喜爱的教师	全体中关村第一小学教师、部分学生家长	班级、学科、管理中的学生需求	班主任组、数学组、英语组、家长组、管理组
2007.1	5	学科教学如何回应学生需求	语文、数学、英语、科任教师、后勤教师组、专家	在课堂教学中关注学生需求，实施差异教学，促进不同层次的学生发展。新时期家校有效沟通的方式的探讨。如何既抓基础又关注学生能力培养，提高学科教学实效性。如何让学生喜欢我的课，谈加强科任学科课堂教学管理，提高学生学习兴趣。学生良好学习生活习惯的养成	各组在专家指导下论坛、各分论坛推荐发言、专家点评

续表

时 间	届 数	主 题	参与讨论人员	子专题	参与形式
2007.7	6	满足学生内在需求——做研究型教师	全体教师、专家、友邻学校		全体教师分子专题进行论坛
2009.1	7	说出我的教育故事	全体教师、专家、友邻学校	面对最大挑战、教育智慧、学生让您惊讶和感动的故事、整理对内心产生震撼的体验、摆脱个人困难需要走出自己的小天地的故事、与不同类型学生默契沟通	从故事中凝练智慧、达成共识
2009.7	8	深度研讨教学故事，凝练提升教育智慧	全体教师、专家、友邻学校	如何在课堂教学中关注学生差异？如何在课堂教学中落实基础知识和基本技能？如何让我的课堂更有序？如何让预设更有效，让生成更精彩？如何回应不同个性学生的需求？如何发展学生的自主学习能力？如何赢得家长的理解和支持？如何加强学科间的同伴互助	各组在专家指导下论坛、各分论坛推荐发言、专家点评
2010.1	9	研究课堂教学规律 促进学生自主学习	全体教师、专家、友邻学校	如何预设、怎样有效生成、小组合作、课堂练习的设计、评价、习惯养成	各组在专家指导下论坛、各分论坛推荐发言、专家点评

从上表可以看出，我们的研究内容、形式都在发生着变化，其中我校围绕“学生需求”这一主题展开了系列论坛活动，积累了很多可操作层面的经验。全体教师与管理人员一起倾听学生的心声，研究学生的需求，并力图从学生视角审视我们的教学服务。大家通过讨论认识到：

需要的并不仅仅是课程标准和教科书所呈现的知识、技能，更重要的还在于我们教师的人文素养及其相应的教育能力能否带给学习者对于人类美好情感、态度、价值观的积极体验。

在做“学生心目中的好老师”主题论坛中，教师们被一幅幅生动的画面、一句句充满童真的话语深深地触动了。我们真的不是充分地了解我们每天面对的学生，我们的一言一行对学生们将是终身的影响。我们分学科、分角色地剖析了学生心理、生理、生活、学习等各方面的需求，探讨如何成为学生喜爱的教师。从让学生喜爱到落实到课堂教学，最后到真正以研究的态度改进教育教学行为，体现了对自我认识的不断提升过程。主题论坛式的研讨可使问题的研究更加深入，碰撞出更多的教育智慧火花，同时也是教师锻炼成长的舞台。

实践表明，在实践以人为本教学理念、满足全体儿童学习需求的过程中，必须高度关注我们的服务对象——学生。以他们的学习状态及对于学校生活的实际体验作为认识和评判学校管理和教学服务的基本依据。他们的实践探索还说明，增强教师的人文素养是实施高质量的学科教学、满足全体同学的成长需求的一种创新视角及实践机制。此外，关注学生需求还带给教师一个评价自身教学、反思和改进自身专业发展，开展校本教研的一个很重要的参照。

我们希望通过开展校本教研活动，创设一种教育、学习、研究、协作同期互动的教师职业生活方式，激发教师个体自觉、主动地追求作为教师职业人的人生意义与价值，促使教师不断自我超越，实现教师的职业理想，最终使教师达到自我实现的人生境界，享受教育幸福。

五、成就自我，激发教师的幸福指数

把教师当做职业，反映的是最低层次的需求；把教师当做事业，表现为具有主体意识的人生态度；把教师当成艺术，才能体会出职业带给人生的幸福。只有将教育工作上升到一种审美、一种艺术、一种创造，才能最大限度地优化主体意识，体验幸福的职业人生。为了提升教师的职业幸福指数，学校开展了一系列活动。

（一）"1 + x"教师培训计划 让教师体验职业幸福

为促进教师向一专多能的专业纵深发展，满足学生学习需求，我们开展了1 + x 教师培训计划。所谓1 + x 就是指教师在自己深厚娴熟专业知识能力外，学习掌握专业外的知识能力。它可以是自己专业延伸的知识能力，如涵养自己专业素养的文学、国学、诗词赏析等，也可以与自己专业无关，但是向其他学科延伸的，如剪纸、陶艺、木工、书法、体育项目等。以菜单式服务的方式培训教师，教师们可以自主选择单项或多项培训。

教师应该是色彩丰富的人，不应该是"单色"人，实施这个计划，最终还是"以人为本"，提高教师的生命质量和扩展专业内涵，落实到人的全面发展。1 + x 教师培训计划的创新点主要体现在以下两个方面：

（1）伙伴研修，突破校园，教师学习共同体的建立

学校开展的"伙伴互助行动计划"之后，"1 + x 培训计划"将伙伴研修模式延伸到了校外。担任教师兴趣小组授课任务的有北大、人大教授，体育学院的专职教练，海淀区劳技中心的老师。同行教同行，形成学习共同体，互教互学，协同发展。

（2）一专多能，教师专业发展的新途径

"1 + x 教师培训计划"为教师提供了多向发展的可能，知识有通性，有同一的精髓，各学科的相互关联可促进教师的专业发展。文明礼仪、心理辅导以及各种体育类的课程还能更好地帮助教师健康身心，强健体魄，摆脱职业倦怠、亚健康的心理问题和生理问题。

"1 + x 教师培训计划"使教师专业发展由原有的单一专业的发展模式转变为以本专业发展为核心，以多领域涉猎为补充的多元化的教师发展模式，使我们在教师专业发展的探索道路上迈出了崭新的一步。

（二）我成长，我幸福——成就"最好的我"

学校整体教学质量的提升，教师团队的整体发展也伴随着教师个体

在不断变化，每位教师都在成就最好的我，每位教师都在享受成长的快乐。这里是其中两位教师的内心独白。

超越自己

数学教师　陈千举

俗话说：人无远虑，必有近忧。这句话从古至今还在不断地印证着没有大的志向的人经常会被眼前的一些小事所烦恼，而胸怀长远目标的智者则经常会在不断战胜大的困难的过程中获得成功的喜悦。三年前，刘校长号召我们全体教师根据自己实际情况制定了个人三年发展规划，使我们每个人尽可能清楚自己的努力方向。

1. 做最好的自己——你会庆幸机遇降临到你头上，把握它，享受其间的喜悦。

在天秀部初次承担班主任工作，我用心了。我把许多学到的班级管理的方法结合自己的想法进行了尝试，把一个东拼西凑的班的凝聚力提高了，健康的班风也随之建立了，最终取得了学生的喜爱和家长的认可，我所带的班级学生喜欢我的数学课，用他们的话说：我们的数学课是在玩中进行，我们很喜欢。

在此期间，我不忘积极承担学校研究课和接待课，积极争取区级研究课，认真的态度使我取得成效并受到锻炼。在越来越多的肯定与称赞中，我的自信被不断地滋补。

2. 努力超越自己——战胜自己，品尝超越自我的苦与甜。

《小数大小的比较》成就了我。但我不会忘记这个历程，从不断地摸索、尝试到成功的市级研究的完成；从市级研究的成功走向外省（河北，山东）交流；最终成功走向全国（获全国创新杯一等奖，国家级录像课，进而在长春的全国研讨会上做课）。面对每一次挑战，我犹豫，我紧张，我奋起，我胜利，我快乐！

面对学校提供的更多、更好的机遇，我更加不敢放松。回到本部，世纪杯评优课的经历使我在业务上有了再次提高的机会，又使我得到了磨练。这次我更多的是代表着学校这个集体，我不允许自己输。新接的两个班的教学工作是否能成功完成，初任教研组长工作是否能胜任；对于备战评优课而不能及时按进度进行班级的日常教学，期中测试班级的成绩是否能保持原有的水平。所有的这些都聚到了这个时期之内，我感觉到吃力了。但我不敢有丝毫懈怠，我知道，唯有努力付出才是取得成功的基石。经历是无价之宝，经历使一个人越来越富有，我会更加善待我的经历。

“三级跳教练”

体育教师　张　军

2006 年 12 月 23 日，第一届全国学校体育工作会议在北京大兴召开，国务委员陈至立、教育部部长周济、国家体育总局局长刘鹏同时出席了本次会议，我有幸代表小学体育教师进行教学现场展示。课堂伊始，学生就沉浸在快乐的活动中，体育教学的魅力感染了在座的每一个人，会场不时响起热烈的掌声！

记得三年前来到中关村第一小学时，我只是一名普通的体育教师。三年半的时间里，在教研组的活动中，在专家工作室、教学师傅的指导下，我按照自己制定的规划不断地努力，业务能力逐渐提高，工作经验日益丰富，三年的时间里我实现人生的三级跳。

一级跳：那时我刚刚来到中关村一小，还是一名教学新兵的我就要参加中心的体育教学评优课比赛，心中的压力可想而知。全组的教师一边给我减压，一边与我共同备课、听我试讲、提出建议、反复修改。我知道，我后面有一支坚强的后盾，我只是他们中的一员。一次次的试讲，一次次的提高，我自己都能够听到自己成长的拔节声。“功夫不负有心人”，在比赛中我取得了一等奖。成绩并不代表着终结。比赛结束后，组长和我一起及时向看课教师和评委征求了意见，我们又一起针对大家提出的问题，认真分析，仔细研究，结合日常教学反复地实践，进一步提高自己的教育教学能力。

二级跳：来到一小两年，我自己在教学中已经积淀了一定教学经验，对于体育课程标准、对于体育课有了一定的感受，我的课堂深受学生喜欢，我也多次承担学校的接待课、观摩课任务，体育的魅力也深深吸引、感染着我。在平时的教学中，我依然保持着一个好习惯，就是向很多教师征求意见，针对教师们提出的建议，以及在讲课中发现的新问题，形成新的思想，结合日常教学，不断推敲，反复实践，改进自己的教学。因为我知道我今后的路还很长，我距自己的目标还很远。终于，在期待中，我又迎来了自己职业生涯中的又一跳。2005 年 9 月我参加了海淀区体育教学评优课获得了一等奖，并在海淀区中小学全面实施课程标准体育教学中做展示课，并以录像课形式参加了北京市百节课例展评活动，同一年，我被评为海淀区“海韵之星”。

三级跳：来到一小三年，我实践着自己的人生梦想，我深知在这样一所优质学校中，每一位教师都不可以懈怠，虽然，有的时候自己也沾沾自喜，但是，更多的是自己的警醒。周围的同事，可亲的领导都在关心着我。在这样的关爱下，2006 年同样是我快速成长的一年，在扎根于常态工作的基础上，伴随着各级各类的比赛，我在教学和训练上取得了较好的成绩，工作能力得到进一步提高，2006 年 3 月我参加北京市体育教学评优课，获一等奖第一名，3 月份还在北京八中上北京市体育教学评优展示课，9 月为巴西环球电视台的记者上了一节体育课并接受了采访。

中关村一小为我成长铺设了轨道，提供了沃土，为我插上隐形的翅膀，在这片沃土中我努力地成长拔节，努力地用我的心力培育我的学生，在历年的海淀区运动会上，我所带的学生均取得优异的成绩，为学校赢得 100 余分，学生们在我的体育课上尽情地挥洒自己的运动潜能，提高自己的身体智能。

（三）我们成长，我们幸福——打造团结奋进的团队

近年来，我校教师在全国级课堂教学评优活动中共有十几人次获一等奖，参加北京市级研讨活动评优展示课三十多人次，区级的评优研讨课五十多人次；主持了全国、北京市、海淀区的各类研讨会十几次；举办“名师课堂”讲座四十多场，教师主题论坛十二次。在教师专业发展研修中心的带动下，中关村第一小学教师自主发展的愿望越发得到调动与激发，几年来教师们迅速成长，各个学科的教师队伍在均衡发展。

语文：通过营造氛围，激发内能，学校搭台，名师导引等多种手段形成梯队建设，培养了一批在语文教学工作中起骨干、示范作用的高素质的教师队伍。在3—5 年内培养出市级骨干人员 2 名（原 0 人），区学科带头人 11 名（原 1 人），区级骨干人员 8 名（原 0 人），中学高级教师 1 人（原 0 人），并以此带动和培养一大批青年骨干教师；形成我校独有的语文教学理念“自主品悟”及体系、校本教材，语文核心组教师由最初的 8 人发展成为 24 人，教师们以能够进入核心组研讨、交流作为自己再提高的重要平台，每一次核心组活动，授课教师都要在组内试讲多次。组员全体参与，研究、改进、质疑，授课的是一名教师，参与的是全体教师，他们知道在教师的发展的道路上，“我”不是在孤军奋战，“我”旁边有团结互助的同伴，我身后有坚强有力的教学干部，我前面有友善亲切的专家顾问。“我们”在一起成长，“我们”在一起享受成长的欢乐。2007 年 5 月召开的“中关村第一小学阅读教学研讨会”全面展示我校语文教学成果；部分教师形成一定的教学风格，在全国、市区各级各类教学研讨中取得一等奖的优异成绩；学生具有扎实的语文功底，学校整体教学水平得到社会的认可。

数学：数学教师团队以前就有着比较好的基础，近年来通过对“自主体验”教学理念的梳理和实践研究，这支优秀的团队又向前迈进了一步，现拥有特级教师 1 名，市级骨干教师 2 名，区级学科带头人 13 名，区级骨干教师 8 人。多次承担国家、市、区级教学研讨活动并得到广泛好评。数学团队注重发挥团队中每一名成员的力量，他们坚信“1 +1 >

2”，就像相信每一名学生都是有待开采的金矿一样，他们也同样相信每一名教师是无声的教科书，每一次活动都是我们的共同提高。

英语：通过强化组内教研，各种形式的研究交流活动，营建了积极上进的团队互助氛围。教师队伍的梯队建设初见成效。从最初的 1 名北京市骨干教师、1 名区学科带头人、1 名区级骨干教师发展成为：北京市特级教师、北京市学科带头人 1 名，海淀区学科带头人 3 名、海淀区骨干教师 4 名。近年来，英语教师在市、区各级教学竞赛中获得多项荣誉，学校英语整体教学水平有所提升，在每一次活动中，英语组都是大家庭的全组齐上阵，在每年一次的学校评优课中，英语组都是以小组的形式参赛，每一名成员分工明确，你说课，我上课，他评课，注重群体参与。

科任：各科任学科的区骨干，区学科带头人，市骨干教师，市级学科带头人达到了一定比例，仅科学学科就有北京市骨干 3 名；学生竞赛成绩逐年增长，并在全国比赛中具有一定的影响。加强与区、市、全国和国际竞赛的交流；学生活动经常化、系统化，形成中关村第一小学的整体优势；加强学校与各个科研院所的联系，将中关村第一小学的家长资源、学生资源、教师资源与学校优势、地域优势整合为一体，发挥整体优势，为中关村第一小学的科技教育发展服务，提升科技教育品牌；专业教室满足学生学习、研究需要，实现环境的最优化组合。

在多年的独立中，我们以唤醒教师主动发展的内驱力为着眼点，以内需推动他们自主、积极地充分挖掘自我潜力，力求促进教师主动发展。教师的反思能力明显提高，如今每学期，教师都会带着专题开展教学，研究已经成为教师的课堂常态，撰写教学反思已经成为教师的自觉行为，教学札记记载着教师思考的足迹。

（四）幸福教师系列大讨论，开拓教育幸福领域

为了激发教师教育创新的意识和激情，党支部开展了“讲述教育故事 启迪育人智慧”、“静下心来教书 潜下心来育人”、“幸福溢满园”等系列共享教育幸福的专题活动。在对“如何做幸福教师”的多次讨论

中，党员教师对幸福的理解逐渐深刻，普遍达成共识：教育的幸福是一种发展自我、悦纳自我的心理感受，是一种快乐他人、造福他人的愉悦体验。做幸福教师要注重三个结合：幸福体验与创造幸福的能力相结合；满足师生自身需求与适应外在环境要求相结合；实现知识积累、能力提高与情感熏陶、道德内化、意志锻炼相结合。唯其如此，幸福指数才能不断攀升。在生命成长过程中，自主性、充盈性、独特性决定了教育对生命的张扬，契合了促进人全面发展的素质教育的方向。学校是师生共同成长的地方，师生发展是一个共同体，学校为师生成长和发展创设良好的氛围，使之享受生命的快乐与幸福。

教师的幸福绝不仅是职业意义上的乐，更在于一种追求工作质量，享受生命价值的乐。教育成为一种公而忘私的乐，一种宁静致远的乐，一种大爱无痕的乐。

第七章 修炼校长领导力，实现自我超越

一、特殊的使命与责任

这是一个变革的时代，正如加拿大著名学者迈克·富兰所言：“变革是普遍存在和持续不懈的，它经常出现在我们面前。”在这个全新的知识经济时代，持续地变革成为人类社会生产与生活的普遍状态。

首先，日益激烈的国际竞争对高素质人才提出了更高要求，面对工业社会和信息社会发展的要求，面对极不平衡的区域性社会经济发展以及多元文化价值取向、伦理道德问题、文化生态危机等一系列严峻挑战，中国基础教育的改革与发展进入一个十分关键的时期。这一时代特点不可避免地对现代教育提出了更高的要求，变革的教育不仅需要新的知识观、人才观，新的教育教学观念与方法，更需要新的管理思维与工作思维。领导者在新的价值体系下如何游刃有余地开展工作，带来了领导力研究的课题。

其次，就教育改革而言，20 世纪六七十年代，学校改革主要集中于教学方法、课程设计、资源投入等方面，稍后，随着组织和管理理念的发展，研究的焦点逐渐转向组织层面，即改善学校系统与管理。学校领导的课题研究逐渐为学者所重视，人们越来越关注学校的发展战略与愿景构建，重视组织文化体系的形成，追求高品质的学校教育，这些都与领导息息相关。

最后，就我校自身而言，在长期的教育教学工作中我们不断发现一些现象值得深思，例如：我们提倡校本教研，为教师潜能开发提供尽可能多的机会与平台，但也有个别的教师却感到身心疲惫，缺少发自内心的工作热情和发展动力；我们不断地请名师开讲座，研讨不断，学习不断，希望提高教师的专业技能，同时却忽略了教师思维方式的转变，不少人只是被动地学习、进步，往往事倍功半；我们提倡教师要有问题意识，要主动和勇于去改变，变革自身，变革同伴，乃至变革学校，却无法避免地遭遇到不情愿、懈怠、困惑等消极因素；我们提倡同伴学习，互帮互助，但在现实中，却仍然有人自扫门前雪，部分教师在面对问题时，不但助人意识薄弱，甚至求助意识也不强，所以无力、无奈、无法。教师的进步需要更多的支持与帮助，学校的发展需要更有效的指导与变革，这对校长的领导能力提出了新的要求。社会的转型与教育的变革决定了新时期校长的特殊使命：把握时代脉搏，具有前瞻性的思维、审时度势的智慧和教育创新的能力，从而实现学校的跨越式发展。这就要求校长必须立足于变革性实践，为组织设立目标，明确方向并确定战略意图，引发并能够掌握变革。

正是在学校发展面临众多挑战的形势下，我校开展了与校长领导力相关的研究课题，加强校长领导力建设，这是我校改革与创新研究的重要内容，也是学校生存、改革与发展的必然要求。校长领导力是将科学知识资源转化为学校运行与发展行为的知识管理能力和力量，是学校领导团队服务于学校愿景、确保学校发展目标顺利实现的影响力，它能够发挥凝聚、导向、规范、激发功能，是学校的核心竞争力和根本的文化资源。

二、研究校长领导力的已有基础

校长领导力的研究主要基于组织行为学理论和领导学研究的发展，具体包括以下几个方面：

1. 组织行为学理论的发展。20 世纪人们对组织的理解主要有两种观点：一是将组织视为权力，信息集中于高层的等级体系，重视等级控制逻辑。另一种是将组织视为团结协作的社团系统，重视组织成员的思想观点。后者就是组织行为学所持有的观点。

组织行为学出现于 20 世纪 30 年代，研究的是组织中以及组织与环境相互作用中，人们从事工作的心理活动和行为的反应规律性的科学，是应用于管理实践的社会科学，旨在提高管理人员预测、引导和控制人的行为的能力，以实现组织既定目标。这一理论强调领导与下属之间的合作沟通。领导要根据员工的不同性格与能力，分配不同的岗位工作，充分调动下属的积极性，发挥他们的才能和潜力，通过关注组织中人的行为来实现组织目标。组织行为理论的充分发展，使人们越来越认识到领导在组织中的作用，领导之领导力的重要性逐渐凸显出来。

2. 领导学研究的发展。关于领导、领导力和领导者的研究统称为“领导学”研究，这是管理学研究中的一个重要主题，也是校长领导力研究的重要理论背景。领导学的研究经历了从最初关注“领导特质”研究到强调“领导行为”研究，再到“权变领导”、“团队领导”、“变革型领导”等研究，形成了大量有价值的研究成果，拓展了人们对领导行为与领导力内涵的研究视野。

“领导特质”理论将领导者的成功与否归因于不同的人格特质，认为通过科学的方法可以测定并归纳出成功的领导者应该具备的人格特质，以此作为选拔领导者的重要依据。这一理论将领导看做先天具有领导素质的人才，而被领导者不具备这些素质，从而将人群区分为领导者和被领导者两类；“领导行为”理论是基于领导特质理论的领导天才论的不足，而将研究视角转向有效领导行为结构的研究，认为构成领导行为结构的主要有两个维度：员工导向和工作导向，前者指领导重视人际关系、信任和尊重下属的程度，后者指领导强调工作目标和技术，忽视下属作用和正当要求的表现程度，这一理论显示了从对领导者的静态研究到动态研究的变化；“领导权变”理论是继领导者行为研究之后发展起来的领导学理论，将领导的效率与领导者所处的具体情境与环境相关联，认为管理不能使用固定的模式进行，而应当根据组织所处的内外部条件随机应变，这一理论将内外部环境因素看成是自变量，将管理思想、方式和技术看成是因变量，后者随前者的变化而变化，管理者应当根据两者之间的函数关系来确定一种最有效的管理方式；“团队领导”理论将团队视为现代社会一种普遍的组织形态，团队区别于一般社会组织的地方在于它拥有需要相互协作才能实现的共同愿景，因此团队中的领导行为更强调参与、协调与激励，优秀的领导者必须保持学习精神，不断提升自身的领导素养、领导能力和领导艺术；“变革型领导”理论认为领导者除了引导追随者完成各项工作之外，常以个人魅力通过激励、关怀去变革下属的工作状态、信念和价值观，使他们为了组织利益而超越自身利益，从而投入到工作中。领导学的研究变迁为我们今天研究“校长领导力”提供了丰富的理论背景和有益的分析框架。

三、研究校长领导力的全新视角

关于对领导力内涵的阐释，前人有不同的观点：美国著名学者詹姆斯·库泽斯·巴里·波斯纳修订的《领导力》第三版提出：领导力是领导者如何激励他人自愿地在组织中做出卓越成就的能力；《领导者对话》一书指出：领导力是把握组织的使命并动员人们围绕这个使命奋斗的一种能力，领导力的基本原则是关于“怎样做人”的艺术，而不是“怎样做事”的艺术，最终决定领导力的是个人品质和个性；美国学者约翰·马克思维尔提出领导力即影响力的观点。围绕领导力研究，有人提出“道德领导力”、“教学领导力”、“关系领导力”等相关理论。在对领导力内涵进行深刻认知的基础上，我国学者陈玉琨教授提出校长领导力的五要素论：战略思维能力、组织协调能力、课程与教学指导能力、评价与诊断现状的能力、争取社会支持的能力；张爽博士提出校长领导力的三要素论：组织发展引领力、团队效能提升力、二元关系构建力。以上论点的研究视角大致有三：第一，是从领导学自身概念范畴引申而出领导力的内涵；第二，是从领导者与被领导者双方之间的互动关系来研究，从影响结果分析领导力的内涵；第三，是从领导者应该具备的素养来定义领导力。

基于以上认知，我们认为，校长领导力建设是指以校长应有的战略谋划力和组织领导力为主导，在开发和培育教师领导力与学生领导力的过程中，调动师生自主发展的内驱力和发展愿望，做自己的领导，承担自我开发和管理的责任，主动积极寻找自己发展的生长点并与学校共同发展的过程。在我们看来，真正的领导应该是一个团队协作的进程，是领导者与下属在愿景和过程中不断冲突而达成和谐的产物，作为领导者不能将愿景目标强加给下属，而下属也不能不辨是非的无条件执行领导的一切命令，有效的领导是通过各种方法、途径来调动、满足和重塑下属的需求和其他目标，与此同时，领导者与下属之间应当建立起一种全新的团队协作关系，共同提高个体素养，朝着更高级的目标和动机迈进。这一观点超越了以上单纯从一个视角研究校长领导力的观点，也超越了近年来对于校长领导力的通俗解释：领导力就是能够对他人施加影响并赢得大批追随者的能力，较好地将领导与团队之间的关系进行了重构和解读。

四、校长领导力的个性化解读

我们认为校长领导力不是单指某一方面的能力，而是包含了校长的价值观、办学理念、学识、人格、情感、意志和能力等在内的综合素质，是规划、引领、创新学校发展的综合能力。我校从战略谋划力、课程创生力、教学引领力和校长的人格魅力，这四个方面对校长领导力进行了个性化的解读。

校长领导力，首先是一种战略谋划力，即科学分析判断形势，全局性、前瞻性、长远性地预测发展趋势，通过谋划实现预期与预测的高度完美结合，并升华为简明的理念，进而确立明晰的工作思路和目标以及行动方案的能力，具有战略性和方向性两个特性。战略谋划最初多用于工商管理中，谋划力和执行力往往决定着一个企业的发展方向和速度。随着时代的发展，战略谋划已经逐渐渗透到了更多领域，战略谋划力也逐渐成为新时代的校长应该具备的一个重要素质和能力，是一种知识资本管理能力。科学合理的战略性谋划对学校的发展起到了至关重要的作用，成为引领学校走向成功的重要因素。

在教育教学实践中，我们发现，学校的发展有时会一帆风顺，有时会面临挑战，机遇的垂青与危机的发生并存，如何能居安思危，在常态发展中审时度势，实现跨越式发展？这就要求校长必须有一个开放的视野和敏锐的眼光，洞悉社会发展的趋势，发现其对教育的新的需求、新的挑战，从而审时度势，适时做出战略性决断。校长的战略谋划力要形成高效的战略研究、反应机制，实现对社会发展、对教育全局和人的发展需求的自动学习、自动跟踪、自动调整、自动适应的机制，实现有价值的信息自动输入、储藏、检索、使用的机制，将科学知识转化为学校资源。

我校对学校发展进行战略性谋划主要基于三点：第一，基于历史。校长必须熟悉历史，把握现实，洞察未来，形成理念。对学校发展过程中形成的文化积淀、优秀传统、经验教训进行梳理，使学校的文化积淀转化为发展资源，并努力促进学校文化资源不断升值为学校发展资本。第二，基于现状。校长必须对学校的现状进行深入的剖析，从学校各个层次的思想和观念、资源与文化、制度与机制、组织与行为、质量与效益、系统与运行协调等方面发现发展的梗阻与需求、利益的冲突与矛盾、外在的需求和掣肘，看清问题，抓住矛盾，开发、调用现有传统优势资源应对问题与矛盾。第三，基于未来。学校战略策划还必须对未来进行科学预测和积极展望，小到周边社会及自然环境变化趋向、社区形态与结构演进趋势、区域社会及文化走向，中到行政辖属区域行政链条的相关环节的行政思想、发展思路、政策法规演进趋向以及行政部门发展思路和要求，大到国家社会发展趋势、教育发展走向、国际同类教育的发展趋势、高端发展形态，校长必须做到全局在胸，洞明世态，寻找切实可行的生长点，进而明确学校进一步的发展目标。

上任之初，在对中关村第一小学发展历程、得天独厚的社区资源优势和时代挑战与机遇的分析基础上，我带领全体教职员工共同分析归结出当前中关村第一小学内部存在的主要矛盾和问题：1. 如何确定学校战略发展方案，建立学校共同愿景；2. 如何处理好学校共同愿景与教师个体生涯规划之间的矛盾；3. 如何处理好学校规模不断扩大和学校管理体系的完善与创新提升的矛盾；4. 如何处理好不断壮大的师资队伍和教师整体水平的提高之间的矛盾；5. 学校缺少在社会上享有高知名度的教师，人才强校计划需进一步完善和实施；6. 学校用人机制有待深化，以激活教师队伍，形成人才能够流动的良好态势；7. 课程改革及一系列相关内容的特色创新有待尝试。

基于此，我校制定了《中关村第一小学 2010 发展纲要》和《中关村第一小学2010行动纲领》，明确提出学校发展共同愿景：立足北京，辐射全国，走向世界，引导教师结合《发展纲要》进行个人生涯规划，制定“个人三年发展规划”和“个人年度发展目标”，寻找每一个人的最近发展区并制定目标，逐渐完善学校办学理念，“自主发展主动适应自我超越”，并在全体教师“雨丝征集”活动的基础上提炼出了“做最好的我”核心价值观。“自主发展，主动适应，自我超越”的办学理念和“做最好的我”核心价值观引领我们不断向学校发展的共同愿景迈进。

其次，校长领导力还是一种课程创生力，即校长引领教师团队开发和实施新课程，推进教学改革和提升教学质量的能力。陈玉琨教授认为：“校长的核心竞争力就在于领导课程发展，指导课堂教学，促进教师专业发展的能力。这是校长作为专业人员不可替代的根本所在……一流的校长必须要有领导学校课程编制的能力，有指导教师实施课程改革的能力。”我国基础教育课程改革实行三级课程管理体制，该体制的确立分别赋予了国家、地方、学校不同的课程权限。学校在课程发展中获得了更多的自主权，这一形势呼唤着新型的课程领导代替传统的课程管理。作为学校直接管理者的校长，无疑担任着领导校本课程发展的先锋和主帅。

我校的校长课程领导力主要从课程开发力、团队的内聚力、课程制度的执行力和课程文化的感染力四个方面来构建的。从功能上讲，第一，校长的课程领导力体现在课程组织领导中。要求校长在课程开发过程中，坚持国家、地方课程基本要求，灵活掌握、有所创新。第二，学校领导课程的落脚点应是课堂。校长应推动课程的研究性实践，从学校实际出发，突出重点，找准切入口，以课为核心推进课研修一体化。课程领导关键在于把握教学本质，要引入教学理念，建设共同研究的团队，善于在实践中发现问题、研究问题和解决问题，不断实现教学质量和团队专业能力的提高升华。第三，通过课程文化的感染力发挥辐射带动作用。形成学校特色的课程文化是课程实施的最终走向。良好的课程文化氛围具有强大的感染力，它辐射带动每一位教师和学生成为课程的参与者、建构者和创造者，实现个人与学校的和谐发展。

基于此，依据《海淀区义务教育阶段课程设置意见》，我们树立社会、家庭、学校相结合的大教育观，了解并回应学生发展的多元需求，结合办学理念、发展目标和学生的培养目标，进行系列特色校本课程的开发，开发校内教育资源，成立近100个兴趣小组和20多个艺术社团；积极挖掘、利用、配置、盘活中关村地区优质独特的科技文化资源，成立了“中关村第一小学少年科学院”、“学校德育教育基地”、“双百家长顾问团”、“百场科普讲座”、“家长讲师团”、“社区论坛”、“宇航中队”等，同时坚持用国际视野培养全面人才，在国际部的办学中为学生展示多元化的教育途径，开发多门国际课程。丰富的课程形态为学生的全面发展提供了广阔的发展空间，也促进了教师专业发展。

再次，校长领导力是一种教学引领力，即校长引领全体师生准确清晰地理解和执行党和国家教育方针，为师生发展与成长提供良好的支持性环境，并通过各种教学过程的实施，不断提升教师专业素养，促进学生健康成长的能力。随着课改的不断深入，现代课程观念与传统惯性之间的冲突，先进的教学理念与现有教学行为之间的不对称，改革动力需求与教师职业倦怠的强烈反差，对校长教学领导的智慧和勇气提出了新的挑战。面对课改的要求，面对课改推进中的矛盾和困难，校长的教学领导力逐渐成为深化课程改革的焦点。

我们认为，校长教学领导力的核心是思想的引领，要形成思想。作为一校之长，必须紧紧把握时代脉搏，对教育理念进行本土化分析，形成自己的教学思想，然后用这样的教学思想去引导、组织、管理、评价学校教学，影响整个团队。我们结合自主教学的实践探索，形成了决定学校教学发展走向的教学思想。教学过程是人的生命展示与发展过程，应该关注生命、关注教育主体的生存质量，要强调教学的发展性、自主性和开放性，基于这种认知，我校鲜明地提出了“自主教学”理念。“自主教学”是教师根据学生成长需求适时加以引导，以培养学生独立思考能力，提高学生自主性学习素养，为其自主成长而展开的教学研究，强调在教学过程中给予学生确定目标、选择内容、自我发现和自我校正的权利，在教学中最大限度地发挥学生的主体作用，从而实现学生的独立思考与自主学习。

校长教学领导力的切入点是课堂教学的领导，要力求正确。新课程改革对教学提出了全新的要求和目标，这就要求校长在领导教学的过程中，引领、指导学校教师团队认真组织开展有针对性的课堂教学研究，掌握新课程背景下教学的新特质和教学基本环节的新要求，构建适合本校发展特色的课堂教学结构，以保证学校教学沿着新课程思想和方案的正确轨道健康推进和有效实施。我校的实践包括：校长听评课、校长上课、校长主持和参与教学专题研讨，制定科学有效的教学评价策略，并对教学质量进行分析反思。

校长教学领导力的着力点是对教师校本研修的把握，要追求有效。促进教师专业发展，提高校本研修水平，是校长教学领导力的重要组成部分。从 2003 年起，我校开展了形式多样且扎实有效的校本培训与校本教研，构建了十项实施策略，强调系统思考和团队学习，引领教师研究课堂教学，不断探索课堂教学的实质，从个人体验到团队收获，教师们的理论素养和教研水平明显提升，从理念的更新到行动的改进，一种大气、雅气、灵气的教师文化悄然而生，教师的智慧同时丰富了学生的内涵。

最后，校长领导力是一种人格魅力，它是校长的人格、人品、学识、兴趣、才能、情感、意志、能力等良好的道德品质和素养的综合，能够吸引和凝聚全体教职员工围绕一个共同目标而奋斗的能力。校长的人格魅力是校长发挥领导作用的基础，是校长领导力的必要条件。

领导是一门艺术，最后决定领导者能力的则是个人的品质和个性。一所学校，校长就是一面旗帜，这面旗帜是否具有感召力和凝聚力，在很大程度上取决于校长的个人魅力，这就要求校长能够调节权力影响力与非权力影响力之间的关系。校长作为学校行政负责人和学校法人代表，总是要运用权力因素，通过命令、指挥，采取行政措施，行使行政职权，对学校组织进行控制和影响，这就是通常说的权力影响力，而成功的学校领导者能够正确把握权力影响力的度，不将其视为统治的权力，而是看做与下属共同的权力，更多地关注行使权力的社会责任，利用自身的学识和人格等非权力因素对学校组织成员施加影响。

就我自身的教育教学和管理实践而言，校长的人格魅力主要表现在校长要具有与时代接轨的先进的教育思想与办学理念，能够高瞻远瞩地确定学校发展长远目标，并以此激励全体教职员工朝着一个共同的高远的目标前进；校长要具有坚强的执行力，能够以身作则，带领全体教职员工践行学校共同愿景，并使之深入、内化；校长要有宽阔的胸怀和良好的沟通艺术，用关爱的力量规范校园，用欣赏的目光激励师生，提高师生的幸福感，公正、公开、公平地对待每一位教职员工。我本着人性化管理的原则，着重修炼自身的负责精神、服务意识、创新能力与合作品格，重视每一个人，给每一个人以充分发挥才能的机会，如大胆放权，推行项目负责制，减少部门内耗，鼓励教师在教职工代表大会上主动谏言，实施组级校长负责制，鼓励教师自我负责，推行岗位意向表，引导教师自我推荐，实施科研老板，鼓励教师自主选择研究课题、自我推荐做论坛坛主等，促进教师的自我认同。

五、高绩效领导力与校长的自我修炼

高绩效领导力的建设需要加强校长的自我修炼，就我自身的学习和实践得知，校长高绩效领导力的建立应注重两个方面的修养和一个角色的转换。

1. 思维创新力

办学实践的最终旨向仍然是学生的成长与进步，学校教育要顺利开展必须有全体教职员工的共同努力，作为校长，必须能够调动每一位教职员工的主动性和热情，提高教师团队的专业素质，这样才能实现关注学生、满足学生、服务学生的成长，并使每一个个体得到成功的目的。校长抓办学实践，必须培养自身的思维创新力，主要是培养战略思维、系统思维和创新思维，进而转变教师思维方式。战略思维要求校长要关注学校的长期发展和可持续发展，关注学校的战略决策，系统思维要求校长要用开放的系统的观念来看待学校，正确认识和处理组织系统与外部环境、组织内部结构与功能之间的关系，创新思维则要求校长要树立事物皆不完善的理念，通过理念创新、制度创新、技术创新等来开拓学校新的发展空间。

2. 专业学习力

学习力是个体学习动力、学习毅力、学习能力和学习创新力的总和，是人们获取知识、分享知识、运用知识和创造知识的能力，校长的专业学习力主要体现在两个方面：一是快速获取专业信息和知识的能力；二是充分运用专业信息和知识的能力。彼得·圣吉在《学习型组织》一书中说：“未来持久的优势，就是有能力比你的竞争对手学得更快。”专业学习力是校长必备的基本能力，中小学校长应把提升专业学习力作为提高各种能力的首要任务。

如何提升校长的专业学习力？首先，校长应该不断提升自身人文修养，丰富自己的内心世界，完善自己的人格，深化自身对世界和现实的认知，使心胸更开放，使目光更长远，更有爱心和同情心。其次，应该不断提升自身的教育理论修养，及时关注最新的教育研究成果和教改动态，及时掌握相关专业的教育理念和改革趋势，关注教育学术进展，创新教育实践。最后，校长还应不断提升自身管理学修养，借鉴现代管理学的重要研究成果，创造性地应用于学校教育教学实践。

3. 转变管理角色

提升校长领导力，校长必须转变自身角色，发号施令的巨人校长已经不适应现代学校发展的需求。新课改背景下，校长的管理者角色至少应该经历三个转变：当教师们对学校工作茫然无措之时，校长应该是身居前锋的引领者，为学校发展指明航向；当学校各项工作步入正轨之时，校长应该是抽身旁观的助推者，积极满足学校发展各种需求；当教师们对学校发展成竹在胸之时，校长应该转变为退居幕后的守望者，为教师发展提供各种物质和精神支撑。校长的这种角色转变体现了一种全新的组织领导观念，即领导是组织所有成员的义务和责任，领导并非是一个职位，而是一个行动者，一种重要实践过程。每一个组织成员都可以是领导实践者，都可以做自己的领导，承担自我开发与管理的责任。

基于以上三个方面加强校长自身的修炼，目的是实现高绩效的领导。高绩效领导主要表现在三个方面：善时，校长要正视挑战，抓住机遇；善势，校长要系统思考，着眼全局；善事，校长要能够发挥教师特长，才尽其用。

六、我的幸福修炼之旅

检验校长领导力的强弱，最重要的标准就是看在校长的领导下，师生是否得到发展，得到了健康发展，得到了幸福发展。校长领导力建设的过程，对我而言，就是一个教育幸福的修炼之旅。苏霍姆林斯基在《把整个心灵献给孩子》一书中给教育下了一个定义："教育——首先是人学!"的确，一切教育的目的都是为了人的发展，为了人生命的成长。一名学生是一个生命，一位教师是一个生命，学生的一点点进步，教师的一点点发展，就是生命成长的一点点跃动。浓烈的生命情结为我的教育思想和教育工作涂上了浓厚的生命色彩。我为每位教师的成长而感动，我为每名学生的成长而感动，我为每个生命的成长而感动。我崇敬生命，我热爱生命，我也时常感动于生命。让生命成长，让生命在享受教育幸福中成长，让生命在享受教育幸福中发展，我想这正是我一直正在做着的事，渺小而又伟大。

生命成长体现的是教育的生命属性。师生生命的自主性、充盈性、独特性决定了教育对生命的张扬正契合了促进人全面发展的素质教育的方向。学校是师生共同成长的地方，师生发展是一个共同体，学校要为师生成长和发展创设良好的氛围，使之享受生命的快乐。尊重生命的教育是幸福的教育，我们崇尚幸福的教育，追求以幸福为起点的教育。

幸福既是个人的一种主观感受，又不可避免地受制于外在的规范、标准与要求。哲学给幸福快乐简单的定义是能够达成自己所选价值，然后出现的一种心理状态。在这个定义中，很关键的四个字就是“自己所选”。如果不是自己所选，你按父母所选达成了某种价值那是父母的幸福，你按师长所选达成了某种价值那是师长的幸福，你按朋友所选达成了某种价值那是朋友的幸福。中关村一小所紧紧抓住的这个“自主”，正是个人寻找自我幸福的关键，也正是追求充满人文关怀的理想学校的最有效途径之一。生命的活力源于人的自主性、能动性和创造性，自主让学校教育的生命活力高度活跃。

我们认为要实现真正的为师生的幸福而教育就要做到三个结合：一是幸福体验与创造幸福的能力的结合，教育既要使师生从教育实践中获得幸福体验，又要使师生获得创造更多的未知幸福的能力；二是满足师生自身需求与适应外在环境要求的结合，教育既要重视师生现实的实然状态，满足师生物质精神等多方面的需求，又要重视师生发展的应然状态，使师生发展适应大的教育、社会发展要求；三是实现知识积累、能力提高、情感熏陶、道德内化、意志锻炼的结合，教育要培养全面发展的人，只有全面发展的人才能体验高质量的幸福，也才能创造高质量的幸福。

提升校长领导力是一个长期的过程，没有捷径，只有持续不断地学习、实践、反思，才是正确的途径。加强校长领导力的建设，最终应该落实到教师领导力和学生领导力的培养上，对于中国校长而言，提升校长领导力，不但是一种教育责任，更是一种社会责任。

第八章 追求教育新境界，学校彰显生命活力

七年前，我们曾共同勾画过一个理想的学校：以教育公平为基点，让所有孩子都享受优质教育，能够为学生的幸福人生奠基；清新雅致，自由舒适的校园环境；每一个课堂都能够润泽如玉，教师们都自觉地以职业为事业；师生能够平等自由地对话，孩子们能够自主、快乐地成长，学校里的每一名学生都能够充分感知生命的自由、幸福、尊严，每一个生命都能找到属于自己的天空，每一朵生命之花都能够绽放。为了这样的理想，我们一起努力着，实践着，也进步着，同时，我们也清楚地看到现实与理想之间仍然存在差距，不论怎样，这些都将成为我们为之奋斗的动力和前进的方向。

一、正视新时期下学校面临的挑战

（一）国际的高端竞争给教育带来严峻挑战

改革三十年来，我们国家取得了突飞猛进的发展，这样的发展令国人倍感自豪，也令世界刮目相看。袁振国教授在《教育新理念》中写道：“我们已经进入了这样一个时代——科学技术发展的速度超出了我们的想象力……根据情报学家的统计，第二次世界大战以来，知识的陈旧周期不断缩短，进入20世纪90年代，每隔4年，就有75%的知识被更新。换句话说，一名大学生进校第一年所学的知识，到他毕业时75%已经需要重新审视。”我们不得不重新思考教育在一个人的成长中应当处于怎样的位置，起到怎样的作用，这是我们做好教育的前提与基础。

在新一轮的《国家中长期科学和技术发展规划纲要》中指出：“新中国成立50多年来，经过几代人艰苦卓绝的持续奋斗，我国科技事业取得了令人鼓舞的巨大成就……同时，还必须认识到，同发达国家相比，我国科学技术总体水平还有较大差距，主要表现为：关键技术自给率低，发明专利数量少；在一些地区特别是中西部农村，技术水平仍比较落后；科学研究质量不够高，优秀拔尖人才比较匮乏；同时，科技投入不足，体制机制还存在不少弊端。目前，我国虽然是一个经济大国，但还不是一个经济强国，一个根本原因就在于创新能力薄弱。”国家的创新能力如何提高？我们的国家在今后还能否保持之前的快速发展？我们怎样令自己的国家处于不败之地？……种种问题摆在我们面前，我们的教育责无旁贷，任重而道远。

（二）国家对教育的期待与日俱增

2009 年教师节前夕，温家宝总理到北京市第三十五中学进行视察，温总理的发问触动了我们每一个当代教育工作者的心：

“为什么现在我们的学校总是培养不出杰出人才？每每想到这些，我又感到很内疚。”

“我们的教育还不适应经济社会发展的要求，不适应国家对人才培养的要求。”

如果我们的学校培养出来的学生不能达到我们社会发展的要求，我们的人才不能最大化地报效我们的祖国，应该说我们的教育真的算不上成功。我们应该办怎样的学校？我们应该做怎样的教育？

这些艰巨而紧迫的问题是基础教育工作者必须直面的课题，同时我们也看到国家正在为此开展着相应的工作。结合当今我国教育中存在的主要问题，教育部副部长陈小娅表示，今后我国教育改革的主导方向是“如何大力提升各级各类教育质量，促进教育公平和培养创新型人才”。作为首都基础教育的优质校，应该说我们在教育质量上作出了不菲的贡献。但如果用为培养创新型人才奠基这一标准去衡量，我们还存在着很大差距。

（三）准确诊断学校教育中的优势与不足

学校为适应未来的教育形式必须认清自己的现状，清晰自己在发展中已经取得的成绩及表现出的优势，找出学校发展过程中的真问题，从而更加科学合理地为学校今后的发展方向谋划思路。

学校在“做最好的我”的核心价值观引领下，已经初步形成了积极向上的校园文化。多年来，我们的教学质量一直处于区域内的优质地位，得到了社会的高度认可，我校的学生保持着在各级各类科技艺术项目的竞赛中的卓越竞争力，教师专业素养逐渐提升——学校的学习氛围浓厚，读书交流，教育故事漂流，团队课题攻关，撰写并分享科研论文，教师们在学习过程中对新时期的教育要求有了更深刻的理解；教师队伍结构不断得到优化——在学校这几年的正确引领下，我们的教师约85%为本科及以上学历，其中硕士及研究生以上学历已有7人，并将成为今后人才优化的方向；在教师业务发展上，我校的区级骨干及以上称号的教师达到了全体教师的近30%，而且随着这几年这个比例的攀升我们已经看到了我校组织文化带来的良性效应。我们的教师正在朝着“大气”、“雅气”、“灵气”的方向行进着。

在这一背景下，面对国家对教育提出的新要求，我们也在追问自己：中关村第一小学作为一所坐落在首都高科技核心区的学校，我们不断感受到首都和中关村核心区高速发展对教育的更高的需求，我们的教育应当如何为社会、家长、学生提供更适当的服务，如何回应每一个学生成长的需求？在学校已有文化积淀的基础上，如何更大限度地发挥每一位教师，每一个学生的自主性和创新意识，把校园真正建设成一个能够影响人的精神磁场？在国家教育均衡的大背景下，中关村第一小学作为一所汇集优秀教育资源的大校，我们如何更好地发挥引领示范作用？

二、在追求教育理想中享受行进的快乐

且行且思，我们从未停止探索与努力的步伐。回顾近年来我们走过的路，我们欣喜地发现我们已经在路上。已经在收获，已经在前进。虽然有付出、有艰辛、也有遗憾，但是不断靠近我们心中的目标已经令我们满怀信心。

（一）追求心目中理想的学校

踏入中关村第一小学的大门，你会发现自己置身于一个明黄色的葵

花园，这种普通但个性十足的植物，因对太阳不懈的追求成就了与众不同的美丽。如同学校的每一位师生，可能并不出众，但是坚定目标，永不言弃。漫步校园，感受着满校园温暖的橘黄，会深深震撼于那温柔而坚韧的阳光般的力量。朗朗的读书声、美妙的乐曲声、稚嫩的歌声、甜美的笑声，这里充满生机与快乐，这里是学生们幸福成长的乐园，是教师们幸福工作的家园。学校成为一个充满温暖的地方，一个可以分享快乐的地方，一个学生喜欢的地方，一个教师们不断发现自我、超越自我的地方。

在这样的学校里每一个人都是重要的，每一个人都能感受到自身的价值与存在的意义，即便是走出校门五年、十年、二十年后仍念念不忘这个影响着他终生的精神家园。理想的学校一定不再因生源多少、规模大小而形成差异，不会为"示范"、"优质"等无生命的牌子而激烈角逐，每个学校都会有引以为荣的特色与特长；理想的学校应该是一个创造幸福、感受幸福、传递幸福的乐园。这正是我们通过学习型学校的创建不懈追求的教育理想。

（二）形成易于滋养的组织文化

形成组织文化是构建学习型组织的最高境界。优秀的组织文化能培育教师共同的价值观和行为准则。我们始终认为组织文化构建应当是一种对生命成长的滋养，是一种润物无声的强大的精神影响。在学习型学校的创建过程中，结合学校教育创新的具体实践，我们始终强调学习是人的生存和发展所需要的理念，我们要培养学生终身学习的意识、习惯和能力，为学生一生的发展奠定基础。为此，我们研究教师成长规律和现实需要，推动教师专业发展；研究学生成长规律和身心特点，使学生获得进步。我们强调每个人都重要，每个人都有想法，每个人都能成长，力求通过领导角色的转变和影响打开局限思维，实现心灵的转换。

围绕着"做最好的我"这一核心价值理念，我校逐渐形成了以人的生命成长为核心的易于滋养的组织文化。

1. 【大气、雅气、灵气的教师文化】

大气：是指教师要视野开阔、包容开放，将自身生命价值与教育使命融为一体。

雅气：指教师要学识渊博，谦和文雅，在教学中能够触类旁通。

灵气：指教师要具有的智慧和教育创新能力，在教学工作中学思结合，勇于实践，深度研究。

2. 【成人、成才、成功的学生文化】

成人：即品德成人，是指每一名学生都要做一个自尊、自爱、自强、自信，品格优良、行之有范的人。

成才：即学习成才，是指每一名走进学校的学生都要能够掌握适应自身成长的知识体系，学有所长，实现全面而有个性的发展。

成功：即做事成功，是指在学习成才和品德成人的基础上，每一名学生都要具备独立的思考和创新能力，能够学以致用，自主成长。

3. 【尊重、沟通、激励的管理文化】

尊重：不但要尊重人格平等，更要尊重思想自由，形成一种公平、公正、公开的团队氛围，彼此倾听，悦纳他人，形成学校管理者与教职员工之间的融洽配合和良性互动。

沟通：是指学校教职员工在学校核心价值观的指引下能够进行思想和意识的双向传递的过程，教师之间相互理解，平等对话，共同为学校发展贡献心力。

激励：是指学校尊重、承认并欣赏教师，构建一系列发展性成长机制，激发教师主动发展的热情，提高教师幸福感。

4. 【和谐、共生、创新的组织文化】

和谐：是指团队成员之间的团结互助和共同分享，共同努力营造出“和衷共济”的组织氛围。

共生：是指教师伙伴之间的互帮互助和共同成长，在进行自我超越的基础上，实现团队的共同超越，打造高水平、高素质的教师团队。

创新：是指对自我的超越，在和谐与共生的基础上，每一位师生都能够发挥出自身最大的能量，并通过个人活力的发挥，提高组织的创新能力，使组织成为一个生机勃勃的有机的生态体系。

5.【知性、协作、共进的家长文化】

知性：是指内在的文化涵养自然发出的外在气质，具有知性的人拥有开放的态度，善于接纳与反思。由于地区环境的特点，我校学生家长自身具有知性的气质，善于与学校沟通，能够理解和支持学校的工作并提出自己的意见。

协作：是指在目标实施过程中，成员或部门与部门之间、个人与个人之间的协调与配合。在知性气质的引导下，家长为了实现孩子的健康成长的共同目标，充分友情的利用家长和学校的具有区域特点的资源，通过家校协作形成大的教育氛围，正确引导孩子成才，让孩子健康成长，成为有用之才。

共进：是指一种对于过程和结果的认识。在知性的精神引导和协作的过程引导下，家长和学校通过双方共同的努力，孩子健康成长，学校综合水平不断提升，双方都得到满意的结果，共进既是一种结果又是一种精神上的目标，对于协作过程给予了精神保障。

6.【自主、灵动、开放的课堂文化】

自主：学生学习的自主就是要充分尊重学生的主体地位。我们的课堂教学就是把学习的权利还给学生本人，给学生以相对宽松的时间和空间，让学生能够自我选择学习的内容和方式。课堂上学生应该积极主动、情绪高涨、动脑、动手、动耳、动口，勇于自我表现。学生在自学的过程中，才能有所领悟、有所发现、有所创新，并自觉地去运用学到的学习方法和策略。

灵动：灵动的课堂，就是学生动起来，在动中学习，在学习中发展。灵动的课堂需要相互倾听。灵动的课堂应该合作分享。灵动的课堂充满了思考，思考的课堂，时时有生命的感动，让你活得快乐而精彩。灵动的课堂始终传递着老师对学生的真心和爱意，让每个学生的生命在自主学习和相互交流中灵动起来。

开放：开放的课堂是学生自主发展的课堂。课堂上学生在教师的引领之下自主探究，自主发现，自主创新，是学生全身心地投入到学习本身之中去的课程学习新创意。开放的课堂是学生心灵上有安全感的课堂，可以自由地表达观点、批判性地质疑。开放的课堂重视学生参与教学过程。开放的课堂关注学生当下的生活。

7.【雅致、生机、博远的校园文化】

雅致：是指校园的文雅高致。教学楼中名文镶嵌，德育角里竹石映辉。科学的春水启迪心智，艺术的韵律陶冶情操。如诗如画的和谐环境，引领师生努力前行。敏而好学，谈吐经典，彬彬有礼，气度不凡，古今智慧在这里结晶；洒脱风姿，崇高心灵，高雅意趣，富有创造，一切优美在中关村一小展现。

生机：是指校园的蓬勃向上。向日葵花点燃理想，自主发展激发力量。培养杰出，召唤未来。一种追求，一种信念，一种超越，是中关村一小师生对生命的认知。拼搏进取的精神，团队合作的默契，天人境物的合一，尽情舒展着中关村一小的春芽，溢出校园，在世界的每个角落，长出参天大树。

博远：是指校园的博大精深。师生手不释卷，展开知识的天空，驾驶思想飞船，搏击浩瀚的宇宙。博览善思，崇尚真知，兼容并包，精益求精，中关村一小生生不息的科学求问，让智慧成为阳光的能源辐射无限。师生热爱自然，将纯净的生命融入自然的和谐共生。

8.【多元、差异、创新的课程文化】

多元：设置门类多样的课程，满足学生发展的多元需求。形成“三个结合、四大门类，五个板块、六个完善”具有中关村第一小学特色的，充分体现传统与现代、科技与人文有机融合的校本课程体系。

差异：从满足学生的需求和发展出发，结合家长愿望、依据社区资源、根据体现时代气息的原则来构建我校的课程，以人为本，面向全体，因材施教，培育英才，为每一个学生营造个性发展的空间，快乐成长的沃土，让每一个学生享受到中关村第一小学最优质的教育服务。

创新：课程设置要在基于实际的基础上与时俱进，不断发展，要在培育和弘扬民族精神中不断创新，既要遵循文化发展的一般规律，又要遵循教育创新的一般规律，在文化交往与文化选择、文化批判与文化兼容、文化积累与文化突变的相互联结相互作用中追求创新。

9.【规范、科学、人文的制度文化】

规范：是学校制度建设的基础层面。制度文化的建设首先是制度的不断修正与完善，规范保证了学校各项工作的有序开展，形成学校良性循环的系统，为学校发展搭建了有效坚实的支持平台。

科学：是学校制度建设的提升层面。在规范的基础上，学校制度需要在规范的基础上通过实践与理论研究不断优化与提高，使制度建设更加高效。

人文：是学校制度建设的最高追求。制度建设的目的不是控制，而是自觉，通过人文的制度建设获得教师的认同和自觉的遵守。

10.【文明、丰富、共享的网络文化】

文明：是引导家长和孩子们对网络形成正确的价值观、行为观，使校园网络成为学校教育在更广阔空间里发挥作用的最有力平台，是校园教育力量的无限拓展。

丰富：由于网络自身强大的资源共享功能，校园网络成为教师自主教学和学生自主学习的最有力支撑，网络成为知识管理的有效平台和个体学习的资源库。

共享：由于网络特有的公开性和信息交流的快捷性，它必然成为学校团队学习的交流渠道，同时也成为凝聚家长、社会、学校三方教育合力，促进学生全面发展的主要途径。

（三）学校发展迈上新的台阶

2001年，新的课程标准颁布实施，在弘扬学校优秀教学传统的基础上，中关村第一小学先将重点放在进入课改理念的解读与探索，为了实现教师教学方式和学生学习方式的逐步转变，学校走过了一个不断探索、实践、研讨、反思、梳理、提升的过程。几年来学校在自主教学、自主德育、自主管理等方面取得了令人可喜的成绩。教师队伍迅速成长，每年教师论文在各级各类教育刊物上发表或在各类论文评选中获奖都超过二百余篇。多个学科教师参加全国课堂教学展评并获一等奖。每年参加北京市、海淀区、海淀学区各类课堂教学展评活动的教师人次达到六十余人。我们的学生更是在各种学科评比、艺术活动、科技竞赛中捧回无数的奖杯和奖状。每个学期，学生获奖总数都保持在六百人次以上，更有部分学生获得了国际奖牌和全国冠军。

三、视推进教育优质均衡发展为己任

加快推进教育优质均衡发展是实现教育公平的基础，也是实施科教兴国的关键。我国城乡、区域之间经济社会发展水平很不平衡，义务教育的普及和质量依然存在很大差别，进入21世纪以来，党和国家对义务教育的基本政策导向越来越聚焦在均衡发展上。“在基本实现普九‘有学上’之后，‘上好学’的问题更加凸显出来。”教育部部长袁贵仁提出“把义务教育作为教育改革和发展的重中之重，把均衡发展作为义务教育的重中之重”。

近年来，我校坚持科学发展观，把实现教育优质、均衡发展作为构建和谐社会的重要举措摆在突出的位置，围绕“为更多的人提供更多的教育机会，为所有的人提供基本平等的教育，为尽可能多的人提供尽可能好的教育”的目标，创新机制，积极创建区域教育优质均衡发展的和谐学校，实施优质资源共享的四级辐射，为教育均衡发展做出了很多努力。

（一）全国：教育部—中国移动校长影子培训项目

我们认为教育均衡化发展是深入贯彻落实科学发展观，合理配置教育资源，为受教育者提供相对平等的受教育机会和条件、教育成功机会和相对均等的教育效果，办好每一所学校，教好每一个学生的重要标志。近年来，我校与西藏海城城关小学、河北省张北小学以及贵州等多所小学组成了手拉手学校，实施全国范围内教育优质资源的传输与共享。同时，我校还承担了一批全国中西部中小学校长的学习研修任务，即由中国移动捐资1500万元与教育部联合实施的为期3年的中西部中小学校长影子培训项目。这个项目开展时期为2009年至2011年，以农村骨干校长为主，选派中西部3000名校长到200所实践基地学校担任“影子校长”，学习并借鉴先进学校的教学管理经验。此前我校在北京市教委推动的“十百千万工程”中，早已与许多兄弟学校建立了“手拉手”的互助关系，而且还是海淀区中小学优秀校长培训的基地学校。于是我们将部分有特点的“手拉手”学校、海淀区准备参训的优秀校长，同时纳入到这次“影子校长”培训项目。使来自不同地域的校长聚集在中关村第一小学，在共同参与、真实体验中交流分享，收获的将是每一份资源与智慧的增值。

在研修中，我们不预设话题的边界，不强行灌输自己的观点，只要求“影子校长”们“浸入式”地参与课程活动，“开放式”参与分享讨论，即“有输入必有输出”，让他们用眼睛看、用心悟。“影子”校长们10多天来写下的近200份培训日志、课堂观察记录，“关注学生需求”、“还原教育本真”等字眼随处可见。

影子校长的培训过程，对于我校来说也是梳理自身经验、完善自我的过程。同时，参加培训的每位校长的管理思想也启示着我们的管理思路和智慧。这个研修分享共同提高的过程，对于每一位参与者来说，都是值得记忆和珍藏的。

（二）北京市：农村教师研修站

自2005年以来，我校依托北京市"十百千万工程"，与怀柔实验小学和海淀区巨山小学结成了"手拉手"学校；2006年大兴枣园小学在参加了几次我校的活动之后，希望与我们结成"手拉手"学校，我们欣然携手。与这些农村学校的项目交流中，我们对实施优质资源共享有了更深刻地理解与认知。建立农村教师研修站是我校实施优质资源共享的进一步思考与实践，自2008年初秋以来，我校农村教师研修站先后迎来了三批农村教师学员。作为一所坐落在海淀区中心地带的名校，我校有着多年支援农村学校建设的经验。每一年，我们都会与"手拉手"的农村小学开展多种形式的教学研讨、教师学生交流活动，老师们也和农村学校的教师们确立了师徒关系。作为北京市首批40个农村中小学教师研修站之一，中关村一小更是敞开大门做好了一切准备为农村教师提供零距离的专业引领。

为了帮助农村教师在我校得到最大限度的专业帮助和支持，学校组成了专门的工作小组并就工作站的筹建和具体工作做出了周密细致的规划。我们还为农村教师配备了专门的工作室，提供了比较完善的硬件设施和细致周到的生活保证，并且调动了学校最强大的骨干教师队伍组成指导教师组。作为研修站的站长，我深知自己肩上的担子。这副担子上担起的是这些农村教师们专业发展的渴求，还有他们身上所承载着的一所所农村学校、无数个农村孩子们的期待。在启动仪式上，我提出工作站"求实"的工作方针，并向导师和学员教师分别提出了期望。导师的头衔不是随便授予一个人的，导师必须要有切实的计划，要有明确的工作目标，再把目标分解成五个"脚印"来走，也就是五个月的研修工作每个月都要有重点。每一个"脚印"还要分解成四个专题来做，也就是每个月要周周有专题，周周有计划。对于平谷的学员教师，我提出"两个结合"，即结合已有的研究专题，结合教学工作中新的困惑，使学习和研究真正落到实处。

我们一直倡导中关村一小的老师要大气，这种大气体现在很多方面，其中最重要的一个方面就是能够以坦荡的胸怀接纳年轻的教师和新调入的教师，让他们尽快融入中关村一小这个大家庭；更要能够以坦荡的胸怀接纳外校的老师，特别是农村地区的教师，因为一小汇集着优秀丰富的教育资源，我们有责任、有义务带动周边地区以及远郊区县教育的发展。

我们深信，“城区名校反哺农村校，实现城乡一体化”的工程是一个互益双赢的工程。在管理学上，我们常常提到“破冰原理”，借助外力的介入打破一个团体旧有的平静。中关村一小是一所名校，但是中关村一小发展到一定的高度同样会经历所谓的“高原状态”。这时，只有新信息的融入才能打破这种状态，使中关村一小突破发展的“瓶颈”状态，获得新的发展动力。农村教师的到来对我们的教师来说无疑是一种推动教师提高的外力，借此我们可以更好地锻炼学校的骨干教师队伍，促进骨干教师自身教学风格的进一步形成和提升。

（三）海淀中心学区：建立携手工程

海淀学区教育资源积淀丰厚。为了促进学区内教育资源共享，促进干部教师发展，缩小校际间差距，达到“更好共好”的目标，作为海淀中心学区的校长，我带来我的管理团队创新发展举措，建立携手工程理念，形成以下共识。

共同愿景：作为优质学校，为创建“文化内涵丰富、生命意识浓厚、教育质量一流”的和谐社会贡献所能。

工作思路：优势互补、资源共享、交流互助、携手共进。

采取“四个策略”：课题引领策略、校长带动策略、龙头示范策略、各校合作策略。

实现“四个共享”：设施设备共享、课程资源共享、人力资源共享、管理资源共享。

在明确携手工程理念的基础上，我们开展了多渠道的交流互助活动。

1. 校际会课：为了更好地培养教师的研究意识与实践能力，探究对教师的培养及提升途径，引导教师科学地进行教育实践与改革，2009年12月23日，海淀学区在中关村三小万柳校区的多功能厅召开以“聚焦课堂　提高实效　对学生学习方式的研究”为主题的教学总结大会（我校青年教师郑伟在大会上做现场课）。

2. 名师引领：我校王化英主任与万泉小学张立副校长一起共同组建学区语文教学指导组，吸收各校的语文教学干部、骨干教师开展学科教研活动，再辐射到各校的其他教师。带动了整个区域语文教学的提升。

3. “好伙伴”结对互助：我们将素质教育优质校与一些基础相对薄弱的学校结成“好伙伴”互助学校。中关村第一小学、中关村第三小学、万泉小学、人大附小分别与双榆树第一小学、知春里小学、西颐小学、彩和坊小学一对一结对。互派教师、互动教研、定期互访，进行校长、中层干部、教师和学生之间的对话交流，互通有无，取长补短，扩大优质教育资源覆盖面。

4. 教师互访——2007—2009年，我校和双榆树一小互派教师进校带班授课，率先进行了海淀中心学区教师双向交流试点工作（唐春璐老师作为互换教师到双榆树中心小学任教一年）。其间，两校要求教师在受助学校上好示范课、做好专题讲座，带好一个教研组，带优一个徒弟。双榆树一小段继红老师感言道：“中关村一小教师的专业精神、专业技能和专业知识令我十分折服，也激励我不断追求卓越。”与此同时，我校接收教师到我校学习。在中关村一小的带动下，一些学校也纷纷自发地开展校际互访，邀请海淀学区各学科的优秀教师访学，为教师们上示范观摩课、分享教育教学经验。

教育优质均衡发展是义务教育发展的新方向，是一项不断超越、持续发展的工作。我们积极营造一种和谐的、开放的、包容的、支持性的组织环境，在尊重差异、发挥优势、彰显特色的基础上，努力建设一个充满活力的、可持续发展的资源利用最大化的教育生态环境，积极构建学校之间、校长之间、师生之间携手互助同行的学习发展共同体，力求办好每一所学校，教好每一名学生。

四、对未来学校发展的思考

学校是什么？学校为什么？学校应该做什么？对学校本质的追问是办好一所学校的基本思想保障。对教育的理解不同，对这个问题的答案也就不同。我们理解的教育本质是一种生命关怀，其终极目标是使人生活得更美好、更有价值。学校教育的任务是尊重生命、提升生命价值，让学生学会学习、学会快乐、学会生活、学会成功，使学生持续不断地成长。

学生培养目标的确定应该为他们未来十年、二十年、四十年的幸福人生奠基，教师发展应该着眼于自主意识与能力的建构，成为自主发展的主人。只有学生、教师成为可持续发展的个体，学校才能实现不断发展、不断超越。一所可持续发展的学校一定是一个不断创新、充满生命力的学校。它不应只关注于当下或是不久的将来，而应服务于一个国家的未来和世界的发展，当然，也应考虑为人类的长治久安做奠基。在这样的理解下，我们将更加关怀生命，这样的教育将要求我们既要关怀教育的对象——学生，也要关怀实施教育的人——教师，尊重他们的内心需求，实现其最大程度的可持续发展，实现其对幸福的最大体验。我们谋求每个人幸福感的最大化，继而带来的是社会幸福感的提升，国家和谐发展的实现，最终形成推动世界健康发展的动力。

（一）树立大教育观，担当时代责任

教育改革形势使我校的教育教学实践研究必然要走向新的高度和广度。作为一所在社会上享有一定声誉的、具备先进的办学理念和高尚的价值追求的学校，我们认为我们担负着引领基础教育的重任。我们需要继续探索与《国家中长期教育改革和发展规划纲要》相适应的新的改革实践，为中国的基础教育提供可借鉴的先进的办学实践和理论研究。这也必然成为中关村第一小学创建学习型学校新的发展实践。继续完善学校长期以来的“学习型学校”的建设，使生活在中关村第一小学的每一位教师和学生在组织中找到自己理想的影子，寻找到自己努力的方向，使每个人都能用阳光的心态朝着我们共同的愿景快乐前行。

在这一过程中，创新将继续成为我们前进的基础和动力，学校必须长存创新意识，方可保持旺盛活力。创新是一种文化、一种能力、一种精神。只有敢于突破、敢于变化，我们才能在未来的发展中不断拥有新的“奶酪”。创新让我们的学校永远保有旺盛的生命力。

在自身发展的同时，我们也将继续关注教育的整体发展。未来的中国需要教育的公平、均衡发展。作为教育资源优势突出、发展速度较快的学校，我们深知学校成长与国家发展的关系，视国家教育的均衡发展为己任，愿意为均衡教育贡献自己的力量。在过去的几年中，中关村第一小学作为一所具有得天独厚地理位置的优质资源大校，已经做出了很多努力，今后，我们还将加大优势互补的步伐，以引领基础教育发展为己任，为国家早日实现教育的均衡发展贡献力量。

此外，今日经济全球化趋势与对外交流的逐渐加深，中国开始在世界大环境中显露出自己的力量和作用，这使得国家对于国际化人才的需求也不断上升，办一所具有国际视野的现代化学校已成为历史发展的必然趋势，这也是中关村第一小学一直的追求。我们相信，要培养具有国际视野的高素质人才，必须要有接纳融合多元文化的胸怀，要有海纳百川的气度，而这一切的前提就是要办一所能够紧跟时代步伐的国际性的学校。

（二）走出惯有的园囿，探索新的育人模式

近年来，中关村第一小学在学校“品德成人、学习成才、做事成功”的育人目标的指引下，立足于社会和学生的实际需求，不断创新、完善课堂教学模式，丰富和构建多元化的校本课程体系，探索自主德育的理论构建与实践，为学校进一步的发展奠定了坚实的基础。今后，我们将继续融合新的理念，适应世界新的发展趋势，以发展的眼光看待学校教育，寻求新的育人模式。

1. 扩大社区资源整合，构建多维度自主选修课程

中关村高科技园区的地域文化始终影响和浸润着学校的发展。虽然我们过去的几年中在与社区的互助、共建方面做了很多有益的尝试，但是就学校的发展和社区的实际情况来看依然有很大的拓展空间。进一步挖掘和利用好地域资源，借助中关村高科技园区自主创新的区域文化深化学校的创新发展成为学校新的努力方向。

目前，学校已经着手依托中国科学院的资源优势和我校多年课程设置实践经验，逐步构建必修与选修相结合的课程体系。探索“菜单式”自主选择课程模式的构建渠道、组织方式、资源开发和评价设计，实现国家、地方和学校三级课程的融合，不同学科间的融通，教师教育方法和策略的融合，学校和社会教育功能的融合，使课程真正为促进学生潜能的发展服务。在学生参与自主选择课程的过程中，提升学生的自主意识和自主学习能力，增强学生的协作意识和合作能力、创新意识和创造能力以及社会责任意识和实践能力。

2010 年 9 月，我们从一年级开始，尝试开设“菜单式”自主选择课程，在课程改革的道路上迈出了探索的第一步。“菜单式”自主选择课程主要着眼于学生课本学习以外的多领域的知识涉猎和技能体验，力求帮助学生拓宽视野、培养兴趣、开发潜能，经过六年的不断积累，引导学生逐步完成科学、艺术、体育、信息等各领域的基础课程的学习，并在其中发现和发展自己的特长，最终培养具备社会适应能力、动手操作能力、自主学习能力的，适应未来社会发展需要的复合型创新人才。

2010 学年，学校为学生提供的可供选择的课程包括三大门类：科技活动类、工艺美术类、艺术表演类，共计十三项课程。课程设置还将随着学生年级的增加不断丰富与完善，并最终形成一个多领域的网状课程菜单，在小学六年的学习中为每个学生持续提供可以自主选择的、符合自身发展需求的多元化的课程资源和丰富的学习体验。“菜单式”自主选择课程的任课教师队伍将由学校有专长的教师和周边科学院所的志愿专家团共同组成。授课方式也将打破惯有的讲授式，而以研究性学

习、实践活动等深度参与的方式为主，让学生们在快乐的体验中自主成长。

“菜单式”自主选择课程的开设是中关村第一小学在创新型人才培养模式方面进行的一次大胆尝试，它开启了学校教育在新的历史时期课程改革的新里程，更开启了每一个学生在自身发展道路上的新起点。我们会以此作为学校教育发展的突破口寻求更加开放、人文的体系建设。

2. 探索“10 + 30 > 40”课堂教学模式，深化自主教学实践研究

近年来，在学校“自主教学”实践研究的引领下，各学科教学都发生了深刻的变化，在这一过程中，每一位教师也在经历着个人理念与实践的伴随痛苦与超越的不断改善。在今后的几年中，我们还将“自主教学”理念的构建不断深入。包括：

（1）改革课堂教学时间分配方式。每节课学生10分钟的自主学习时间，30分钟的互动学习时间。在保证课堂教学互动交流时间的基础上，为学生自主学习提供充分的时间保障。

（2）教师要辅助“学习方案导学”、“跟进式记录评价”、“让学生做小先生”等其他教学策略保证10分钟自主学习的教学效果。

（3）进一步完善“自主教学10 + 30 > 40”课堂教学环节及流程。

研究的关注点如下：

第一，基于学生学习过程的研究。在学校原有研究基础上，继续开展10分钟自学策略的研究，把关注点放到学生的学习过程上，而仅仅是教学方法上。

第二，基于学生差异的研究。改变原有课程整齐划一的学习活动设计，开展多渠道学习活动的尝试。

第三，基于学生多元评价的研究。把关注点放到学生的发展上，而非单一的知识考核上。

3. 进一步构建“自主德育”框架体系，探索德育新模式

为了使德育工作和学校整体发展思路协调起来，为教师和学生的全

面发展提供了全方位的资源支持和个性化服务，学校也将积极创新德育发展理念，探索德育发展途径。

在传统德育中，"想要德育干什么"与"德育能够干什么"似乎总是有些差距。在现实的学校德育实践中，围绕工作任务而展开的接受、实施、检查、反馈的德育流程，很大程度上无法顾及教育对象的感受，即使是德育实施者，也经常被动地处于指向任务目标的运作体系。转型时期的学校道德教育面临挑战，需要调整与革新。转型时期的学校道德教育需要新的本体理解，需要面向生活现实，需要关注人的生存和体验方式的现代转型，需要为人的终身学习奠基。

基于这种新的问题背景，我们认为学校道德教育需要调整。调整的重心不在于实现工艺学上的某种技术转型，而是把唤醒道德成长主体的内在自觉作为学校道德教育变革的核心。教育现代化的本质是人的现代化，而人的现代化的核心就是人的主体意识的形成、主体精神的培养。主体性德育的确立是现代道德教育目标的内在要求。现代道德教育是发展人、完善人、培养独立人格的教育。小学阶段的孩子大都在6—12岁，正处于自律道德阶段，对他们既需要重视社会规范价值的引导，更要重视其道德精神的自主建构。加强和改进学校德育工作，就必须变"要求德育"为"需求德育"，变"任务德育"为"自主德育"。具体改革措施如下：

1. 构建全员参与的德育机制。让德育渗透到学生生活的各个方面，不仅包括校内生活，也包括校外生活。学校生活的各个层面，包括学校的教学方法、学科的组织形式、学校的管理以及教职工有意无意的言行，都会对学生的道德成长产生重要影响。因此，应构建处处育德、人人为师的全员参与的德育机制来促进学生道德的生成和发展。

2. 构建"三结合"德育网络。建立家、校、社会联系网络。建立学校和社区的联系，挖掘和利用各类社会资源，通过建立各类社会活动阵地等，引导学生参加各种社会公益活动和劳动实践活动。学校主动争取家长和社区的支持，营造青少年学生健康成长的良好社会环境。

3. 营建"三个学会"（学会说话、学会走路、学会冲厕）立体教育网络。在目前实施“三个学会”的基础上，坚持制定科学的目标操作体系，形成有效的激励措施。针对学生存在的问题，根据学生年龄特点，深化低中高年级养成教育训练点，进一步深化“三个学会”，强化“四个多一点”。

4. 结合学校校本课程开发工作进行德育教育课程化项目的开发，将德育与学生的生活实际相联系，通过大量的体验式课程帮助学生形成良好的道德品质，养成良好的行为习惯。

5. 让有限的环境成为无限的教育资源。进一步丰富和完善校园的墙壁文化，充分利用“个人秀场”、校园贴吧等设施和机制，让校园的每个角落，都成为育人的大课堂。为学生创设一个幽雅健康的环境，影响其个性，锻炼其心理素质，强化其责任意识。

（三）深化和丰富办学理念，让每一个“我”做到更好

60 年的办学历史使学校形成了以和谐、共生、创新为主要特征的易于滋养的组织文化，确立了共同愿景，明确了“做最好的我”的核心价值观。我们认识到，作为一所具有一定规模的教师队伍的特色学校，如何使学校的价值取向得到每一个人的认可并真正落实到行动中，还只是我们理想中的状态。我们还需要不断探索，进一步加强学校文化的建设，向着我们心中的理想不断迈进。

未来的中国需要适应社会发展的创新型人才。学校作为人才培养的主战场，要认真贯彻国家的教育方针，切实深入地理解和实施素质教育。我们将继续把学校“做最好的我”的核心价值观做深、做实，使素质教育的生命力不断增长。素质教育是强调以人为对象，以人自身的发展为目的的教育；而“做最好的我”正是一种以人为本、以生为本的教育理念，强调从每个人的自身特点出发，在适合个体发展的方向上最大化地发挥教育的作用，使个体得到应有的发展。素质教育强调学生有个性的发展，“做最好的我”正是这一理念的鲜活写照，不盲目与他人相比，而是把自己的优势发扬光大，这将是个百花齐放的前景。素质教育注重可接受性，更注重发展性。“做最好的我”就是一种不断发展

自我、实现自我、不断超越的发展过程。深刻理解学校的核心价值观，从自己的工作中入手，不断地去理解、去实践，我们的学生必将会在这个过程中得到长远发展。

在学校的校史馆里，晶莹透明的心愿箱存放着由全体学生参与设计的“明天最好的我”心愿卡，心愿卡上记录着每一个中关村第一小学师生的梦想和努力方向：四年级五班的毛白松同学写道：“十年后，我想当北京市市长。”陆琦老师是一名普通的英语教师，她的心愿是：做一个宽容大度、善解人意、有创新精神的教师！让每一学生都享受到自我实现的满足！航天英雄杨利伟写道：祝同学们努力学习，快乐成长！作为中关村第一小学的家长、著名作曲家阎肃老师的祝福是：十年后成为一个对祖国，对人民有贡献的人！……

我清晰地记得在校庆庆典上：在主持人的帮助下，我小心翼翼地把承载着许多美好梦想的心愿箱锁上，用红丝带把钥匙轻轻系在洁白的信鸽的腿上，我双手举过头顶，轻轻地把它送向天空，在它腾空而起的一刹那，成千上万的鸽子从校园一扇扇环绕着朵朵葵花的教室窗口鱼贯而出，它们成群地在校园上空盘旋，发出悦耳的哨音。刹那间，校园沸腾了，孩子们把头上的葵花抛向天空，向着一只只翱翔的鸽子欢呼，在孩子们的欢呼声中，鸽子们飞向更高的蓝天，飞向更远的地方……这是60周年校庆庆典上最震撼人心的一幕，我们知道，这成千上万的鸽子的放飞承载着中关村第一小学师生无数个美好的心愿和梦想。那一刻，我感受到一种巨大的力量，我知道那是激励我带领中关村第一小学走向卓越的巨大的动力，这种动力物化成了无数飞翔的鸽子，令我振奋和陶醉。

我常常说：学校是一个生命成长的地方，是一个蕴蓄希望，追逐理想的地方。校园的每一扇窗户代表着每一间教室，代表着每一个班级，当学生们看到美丽的鸽子从自己熟悉的教室飞入蓝天时，我知道他们内心一定很自豪，一定对自己的梦想更加执著，一定对今后的校园生活更加期待。每一个中关村第一小学师生的梦想是不同的，但也是相同的，就像我们校园的墙上耀眼的红色大字所说的那样：做最好的我。每一个

“我”都是不同的，独特的，但是每一个“我”都会努力以自己的方式做到最好。这正是中关村第一小学的核心理念，也是每一个中关村第一小学师生共同奋斗的目标。

责任编辑　孙袁华

版式设计　宗沅雅轩　杨玲玲

责任校对　贾静芳

责任印制　曲凤玲

图书在版编目（CIP）数据

做最好的“我”：北京市中关村第一小学教育创新研究／刘畅等著．—北京：教育科学出版社，2010.11（2013.3 重印）

（“守望者的凝思：读懂学校、读懂校长”系列论丛／裴娣娜主编）

ISBN 978－7－5041－5357－9

Ⅰ.①做… Ⅱ.①刘… Ⅲ.①小学教育－研究－北京市 Ⅳ.①G629.281

中国版本图书馆 CIP 数据核字（2010）第 219621 号

出版发行	教育科学出版社		
社　　址	北京·朝阳区安慧北里安园甲 9 号	市场部电话	010－64989009
邮　　编	100101	编辑部电话	010－64989559
传　　真	010－64891796	网　　址	http://www.esph.com.cn
经　　销	各地新华书店		
制　　作	北京金奥都图文制作中心		
印　　刷	保定市中画美凯印刷有限公司	版　　次	2010 年 11 月第 1 版
开　　本	169 毫米×239 毫米　16 开	印　　次	2013 年 3 月第 2 次印刷
印　　张	20.75	印　　数	3 001—4 000 册
字　　数	285 千	定　　价	50.00 元